W9-CPF-173

Les pères
et les mères

Aldo NAOURI

Les pères et les mères

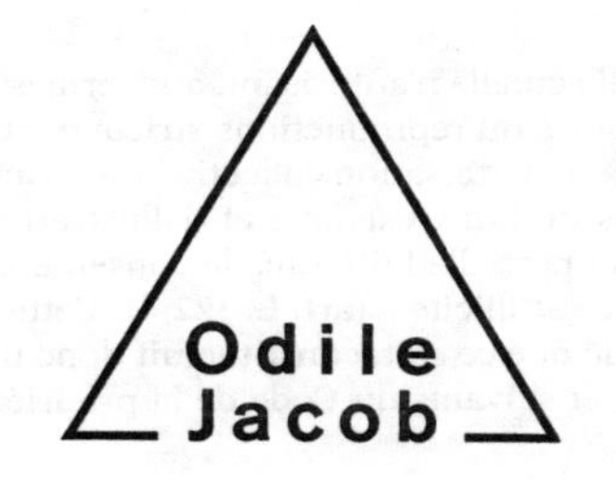

15, rue Soufflot, 75005 Paris

www.odilejacob.fr

ISBN 2-7381-1446-6

À mes petits-enfants.

Du même auteur

Chez Odile Jacob, Paris

De l'inceste, avec Françoise Héritier et Boris Cyrulnik, « Opus », 1994, 2001.

Le Couple et l'enfant, 1995.

Les Filles et leurs mères, 1998.

Questions d'enfants, avec Brigitte Thévenot, 1999.

Réponses de pédiatre, 2000.

Aux éditions du Seuil, Paris

L'Enfant porté, 1982 et collection « Points-Seuil-Essais », 2002.

Une place pour le père, 1985 et collection « Points-Seuil-Essais », 1992.

Parier sur l'enfant, 1988, et « Poches Odile Jacob », 2001.

L'Enfant bien portant, 1993, réédité en 1997 et en 1999, nouvelle édition prévue en septembre 2004.

REMERCIEMENTS

Ce travail n'aurait jamais pu voir le jour sans le secours de la quantité d'ouvrages que j'ai été conduit à lire pour le mener du mieux possible. Ma formation d'origine, la déformation que j'ai subie au fil de mes précédents écrits, comme une certaine paresse que j'avoue, même si elle peut paraître inconvenante, m'ont amené à renoncer à citer mes multiples sources. C'est néanmoins un large hommage que je tiens à rendre ici à toutes ces femmes et à tous ces hommes qui, s'écartant de leur habitude de communiquer avec leurs seuls pairs, entreprennent de publier leurs travaux et de les rendre accessibles au plus grand nombre.

Je voudrais également rendre un hommage particulier à quatre personnes qui constituent pour moi autant d'interlocuteurs avec lesquels, sans qu'ils le sachent, je ne cesse pas de m'entretenir. Il s'agit, par ordre alphabétique, de Françoise Héritier, de Marc-Alain Ouaknin, de Ginette Raimbault et de Heinz Wismann. Je ne veux cependant pas, en les citant, me prévaloir de quelque façon que ce soit de leur aval, de leur soutien ou de leur caution — loin s'en faut, puisque aucun d'eux n'aura eu connaissance de ce travail avant sa publication. Je tiens simplement à les remercier de l'amitié dont ils m'honorent et à leur signifier combien ils sont importants pour moi, constituant, sans ordre ni préférence, autant de compagnons de ces instants merveilleux qu'ils me permettent de vivre et dont Montaigne louait les vertus en les désignant comme des « conversations ».

Je voudrais aussi dire, ici, toute ma reconnaissance à Odile Jacob, mon éditeur, pour la confiance qu'elle m'a toujours manifestée et le soutien sans faille qu'elle m'a apporté tout au long de la rédaction de cet ouvrage. Je tiens à lui dire que rien, sans elle, n'aurait été possible.

Je tiens enfin à remercier mon épouse, Jeanne, pour la patience et la compréhension dont elle a fait preuve tout au long de cette rédaction. Je lui suis reconnaissant d'avoir bien voulu, une fois de plus, être ma première lectrice et, au nom de la longue complicité que nous n'avons jamais cessé de partager, de me faire part sans complaisance de ses réactions.

SOMMAIRE

Avant-propos 13

I – Histoire et histoires 15

II – Tout a commencé un jour 41

III – Le don du père 81

IV – La mère sûre et le père flou 139

V – L'enfant enjeu 219

VI – Rendre l'enfant au temps 273

Nos enfants vont infiniment mieux qu'il y a quelques décennies, et, bien que leur santé physique se soit considérablement améliorée, ils posent cependant des problèmes de plus en plus préoccupants. J'en témoigne et j'en atteste à partir de ma propre pratique de quatre décennies consacrées à leurs soins.

On ne peut pas délibérément mettre de côté la défaillance des parents, en particulier au niveau des interdits, de la frustration et de l'autorité en général. Le vide de la place du père, récemment remis à la mode, n'est pas un effet du hasard. Il est le résultat d'un long processus qui date de plusieurs siècles déjà et qui s'est radicalisé au cours de ces dernières années.

Les choses en sont là et l'enfant, hissé au sommet de la pyramide des valeurs sociétales, est devenu le tyran domestique dont les exploits alimentent autant les conversations de squares que celles des dîners entre amis.

Je n'ai pas l'intention de produire, ici et maintenant, une analyse plus poussée de ce que chacun peut constater dans son entourage immédiat. Je le ferai plus loin et au fil de ce travail. Je veux simplement, en interrogeant les conditions d'existence de la famille désormais dite « traditionnelle », tenter de repérer le facteur qui en a fait l'essence pour voir s'il est possible de l'intégrer à nos nouvelles manières de voir et de vivre. Parce que nous pouvons nous demander, après tout, si à avoir rejeté en bloc un ensemble de dispositifs jugés globalement dépassés, nous ne nous serions pas non plus débarrassés, sans le savoir, d'un élément sans lequel nous ne pouvons plus rien entreprendre et encore moins construire.

Il est question ici du père, de la mère et de l'enfant. J'espère modestement contribuer à aider à comprendre ce trio qui est l'essence même de la vie.

Aldo Naouri

I

HISTOIRE ET HISTOIRES

Greta

Greta ! Le signifiant s'est imposé à moi, à peine s'était-elle assise. Et c'est ainsi que je l'ai rangée dans ma mémoire jusqu'à cet instant où je viens l'en extraire. Garbo, bien sûr ! Greta Garbo, la célèbre et glaciale héroïne de l'entre-deux-guerres. Elle en avait la beauté, avec ses traits dessinés à la pointe-sèche, le port de tête et la réserve.

Elle était venue de loin avec sa petite Cécile qui n'avait jamais dormi une seule nuit de ses seize mois de vie. Droite sur sa chaise, elle m'a raconté son parcours médical, les diagnostics envisagés, les conseils prodigués, ainsi que les traitements instaurés sans le moindre effet. Je l'ai écoutée égrener les détails du symptôme épuisant. Plus elle parlait, plus se renforçait en moi l'hypothèse diagnostique qui m'était venue. Si bien que, sans même examiner son enfant, je lui ai remis l'ordonnance que je venais de rédiger, en lui disant être persuadé que la fibroscopie œso-gastrique que je venais de prescrire nous révélerait une œsophagite. Elle a paru surprise. Je n'ai pas voulu lui dire combien je regrettais que nul avant moi n'ait évoqué ce diagnostic, pourtant criant. J'ai alors repris, un à un, les éléments de sa narration en lui montrant combien ils étaient cohérents avec la démarche que je lui proposais.

Elle est partie, apparemment non convaincue et sans doute un peu dépitée.

Par un étrange effet de hasard, le lendemain, alors que j'étais en visite, mon associée m'a appelé pour me dire qu'elle avait devant elle la petite Cécile : elle venait de quitter le cabinet voisin du correspondant auquel je l'avais adressée et chez lequel je n'escomptais pas qu'elle eût pu obtenir un rendez-vous aussi rapide. Le compte rendu de la fibroscopie signalait l'existence d'une œsophagite avec un ulcère avancé — ce qui a poussé sa mère à venir sans prévenir. Ma collègue m'a demandé quel traitement je comptais prescrire. Je le lui ai dicté, en la chargeant de dire à la maman de Cécile de me la ramener en consultation trois ou quatre semaines après.

Je n'ai pas eu à attendre. C'est le lendemain que je l'ai eue au téléphone. Elle m'a déclaré que les médicaments avaient fait merveille — il faut dire que j'avais choisi de prescrire d'emblée les plus puissants — et que, le soir même de leur administration, Cécile avait dormi pour la première fois de sa vie toute une nuit. Puis elle a ajouté : « J'ai quand même besoin, moi, de vous voir. Le plus tôt sera le mieux, s'il vous plaît. »

Je ne savais pas ce qu'elle avait à me dire et je ne voyais pas le rapport que cela pouvait avoir avec le diagnostic que j'avais établi. Mais j'ai pour habitude de prendre au sérieux ce type de sollicitation. Je ne me doutais cependant pas que cette entrevue augurerait une série de rencontres qui s'étaleraient sur plusieurs mois.

Très vite, j'apprendrai le nœud du drame dont elle voulait parler. Greta m'a fait état de l'existence dans sa vie d'un premier, puis d'un deuxième, et même d'un troisième amant. Son tourment venait de ce qu'elle ne savait pas lequel des quatre hommes avec qui elle entretenait ces relations sexuelles était le géniteur de son enfant. Elle s'était lancée dans des remémorations et des calculs sans parvenir à trancher franchement. Elle en était cependant arrivée à penser que son enfant était plutôt de l'homme dont elle partageait la vie, mais elle regrettait tant de ne pas pouvoir en être absolument certaine. À partir de là, sans même que j'y aie été pour quoi que ce soit, les rencontres se mettront à égrener un parcours de vie qui finira par mettre au jour le souvenir d'une tentative incestueuse de son père sur elle alors qu'elle avait une dizaine d'années. Cette tentative avait avorté grâce à l'irruption d'une personne dans la pièce où, ivre à la fin d'un repas, il l'avait coincée, lui déclarant : « Oublie que tu es ma fille. Si tu ne l'étais pas, tu serais heureuse de faire ce que je te demande. »

Son comportement sexuel a-t-il eu comme but de mettre Cécile à l'abri d'un éventuel passage à l'acte incestueux ? Ou bien, sur un mode des plus ambivalents, de la libérer de la consistance du lien à son père ? Mais, une fois l'enfant là, lui était-il possible de la condamner à ce type d'incertitude ?

Une transaction vivante

Leur fils n'avait que cinq mois. Mais la violence du conflit qu'ils entretenaient au-dessus de lui avait atteint des sommets insupportables.

Ils se connaissaient depuis de nombreuses années. Fondée de pouvoir d'un grand groupe industriel, elle avait régulièrement affaire à lui, qui dirigeait le département d'un groupe sous-traitant. Bien que se rencontrant régulièrement dans des déjeuners, séminaires et autres sessions de formation, ils avaient gardé leurs distances, continuant de se vouvoyer, comme je les ai d'ailleurs entendus le faire devant moi, ce qui m'a un peu désarçonné et que je n'ai pas compris avant qu'ils ne complètent leur récit.

Un jour, lors d'un de leurs déjeuners habituels, ils en sont arrivés à se parler d'eux-mêmes. Son drame, lui a-t-il confessé, était que, marié depuis plus de vingt-cinq ans à une femme aimée, il ne parvenait pas à en avoir d'enfants, malgré le recours à la panoplie des solutions que la médecine offre à ce type de problème. Elle, elle aurait été tellement émue de sa détresse qu'elle s'est immédiatement demandé comment l'aider. Elle savait ce qu'il en était du bonheur de la parentalité : elle avait elle-même une grande fille de quinze ans ; et elle en était tellement comblée qu'elle avait pu se résigner à ne pas avoir eu d'autres enfants après que son époux était devenu stérile à la suite d'une intervention sur la prostate. Elle lui a confessé pouvoir aisément imaginer dans quelle douleur aurait pu demeurer son couple si elle n'avait pas procréé.

Ils se sont quittés un peu plus amis, chacun d'eux chargé d'un petit détail de la vie de l'autre.

C'est elle qui, quelque temps après, à l'occasion d'un autre déjeuner, remit le sujet sur le tapis. Elle avait trouvé la solution idéale au problème de son interlocuteur. Elle avait même pris l'initiative d'en débattre avec son mari, lequel n'avait pas trouvé l'idée sotte et y avait adhéré sans réserve. Elle était prête, elle dont la fécondité ne posait pas de problème, de faire aux partenaires du couple, dans la mesure où ils en étaient d'accord, l'enfant qui leur manquait. Elle s'offrait en quelque sorte comme mère porteuse potentielle et, bien entendu, désintéressée. Les enfants, c'était tellement merveilleux, c'était tellement plein de promesses, c'était tellement la vie, qu'il faudrait n'en priver personne et ne jamais cesser d'en faire. Les choses, insistait-elle, pouvaient se faire simplement. Lui reconnaîtrait l'enfant pendant la grossesse ; elle, elle accoucherait sous X. L'enfant reviendrait immédiatement à son père et définitivement au couple dès le moment où l'épouse l'adopterait légalement. La surprise une fois dépassée — ce ne fut, paraît-il, pas si facile ! —, du champagne scella l'intelligence d'une solution digne des ententes entre groupes industriels. L'épouse, d'abord interloquée par la proposition qui lui fut rapportée, finit par s'y rallier non sans enthousiasme. Si bien que les épisodes suivants éclusèrent d'autres bouteilles de champagne, mais dans l'intimité d'une chambre d'hôtel où eurent lieu les tentatives de mise en œuvre de la solution.

Tout comme cela se passe dans les bonnes transactions et a fortiori *entre gens honnêtes, les relations sexuelles furent définitivement suspendues dès que la grossesse fut en cours. Le programme fut exécuté à la lettre, le père ayant reconnu la grossesse en cours, les partenaires respectifs des comparses s'étant tenus à l'écart de l'aventure, et la mère ayant accouché sous X. Au bout de cinq jours, le petit garçon fut remis à son père qui le ramena chez lui, faisant son bonheur et celui de son épouse.*

Tout se compliqua cependant quand, devant confirmer l'abandon de son enfant au terme du délai légal prescrit en la matière, la généreuse génitrice s'y refusa, réclamant aussitôt qu'on le lui restituât puisqu'il était le sien à part entière.

Les relations s'envenimèrent, et on se retrouva devant les juges. Lesquels, ayant à faire à une situation peu courante, s'empressèrent de la rabattre sur celle des familles recomposées et la traitèrent comme telle. Ce qui était formellement pertinent, à ceci près qu'il n'y avait pas plus eu de décomposition que de recomposition préalables à la naissance de l'enfant. Et comme, en d'autres temps, cet enfant aurait été considéré comme doublement adultérin, le règlement judiciaire de son statut ne résolvait en rien le pan symbolique des relations établies à lui par chacun des quatre personnages parentaux. La génitrice déniait à l'épouse du père tout statut et réduisait ce dernier à sa seule fonction reproductrice, considérant que son propre époux était largement en mesure de remplir le reste de la tâche. Le géniteur aurait préféré faire de son épouse, bien moins cruelle et perverse à ses yeux que la génitrice, la mère de son enfant en déniant à l'autre homme, appelé à la rescousse, le moindre rôle ou la moindre fonction !

La vierge à la cuiller

Émouvants. Attendrissants. Étonnants. Plus que ça même, ils étaient bouleversants d'application, de bonne volonté, de pudeur et de maladresse. Lui semblait surtout ne pas savoir comment occuper l'espace. Avec sa sympathique tête de bouledogue roux et renfrogné à grosse moustache, il s'efforçait de ne pas même bouger de crainte des dégâts qu'auraient pu produire ses grosses mains et ce corps massif qui, à l'évidence, l'avait toujours encombré. Elle, menue et recroquevillée, hésitait entre le sourire de bonheur et l'expression d'une véritable terreur, ce qui donnait à son visage et à ses yeux une mobilité inquiétante. Ne cessant pas de s'essayer aux diverses manières de le tenir, elle semblait obnubilée par la crainte de laisser choir l'imposant paquet qu'elle serrait sur sa poitrine. Il s'agissait d'un bébé, une fille de quatre mois, Marie. Elle m'a vite dit qu'ils l'avaient obtenue, après de longues années de patience, d'une officine s'occupant d'adoption au niveau international. M'intéressant à leur stérilité pour en comprendre la nature et prévoir comment le vécu qu'ils en avaient eu pouvait éventuellement intervenir dans la suite de leurs échanges, j'ai eu l'impression de majorer leur malaise. Après que je leur ai fait comprendre le sens de ma question, c'est lui qui m'a expliqué, la tête baissée, rougissant et se trémoussant sur sa chaise, qu'ils ne savaient pas, en réalité, s'ils étaient stériles ou non. Et comme il s'est aperçu que je ne comprenais pas tout à fait ce qu'il voulait me dire, il a poursuivi en m'apprenant qu'en vingt ans de mariage ils n'avaient jamais consommé leur union, partageant des phobies complémentaires qu'ils respectaient scrupuleusement. Comme je n'ai sans doute pas réussi à maîtriser une expression étonnée, il a cru bon d'ajouter, en rougissant et en se dandinant un peu plus sur sa chaise, que cela ne les empêchait cependant pas de se donner mutuellement du plaisir.

Nous avons poursuivi la consultation. J'ai répondu à leurs questions autour des effets, à moyen et plus long terme, de l'adoption et j'ai examiné leur enfant, qui allait tout à fait bien. Comme ils n'habitaient pas le quartier, je leur ai proposé de les confier à un confrère proche de leur domicile, pour lequel je leur ai donné une lettre, et nous sommes convenus de nous revoir seulement quand ils en éprouveraient le besoin. Ils sont repartis apparemment satisfaits.

Je les ai revus, épisodiquement.

Un jour, ils sont revenus pour m'annoncer... une grossesse ! J'en ai été ravi et je ne me suis pas gêné pour le leur dire, allant même jusqu'à m'extasier sur les miracles produits par une première parentalité. Je leur ai dit la fréquence étonnante avec laquelle j'avais constaté, au cours de ma carrière, que cette forme de galop d'essai que constitue une adoption parvenait à déclencher des grossesses chez les couples stériles. J'en étais déjà à me dire que le mérite de leur si bien nommée Marie avait été de réussir de surcroît à leur faire affronter et dépasser des inhibitions solidement installées. Comme s'il avait deviné mes pensées, le père tint alors à m'expliquer qu'ils n'avaient de fait rien changé à leurs habitudes. Soucieux de me convaincre, en ne négligeant aucun détail, il précisa qu'ils avaient simplement cherché et trouvé le moyen de bricoler une solution à la mesure de leur situation : ils avaient utilisé une cuillère à thé. « Et ça a marché du premier coup ! », ajouta-t-il, le torse bombé et le regard gai et triomphant.

Je les ai revus. Avec leur bébé, né d'une mère vierge. C'était un garçon. Ils l'avaient prénommé Victor, Constant, Prudent. Ils n'auraient pas pu faire mieux, me suis-je dit, que ce beau résumé de programme et de destin. Ils étaient aux anges. Ce qui n'a évidemment pas empêché les inévitables questions de fuser — ils ne venaient pas chez moi pour le banal. À quoi devaient-ils s'attendre ? Quels allaient être le statut et le devenir des enfants d'une fratrie dans laquelle l'une est adoptée et l'autre naturel ? Comment devaient-ils faire pour ne pas souligner leurs différences ? Comment adapter les comportements à leur endroit ? Comment devaient-ils gérer l'inévitable jalousie qu'ils allaient ressentir l'un de l'autre ? Comment parvenir à occuper une position correcte d'arbitre ? Méticuleux comme ils devaient l'être dans leur métier commun de gestionnaires de portefeuilles, ils avaient dressé une longue liste sur laquelle ils cochaient les questions au fur et à mesure des réponses que je leur donnais.

C'est le père, seul, que j'ai revu ensuite. Plusieurs mois après. Son épouse ne voulait, selon lui, plus jamais me voir. Il était très abattu. Elle l'avait chassé de leur domicile. Elle avait commencé d'abord par le chasser du lit conjugal dès qu'elle s'était sue enceinte. « D'ailleurs, dès que Marie a été là, nos moments d'intimité et de plaisir se sont faits de plus en plus rares. Et il n'y en a plus eu du tout après le démarrage de la grossesse. Elle ne comprenait pas que je m'en plaigne, elle me traitait de sauvage. » La situation est allée s'aggravant jusqu'à ce qu'elle se décide à demander le divorce en lui intimant l'ordre de partir sur-le-champ. L'affaire était désormais du ressort des juges.

Il me semblait qu'en plus de son dépit de père éjecté il venait me dire une autre détresse, celle de ne pouvoir trouver de sitôt une partenaire avec qui partager ses phobies et les solutions qu'il y avait trouvées.

La ruine et le maçon

J'ai commencé par me demander par quelle manœuvre ces personnes d'âge respectable face auxquelles je me trouvais avaient réussi à obtenir un rendez-vous auprès de ma secrétaire. Je les aurais prises pour des grands-parents de l'un ou l'autre de mes petits patients si la fiche que j'avais devant les yeux n'était pas vierge. De quoi pouvait-il être question ? Que pouvaient-elles me vouloir ? En quoi se justifiait leur présence chez un pédiatre ?

Elle était affalée sur sa chaise, négligée, mal habillée, pas très nette. Ce qui était d'autant plus frappant que lui, le regard brillant, bien mis et droit, semblait déborder d'énergie.

C'était pourtant bien pour un enfant qu'ils étaient là. « Pour notre enfant », avait-il dit. « Mon enfant », l'avait-elle interrompu, s'extirpant de sa torpeur. À mon intention, il avait eu un hochement conciliant de la tête, comme on en a en présence des idiots ou des enfants intenables, histoire de ne pas raviver le conflit et, pour un moment du moins, d'avoir la paix.

Même si je n'y comprenais rien, toute sa personne semblait me prendre à témoin. Son regard, embué, ne cessait pas d'aller d'elle à moi. Avec beaucoup de patience et en s'évertuant à ne jamais utiliser de mots qui puissent lui valoir des commentaires — il y en eut tout de même, et quelques-uns plutôt vachards —, il entreprit de me raconter leur histoire. Ils vivaient ensemble depuis plus de quinze ans. Ils s'étaient rencontrés sur une plage pendant des vacances. Lui n'avait jamais eu d'enfants, n'avait jamais été marié et vivait encore avec sa vieille mère, laquelle était d'ailleurs toujours en vie. Elle était divorcée, avait eu quatre enfants de deux ménages différents et était déjà plusieurs fois grand-mère. Ils ont vécu en famille les premières années de leur union, puis ils se sont retrouvés en tête à tête quand les deux derniers enfants avaient quitté la maison. C'est alors qu'elle est tombée gravement malade. « Est-ce ma faute à moi ? » l'interrompit-elle, l'accusant de souligner trop ostensiblement la coïncidence. « Mais non, mais non ! » s'empressa-t-il de la rassurer en tentant de lui prendre une main qu'elle retira vivement. Les graves soucis de santé se sont succédé les uns aux autres entraînant diverses interventions chirurgicales, assorties d'amputations, en particulier au niveau de l'appareil génital. Du compliqué à souhait, pensais-je, attendant l'apparition du fameux enfant pour lequel ils étaient censés être réunis. Il avait toujours été là, poursuivait-il, pensant que le moins qu'il pouvait faire pour elle, c'était d'être présent et de lui laisser « à disposition, au moins une main à tenir » — ça semblait décidément être sa manière de faire, pensais-je, comme la trace d'un vécu, sinon l'expression d'une fixation. Elle ne travaillait plus depuis longtemps, et il était désolé, lui, de ne pas pouvoir plus lui offrir, plus la gâter. « Je ne t'ai rien demandé ! » ponctua-t-elle sèchement pendant qu'il poursuivait, tenant à m'expliquer qu'il avait tout de même mis à sa disposition tout ce que lui rapportait sa petite entreprise de maçonnerie. Un jour qu'il s'était lancé dans ce type de bilan, la suppliant de lui dire ce qu'il pourrait faire de plus pour elle, elle prit la balle au bond, lui confessant en larmes que ce qui lui manquait le plus, ce n'était pas l'argent ou le luxe, c'était un petit enfant à élever, un petit enfant qui serait bien à elle, qui donnerait sens à une vie qu'elle avait sentie s'être vidée. Comme elle a paru transfigurée à cette seule évocation, il en a pris sérieusement acte. Il est entré un soir avec un épais dossier à la main. Ça lui avait coûté beaucoup de temps, d'énergie et d'argent, mais il venait lui offrir ce qu'elle demandait : un petit garçon de trois mois à aller chercher à Ceylan. D'abord, elle n'y avait pas cru. Puis, la joie qu'elle a manifestée a été si grande qu'il eut comme le sentiment d'avoir enfin « réellement construit pour [eux] deux un édifice solide et capable d'affronter les épreuves et le temps ». « On ne peut empêcher personne de rêver », ponctua-t-elle à mi-voix en poursuivant, sur un ton las et à peine audible : « Mais on n'est pas responsable des rêves des autres. »

Compte tenu de sa charge de travail, de ses soucis pécuniaires en raison des frais engagés comme du prix du voyage, il lui suggéra d'aller, elle, chercher leur bébé.

Ce qu'elle fit.

« Quand je l'ai vue à l'arrivée, avec son couffin au bout du bras, j'ai voulu hurler de bonheur. Elle avait enfin ce qu'elle désirait. Et je le lui avais offert ! Mais quand j'ai vu notre petit Christophe, ça a été presque plus fort encore. J'ai senti que, sans le savoir, je l'avais attendu, moi aussi, toute ma vie. Je me suis senti envahi par une extraordinaire reconnaissance à l'endroit de celle qui me faisait connaître ce que je ressentais pour la première fois. Grâce à cette femme, et grâce à son idée, que tout notre entourage avait prise pour un caprice, je me sentais enfin père. »

Ce sentiment ne fit que se renforcer de jour en jour. Si bien que, lorsque les démarches juridiques habituelles en arrivèrent à la phase de confirmation de l'adoption, il se présenta comme le père, ou du moins le candidat à la paternité de cet enfant. On lui fit valoir — les lois étaient telles à l'époque — qu'il ne pouvait pas l'être puisqu'il n'était pas marié à la mère adoptante. L'obstacle lui paraissant facile à surmonter, il adressa, sur un mode ému mais amusé et grandiloquent à la fois, une demande en mariage en règle à sa compagne de tant d'années. Il crut qu'elle voulait plaisanter quand il l'entendit refuser. Il ne mit cependant pas longtemps à s'apercevoir qu'elle était tout à fait sérieuse. Il ne put se faire à l'idée qu'il pouvait être ainsi mis sur la touche. Il reprit toute l'histoire, faisant valoir qu'il avait pris l'initiative des démarches — « Tu me devais bien ça, après tout, depuis le temps que tu habites chez moi sans payer de loyer ! » lui répondait-elle. Il évoquait alors les sommes dépensées en toutes sortes de circonstances pour s'entendre rétorquer que « l'argent ne fonde pas la parenté, acheter un enfant, c'est à la portée de tout le monde ! ». Elle enchaînait en se prévalant d'être allée en personne, et seule,

déplorait-elle, chercher cet enfant. Il sortait son agenda et sa page de chiffres pour montrer sa charge de travail et l'état de ses finances d'alors. Elle l'enfonçait un peu plus en lui reprochant de n'avoir pas pensé à souscrire un emprunt. Quant au travail en cours, c'était bien ça, « les hommes ne peuvent jamais prendre de la hauteur et se détacher de la matérialité de leur existence ».
Quelques jours après, elle le priait par courrier recommandé de vider les lieux et de ne plus jamais y revenir.
Pouvais-je, moi, les aider — « t'aider, toi, peut-être. Moi, je n'ai rien demandé et je n'ai besoin d'aucune aide », l'interrompait-elle — à comprendre comment gérer cette situation et partager cette aventure de parentalité ?

Les gens heureux n'ont pas d'histoire. Le sens commun l'affirme depuis toujours, et il n'est pas rare d'entendre le dicton repris ici ou là.

Les gens heureux n'ont pas d'histoire. Comme si les autres traînaient la leur, leur vie durant, s'en laissant agir en exécutant passivement le programme qu'elle leur a imparti. Il est vrai que ceux qui entreprennent sciemment d'en maîtriser le cours le font le plus souvent avec une violence telle que le résultat auquel ils parviennent ne vaut guère mieux que celui qu'ils ont cherché à éviter. Singulière et bien triste impasse dont on comprend qu'elle ait pu être au principe de la notion de ce *fatum*, de ce destin, contre les effets duquel les peuples de l'Antiquité prétendaient qu'il était vain de se dresser.

Ce qui se dessine ainsi serait assez désespérant s'il n'y avait toujours eu la possibilité laissée à chacun de reconnaître ses limites et de confier à la génération suivante le soin de redresser la barre. L'enfant, conçu dans ce but, a de tout temps été réputé savoir et pouvoir, grâce à son énergie neuve, à sa détermination et à l'amour mis à sa disposition, faire rendre gorge au sort contraire. Lui n'aura évidemment pas d'autre choix que de se saisir à pleines mains de l'histoire qui lui échoit et qui, bien qu'il ne l'ait pas choisie, lui est indispensable puisqu'elle fonde son existence. Quelle qu'elle soit et quel qu'en soit le contenu, il sera donc là, loyal et enthousiaste, pour la recevoir, la reconduire, voire entreprendre de se colleter à son tour un jour ou l'autre avec elle. Il l'a toujours fait. C'est d'ailleurs ce qui fonde et justifie son statut !

On peut toujours protester contre une lecture, aussi attristante en apparence, de la logique qui sous-tendrait toute procréation. On peut la suspecter d'obédience à quelque obscure idéologie. On peut s'élever contre la description par trop cynique du sort cruel qu'elle ferait à l'enfant. On peut même la rejeter. On n'y pourra rien. On n'y fera rien. Le sort de l'enfant restera ce qu'il a toujours été, ce qu'il est et ce qu'il continuera d'être. C'est en cela que nul ne peut être tenu plus responsable de son histoire que de l'inconscient dans lequel elle s'inscrit.

Avoir trois amants en plus de son partenaire de vie peut sembler répréhensible à beaucoup. Passer vingt ans de conjugalité à jouer à touche-pipi pour finir par user d'un banal ustensile peut paraître pitoyable. Se faire faire un enfant en prétendant que c'est pour l'autre peut être jugé crapuleux. S'emparer d'un bébé pour survivre ou s'en sentir captivé alors qu'on se prévalait de l'avoir seulement offert peuvent passer pour des actes exemplaires d'égoïsme.

Soit !

Et pourtant, aucun des acteurs de ces histoires n'a eu, ou n'a pu avoir, d'autre choix que celui que son équation de vie lui a imposé. Tout comme n'ont pas eu d'autre choix ces femmes et ces hommes, ces pères et ces mères, en couple plus ou moins boiteux ou bien seuls, qui, mettant à profit l'assouplissement survenu ces dernières décennies dans les mentalités, se sont essayé à inventer de nouveaux rapports entre eux comme de nouvelles figures de la parentalité.

On peut se féliciter que notre époque ait trouvé le moyen d'offrir aux individus pris dans leurs tourments des lieux et des techniques aptes à leur apporter, sinon une solution, du moins un éclairage susceptible de les aider à gérer leur situation. On peut se réjouir qu'une telle approche, prenant en compte la manière dont leur passé est entré en collision avec leur présent, puisse parfois leur ouvrir l'avenir, en préservant en particulier l'enfant qui en aurait eu seul la charge. À d'autres époques, les personnages dotés de déterminants identiques se seraient peut-être trouvés bloqués dans le cours de leur existence quand ils ne seraient pas devenus fous ou qu'ils n'auraient pas transmis une histoire génératrice de folie. Ce sont leurs questions, les plus fréquentes aujourd'hui, que l'ensemble des structures sociétales s'efforcent de résoudre. Comme s'il était entendu que seules étaient dignes d'être prorogées des histoires suffisamment légères et suffisamment en ordre pour ne pas « créer d'histoire » !

Est-ce possible ? Est-ce même théoriquement envisageable ? Quel espoir caresse-t-on ? De quelle illusion se nourrit-on ? Une histoire peut-elle être parfaite ? Peut-elle être belle et sans défaut ? S'il n'y avait pas chez l'humain aussi bien l'insatisfaction de son sort que le désir d'en changer le cours, la procréation se poursuivrait-elle ? Ce n'est pas sûr ! S'il est vrai que faire un enfant est une manière de se consoler de son statut de mortel, le désir qu'on a pour lui n'est jamais indemne du projet qu'on caresse pour son devenir. Si les choses n'étaient pas aussi flagrantes jadis parce qu'on se contentait d'assumer les enfants nombreux qu'on avait, on ne procrée plus aujourd'hui que pour cela. On procrée pour prendre sa revanche sur un sort contraire et convaincu de pouvoir préserver son enfant de l'erreur dont on s'estime avoir été victime. On va donc mettre son expérience au service de l'entreprise. On focalise sur le champ précis où l'on a toute raison de croire que pourrait se produire la fameuse erreur à éviter, mais on en commettra fatalement une autre, sinon d'autres, dont l'enfant voudra préserver le sien, lequel à son tour, etc. Il en irait, somme toute, là comme de la stratégie dont usent les autorités carcérales envers les prisonniers condamnés à de longues peines : elles les encouragent à penser à leur libération, fût-elle improbable, pour ne pas les voir commettre le pire. Laisser espérer à chaque génération qu'elle fera mieux que la précédente serait facteur de paix sociale et de survie parce que consubstantiel de la condition humaine.

Même si elle est devenue plus flagrante de nos jours, cette dynamique existe depuis longtemps, et il ne manque pas de traités, parfois très anciens, faisant état du souci que nos semblables ont toujours eu du sort de l'enfant et délivrant conseils et recommandations à cet effet. Si on ne se réfère qu'à la seule période romaine, on apprend qu'à côté de ses prérogatives le père avait à l'endroit de ses enfants, entre autres devoirs, celui de les maintenir libres, de faire en sorte qu'ils ne soient jamais réduits en esclavage, ce dont atteste la langue latine elle-même, qui désigne les enfants par le mot *liberi*. Depuis cette période, et sûrement avant même, il avait semblé important d'inscrire l'enfant au sein de la famille telle qu'elle était constituée et définie par la cohabitation d'un homme et d'une femme dont la relation était censée devoir durer leur vie entière. Notre humanité a connu des dizaines de siècles d'une contention exercée par le contexte sociétal autour des couples qui se formaient. Il était attendu, sinon parfois obligatoire, jusqu'à une époque encore récente, que des individus ayant procréé ensemble taisent leurs dissensions et sacrifient leurs aspirations et leur confort en restant unis pour leur(s) enfant(s). Ils s'y efforçaient au demeurant, même s'ils n'y parvenaient pas toujours. Cette contention, assortie des rôles et des prérogatives, nettement différenciés, des partenaires, créait pour l'enfant l'environnement dans lequel il se construisait.

Il n'est plus question de tout cela aujourd'hui. Les sociétés, surtout occidentales, ont beaucoup changé. La génération actuelle ne le sait peut-être pas, mais ces changements sont en effet relativement récents. Qui se souvient des difficultés de certains couples célèbres à voir officialiser leur union quand l'un ou l'autre, parfois les deux, étaient déjà mariés et ne pouvaient pas se défaire de ces liens puisque le divorce était interdit dans leur pays ? Cela ne paraît pas croyable et semble dater d'une époque très lointaine, alors que les faits que je rapporte en l'occurrence ont moins d'une quarantaine d'années. Pourquoi ont-ils été évacués de la mémoire ? Tout simplement parce que l'évolution des mentalités s'est considérablement accélérée et que notre mémoire, surchargée par la succession des événements quotidiens dont nous sommes surinformés, ne peut pas se laisser encombrer du souvenir de faits qui n'ont plus cours.

Désormais, la seule dimension admise, et qui ferait l'unanimité, étant l'individualisme, chacun est incité à ne rien sacrifier de son bonheur immédiat. Combien souvent voit-on de jeunes couples se former à la va-vite pour se séparer à la première altercation, se reformer et se séparer à nouveau, et à nouveau encore, comme si l'idée qu'ils se faisaient de l'amour ne pouvait tolérer la moindre anicroche. Quand ils ont tout de même eu l'envie ou le temps de procréer, on les revoit, des années plus tard, avec leurs enfants qui ont grandi — j'en ai même vu avec leurs petits-enfants. Ils tiennent alors de singuliers propos sur les méfaits des illusions qu'ils ont longtemps nourries, et on ne les entend pas, comme on aurait pu s'y attendre, faire état d'un bilan glorieux ou positif de leurs parcours.

Faudrait-il alors remettre à la mode l'idée d'un devoir des parents envers les enfants qu'ils mettent au monde, et d'abord du devoir de réfléchir sérieusement avant de décider de se séparer ?

L'idée paraît *a priori* des plus folles. Elle a été cependant récemment soulevée par les travailleurs sociaux américains concluant, avec comme toujours force statistiques à l'appui, que le devenir des enfants de parents demeurés ensemble malgré leurs dissensions est meilleur que celui des enfants dont les parents se séparent. Il semble d'ailleurs que le constat viserait à inciter les couples à tenter de se soigner grâce aux thérapies qui se sont développées dans cette direction et auxquelles il n'est pas plus honteux d'avoir autant recours qu'à une thérapeutique de la peau, du cœur ou de l'estomac. Si le conseil est si peu suivi, c'est que les couples demeurent encore aliénés au fantasme pourtant toxique de l'amour romantique.

Est-ce à dire que la famille nucléaire ou élargie, qu'on croyait en voie de disparition, aurait encore quelque chose à enseigner ou un avenir devant elle ?

C'est le travail avec les enfants qui apporte un début de réponse.

On constate en effet que l'enfant, surtout dans le petit âge, est prodigieusement sensible à tout ce qui, au-dessus de lui, se manifeste en termes d'équilibre et d'harmonie. Il en va au point que toute altération — la plus petite soit-elle — de cet équilibre et de cette harmonie va produire de vifs affrontements au niveau des relations interparentales — ce qui se vérifie dans les conflits de trois des cas exposés — ou bien du symptôme, comme en offre un exemple l'ulcère œsophagien de la petite Cécile.

Si tant est qu'on puisse admettre un tel préalable, on se trouve contraint de ne pas rejeter en bloc la tentative pluriséculaire des sociétés qui ont précédé les nôtres. Il convient au contraire d'examiner et d'interroger le projet qu'elles ont essayé de mettre en œuvre chacune avec ses moyens. C'est seulement à la lumière des réponses qu'on trouvera qu'on pourra revenir à la manière dont procèdent, depuis quelques décennies déjà, nos sociétés actuelles et envisager les solutions dont l'enfant a cruellement besoin.

Car si, de nos jours, de plus en plus de gens ont de plus en plus d'histoires et ne seraient donc pas des « gens heureux », la question se pose de savoir comment et en quoi les dispositions nouvelles que nous avons adoptées, la tolérance que nous avons acquise, l'ouverture d'esprit que nous nous efforçons de cultiver peuvent intervenir de manière globale dans le devenir de leurs enfants, de nos enfants, et dans celui des générations futures. Parviendront-elles, elles, en éliminant la moindre trace de contrainte, à alléger le sort de l'enfant qu'elles feront ? Ou bien le laisseront-elles au contraire seul aux prises avec l'angoisse qu'il a toujours connue et qui est au principe même de la constitution de ses symptômes ?

Il nous faut ne pas perdre de vue les difficultés nouvelles et grandissantes que signalent aussi bien les parents que les enseignants — à plaindre, les uns et les autres — ou les thérapeutes — dont le nombre s'est accru de façon exponentielle, comme si le marché qui leur est dévolu avait explosé. Il n'y a aucune honte, et pas plus de gêne, à reconnaître que, si, sur le plan de leur santé physique, nos enfants vont infiniment mieux qu'il y a quelque cinquante ans, ils posent, compte tenu de nos attentes, des problèmes comportementaux de plus en plus préoccupants. J'en témoigne et j'en atteste à partir d'une carrière consacrée à leurs soins, comme de l'expérience de bon nombre de mes collègues qui partagent mon inquiétude.

Comment cela a-t-il pu se produire ?

Si on peut mettre au principe d'une telle évolution quantité de facteurs, dont la très toxique idéologie de la consommation n'est pas la moindre, on ne peut cependant pas délibérément mettre de côté la défaillance des options parentales, en particulier quant aux interdits, à la frustration et à l'autorité en général. Le vide de la place du père, récemment remis à la mode et dont un pseudo-discours savant voudrait absolument faire l'agent actif de la limite, n'est pas un effet du hasard. Il est le résultat d'un processus qui date de plusieurs siècles déjà et qui n'a fait que se radicaliser ces dernières années.

Les choses en sont là, et l'enfant, hissé au sommet de la pyramide des valeurs, est devenu le tyran domestique dont les exploits alimentent autant les conversations de squares que celles des dîners entre amis. Faut-il seulement le déplorer et en prendre son parti ? Ou bien peut-on y réfléchir pour trouver une réponse à la question qu'il pose ?

Je n'ai pas l'intention de produire, ici et maintenant, une analyse plus poussée de ce que chacun peut constater dans son entourage immédiat. Je veux simplement, en interrogeant les conditions d'existence de la famille désormais dite « traditionnelle » — manière sémantique d'en signifier l'obsolescence comme d'en exprimer le rejet, alors qu'elle continue d'exister —, tenter de repérer le facteur qui en a fait l'essence et examiner s'il est possible, même par un artifice, de l'intégrer à nos nouvelles manières de voir et de vivre. Parce que nous pouvons nous demander, après tout, si, en ayant rejeté en bloc un ensemble de dispositifs jugés globalement dépassés, nous ne nous serions pas non plus débarrassés, sans le savoir, d'un élément sans lequel nous ne pouvons plus rien entreprendre et encore moins construire.

C'est en embrassant ce vaste horizon et en me confrontant à ces interrogations, parmi d'autres d'ailleurs, que j'en suis arrivé à construire mon ouvrage comme il l'est.

Je suis parti de l'idée que, si performante soit-elle, notre mémoire nous permet de remonter à peine à deux, trois et, dans les meilleurs cas, quatre générations avant nous. Ce n'est déjà pas mal pour la durée de vie dont nous bénéficions. Mais cela nous rend singulièrement sensibles à la rémanence de mots d'ordre dont il n'est pas sûr qu'ils aient la moindre valeur. Si bien que j'ai préféré explorer ce qu'il y avait en amont, loin en amont de tout cela et tenter de vérifier si ce parcours recelait quelque chose de déterminant pour nous-mêmes.

Car, au fond, nous ne sommes rien d'autre que cela : les acteurs fugaces d'une aventure qui a commencé depuis tellement, tellement longtemps que nous ne savons plus comment elle nous a propulsés jusqu'à nos jours, ni ce qu'elle a mis en place en nous comme messages que nous ne savons plus déchiffrer et dont nous ignorons s'ils sont ou non déterminants dans notre quotidien.

Avons-nous accès au contenu de ces messages ? Pouvons-nous y avoir accès ? Rien n'est moins sûr, bien évidemment. Il n'en reste pas moins que les travaux paléontologiques, ethnologiques et anthropologiques de ce dernier demi-siècle ont accumulé une mine d'informations passionnantes qui m'ont paru susceptibles d'éclairer les ressorts de la mutation récente dont chacun de nous est le spectateur quand il ne la vit pas.

On ne devra donc pas s'étonner de devoir poursuivre la lecture par celle d'un chapitre qui pourrait sembler étranger aux propos du pédiatre que je suis.

Et pourtant !

C'est en effet par ce moyen, et par lui seul, que j'ai cru pouvoir faire prendre la pleine conscience de ce qu'ont été les contraintes adaptatives de notre espèce. Et combien il est stupéfiant d'avoir à constater que nous n'avons jamais cessé et ne cessons pas de devoir, à quelque prix que ce soit, nous adapter. Non pas seulement à notre environnement, cela, c'est du social, mais surtout aux conditions que nous impose l'histoire qui nous a échu. C'est encore en suivant pas à pas cette aventure, aussi édifiante que passionnante, que j'ai voulu faire comprendre comment les figures parentales, toujours prises dans la sourde lutte qui n'a jamais cessé de les opposer l'une à l'autre, se sont lentement construites pour devenir ce qu'elles sont tout en étant restées cependant les mêmes. Comme si, quel que soit le vernis culturel qu'elles ont acquis, elles ne pouvaient pas plus se défaire de certains réflexes qu'ignorer la biologie commandant nombre de leurs comportements. On prendra peut-être alors la mesure des prodiges qu'elles ont accomplis, chacune à sa manière, pour maintenir l'espèce, la faire progresser, lui faire conquérir la surface du globe. On saisira mieux le poids des conditions environnementales dont le bouleversement récent a produit le changement si profond qui affecte leurs rapports, celui des mères et des pères, des hommes et des femmes qu'elles ont toujours été et qu'elles continuent d'être, même si ce changement auquel nous assistons nous stupéfie en usant d'une logique qui s'avère aussi têtue qu'imparable.

Nous devrons alors admettre que, même dotés de l'intelligence la plus performante, nous ne pouvons pas nous débarrasser en un clin d'œil de ce qui s'est inscrit en nous, si profondément et depuis un si long temps, alors même que nous éprouvons tant de difficultés à capter l'accent d'une langue étrangère ou à nous accoutumer, fussent-elles proches, à d'autres mœurs que les nôtres.

C'est la même approche de ce dont nous avons hérité qui nous permettra de mieux appréhender aussi la violence des conflits que nous vivons, surtout avec nos partenaires, et d'affronter le désespoir dans lequel nous plongent les limites d'une communication qui n'a jamais été aussi malaisée alors même qu'elle est réputée devoir être au premier plan de notre existence. C'est encore cette approche qui, reprenant la dynamique des relations des parents et des enfants, nous permettra de mieux dégager les caractéristiques intemporelles de ces liens et d'en tirer l'enseignement. Car nous ne pouvons pas, sauf à compromettre l'avenir des générations futures, rester les bras croisés, dans la béate admiration de solutions que chacun invente pour son usage personnel mais dont il n'est pas certain qu'elles puissent constituer le ciment de nos sociétés.

II

TOUT A COMMENCÉ UN JOUR

QUELQUES REPÈRES CHRONOLOGIQUES

On sait, parce que cela a été beaucoup dit et a beaucoup impressionné, que le fameux *big-bang* de la naissance de l'Univers date de 15 milliards d'années. On sait peut-être déjà moins que la vie aurait commencé à se développer il y a 3,5 milliards d'années. Or, si on se repère par rapport à ces dates, on constate que l'apparition des premiers hominidés nettement séparés de leurs cousins primates — avec lesquels ils ont, selon les sources, de 98 à 99,7 % de gènes en commun — est relativement récente puisqu'elle ne daterait, elle, que de 8 millions d'années.

On a cru pouvoir définitivement établir qu'elle serait survenue en Afrique de l'Est, à la suite d'une catastrophe géologique majeure, laquelle en aurait imposé les conditions, ouvrant la voie à ce qu'on a appelé l'*East Side Story*. Si des travaux récents ont remis en cause la précision géographique de cette hypothèse, ils n'en ont pas récusé pour autant la datation. Il faudra cependant compter encore 2 millions d'années à partir de là — ce qui nous ramène donc à il y a 6 millions d'années — pour que soit sélectionné l'ancêtre premier de l'homme moderne, le *Millenium Ancestor*, le tronc de notre arbre généalogique dont la plupart des branches — le développement de l'espèce n'a pas été linéaire, comme on l'a longtemps cru, mais mosaïque et pluriel —, hormis celle dont nous sommes issus, ne mèneront à rien.

Ce développement semble s'être produit sur le mode d'une inépuisable série d'essais-erreurs qui ont assuré la survie de l'espèce dans une échelle de temps dont il nous est vraiment difficile de nous faire une idée. Comment imaginer ou se représenter, en effet, la succession de plusieurs centaines de milliers de générations, alors que notre mémoire peine tant à remonter à la quatrième qui nous précède ? Comment imaginer ou se représenter une étendue de temps équivalant à plusieurs milliers de fois celle de l'ère dans laquelle nous vivons et qui nous paraît déjà longue, si longue ? Mais cela a-t-il une importance ? Certainement, à la condition cependant de prendre la peine de dérouler cette si longue histoire.

Car, quoi qu'il en ait été, il faudra encore des millions d'années pour que soit sélectionné, il y a seulement 200 000 ans, notre ancêtre le plus immédiat, *Homo sapiens*, qui entreprendra de conquérir le monde, connaissant une mutation ultime en devenant, il y a seulement 35 000 ans, *Homo sapiens sapiens*, lequel ne s'est décidé à se sédentariser durablement et à donner naissance à nos cultures modernes qu'il y a seulement 7 500 ans, autrement dit hier à peine !

Il s'avère que cette longue évolution — et non moins longue gestation, pourrait-on dire — a obéi à un mécanisme de sélection qui s'est transmis au fil des générations : les individus dont les caractéristiques ne permettaient pas l'adaptation aux conditions environnementales ont disparu ; et ceux qui ont survécu ont transmis à leur descendance les caractéristiques qui ont permis leur survie. Cette évolution a été marquée par quantité d'événements d'importance, dont des modifications physiques sans lesquelles rien n'aurait été possible.

La bipédie, la station debout, qui a marqué il y a 1,6 million d'années l'avènement de l'ancêtre nommé en raison du fait *Homo erectus*, a conféré à ce dernier la possibilité de porter plus loin encore son regard et de pouvoir ainsi mieux voir ses proies et mieux se repérer dans son environnement. Elle a en même temps considérablement modifié le corps dont il avait hérité.

C'est le bassin qui semble s'être déformé en premier. Il s'est fait à la fois plus étroit et plus évasé, devenant un contenant des viscères mieux adapté aux déplacements et à la course. Mais cette déformation a entraîné une autre mutation radicale et bien plus importante que la précédente, en raison de la véritable hécatombe qui s'est abattue sur les femelles gestantes. Toutes celles qui étaient capables de mener à terme leur gestation, et de mettre au monde des bébés matures et probablement capables de marcher, sont mortes en couches et ont été ainsi éliminées. N'ont survécu que les femelles génétiquement prédisposées à mettre au monde de grands prématurés, moins volumineux et de plus faible poids, qui viendront au monde après environ neuf mois de grossesse.

La tête, qui a recouvré une position de plus en plus verticale, a vu quant à elle son volume croître considérablement, ce qui a permis le développement ultérieur du cerveau. La denture, témoignant d'une évolution en perpétuelle interaction avec l'environnement, s'est elle aussi modifiée. Puis un jour, bien plus tard sans doute, sous la pression de la nécessité de communiquer avec les autres membres du groupe — comme l'a démontré la modélisation mathématique comparant les productions sonores animales au langage articulé humain —, la filière laryngée s'est abaissée, permettant ainsi l'expression d'un gène dormant disposant à l'éclosion de la parole — parole qui fut sans doute très longtemps rudimentaire à en croire les spécialistes qui datent d'à peine 100 000 ans la naissance de la langue qui aurait été l'ancêtre de toutes les suivantes.

La main, libérée quant à elle de la locomotion, a accru ses performances. Elle s'est mise à parfaire en particulier le rapport aux objets puis aux outils qu'utilisera *Homo habilis habilis*.

L'exploration multiforme de l'environnement a pu désormais s'inscrire dans un cerveau en perpétuelle expansion et au sein duquel les connexions entre neurones, qui se mettaient depuis toujours en place, ont constitué, sinon un bagage génétique dont ont hérité les générations suivantes, du moins le support, épigénétique, d'un savoir repérable, potentiellement transmissible comme tel et susceptible à lui tout seul de créer une quantité infinie de nouvelles connexions[1]. C'est ainsi qu'on aboutit, au bout de nombreux et longs millénaires d'évolution, à *Homo sapiens sapiens*, l'homme qui, se sachant sachant, entreprendra autant d'accroître et de transmettre son savoir que de l'enseigner à ses semblables et à sa descendance.

1. On estime que pour les compter, aujourd'hui chez nos semblables, à raison de une par seconde, il faudrait trente-deux millions d'années.

QUELQUES GRANDES ÉTAPES

Essentiellement préoccupé par sa survie et par la préservation de son espèce, au sein d'un environnement hostile qui le contraint à une perpétuelle lutte pour la vie, *Homo*[1], accumulant les performances adaptatrices, résout ses difficultés alimentaires et déjoue les menaces en développant le mécanisme de défense le plus banal et le plus commun à toutes les espèces animales : la fuite. Une fuite éperdue, qui en fait un éternel migrant. Se déplaçant seul ou en groupes plus ou moins importants, il colonise ainsi, sans jamais le projeter ou le vouloir, l'ensemble du globe, emportant avec lui son énergie, son obstination, son savoir, ses techniques — la domestication du feu date de 400 000 ans ! — comme ses outils.

Des hordes se fixent, ici ou là et pour un temps limité, dans certains territoires qu'elles défendront contre d'éventuels envahisseurs, alors que d'autres vont chercher leur subsistance ou fixer leur habitat ailleurs. Si bien que, l'espace, les conditions écologiques, les conditions climatiques — il y eut nombre de glaciations et de réchauffements — et le temps aidant, se développeront des populations dont les détails de l'évolution créeront la diversité des groupes. Que notre humanité actuelle soit constituée de populations au type physique différent ne remet pas en cause l'origine

1. Je le désignerai désormais ainsi pour ne pas entrer dans le détail des différentes branches pratiquement étrangères les unes aux autres qui en ont été recensées et qui ont parfois connu des évolutions parallèles, ni commettre de trop graves erreurs sur les caractéristiques et les performances de l'une ou l'autre de ces branches.

commune de ces populations. Il ne s'agit, comme le montre la biologie moléculaire, que des résultats d'une adaptation conjoncturelle à des milieux différents.

Ces différences, installées entre les groupes humains depuis la nuit des temps, expliquent aussi bien la curiosité que l'animosité qui interviendra dans leurs éventuels rapports mutuels. Si quantité de métissages ont dû survenir, accroissant la palette de la diversité ethnique, il n'y en a certainement pas moins eu des affrontements et des guerres qui aboutiront à des regroupements par affinité comme à la formation de sociétés, voire de territoires. Ces dispositions sont d'ailleurs toujours les nôtres.

ÉMERGENCE DE LA PENSÉE

Il existe quantité de preuves qui montrent qu'à son stade *sapiens sapiens, Homo* avait déjà tourné le dos à son animalité originelle et avait entrepris de se lancer dans une réflexion autour de son destin, de sa raison d'être et de sa place dans le monde. Réflexion proche de la nôtre, si tant est qu'elle ne soit pas la même derrière les indices qui en attestent et dont la différence ne semble être qu'une différence d'expression — ou bien nous sommes encore très primitifs, ou bien ce sont ces humains que nous qualifions de primitifs qui ont été plus modernes que nous ne serions portés spontanément à le croire !

Il est probable qu'avant même l'accès à son stade d'*erectus*, et peut-être même dès le début de l'*East Side Story*, *Homo* avait été sensible aux indices qui, tout en mettant en rapport des catégories de semblables, révélaient leurs éventuelles oppositions, fondant ainsi, pour en permettre le maniement à la façon du plus fiable des outils, la notion de différence. Cette notion, fondamentale dans l'élaboration et le développement de la pensée, s'est avérée d'une importance cruciale dans la part la plus intime de la construction de notre espèce. C'est à partir d'elle, et d'elle seule, que s'est mis en place, au long de l'évolution, tout ce qui a dû régir en termes de morale, de lois et de règles les échanges entre groupes ou individus. Sachant que nous continuons aujourd'hui encore à devoir hélas nous battre contre le racisme, le rejet de l'autre et plus généralement du différent, force est de reconnaître que nous n'avons pas tellement progressé et qu'à considérer la distance temporelle que nous avons à eux nous ne sommes pas même dignes des efforts et de la bonne volonté de nos lointains ancêtres !

Des différences contingentes ont donc dû être collectées après avoir été laborieusement relevées : le jour revenant après la nuit dont on a certainement craint, longtemps, qu'elle n'en finisse pas — « demain, il fera jour », continue-t-on de dire spontanément à nos enfants travaillés par leurs terreurs nocturnes. Puis ce fut peut-être le repérage du Soleil éclairant le jour et de la Lune illuminant certaines nuits. Puis encore, peu importe l'ordre, le ciel bleu et la pluie, le chaud et le froid, le sec et l'humide, le dur et le mou, le mouvant et l'immobile, les animaux agressifs et ceux qui ne l'étaient pas, puis, plus tard encore, les nuits avec et sans lune, la succession des saisons, etc.

Il est probable que ce souci des différences catégorielles a été lui-même consécutif à un questionnement premier et balbutiant autour de la toute première des différences, la différence sexuelle, relevée aussi chez les animaux, qui s'avérait au fondement d'un comportement irrépressible lançant chacun à la recherche impérieuse d'un partenaire adéquat parce que différent de soi. Le bénéfice qu'il en retirait, moteur essentiel de la perpétuation de l'espèce, a certainement conduit *Homo* à ne plus se contenter de le vivre au titre d'un instinct impérieux mais à vouloir l'interroger pour mieux le maîtriser et l'accroître indéfiniment.

Gardons donc à l'esprit, pour en voir éventuellement éclore les effets même lointains, ce schéma directeur que je résume ainsi : un moteur central est constitué par l'instinct sexuel, la recherche d'amélioration des performances de ce moteur conduisant, par le truchement du relevé de toutes les différences à partir de celle des sexes, au début d'une réflexion, laquelle renforce l'investissement de la notion de différence, la constituant comme le socle de toute pensée et la clef de voûte de tout comportement.

UN ACCIDENT DE PARCOURS

Jusqu'à ce que j'aie entrepris cette écriture, j'avoue n'avoir personnellement jamais éprouvé la nécessité d'en savoir plus dans ce domaine obscur et vaste des débuts de l'homme. Je m'étais satisfait des notions grossières que j'avais récoltées, comme tout le monde, au fil de lectures. Je savais, et je l'avais admis comme chacun, que la Loi de l'espèce était la Loi de l'interdit de l'inceste et qu'elle impliquait des choix matrimoniaux exogamiques au service desquels avait été mis en œuvre ce dispositif particulier de l'échange des femmes. Je ne savais pas — et je ne cherchais d'ailleurs pas à le savoir — de quand dataient ces dispositifs. Je pensais qu'ils dataient de suffisamment loin pour ne pas me pousser à aller y voir de plus près. Des lectures récentes, et les informations que je suis allé quérir dans ce domaine, m'ont conduit à constater l'extrême fragilité des indices probants en la matière et l'absence de convergence sur les points de détail dans des scénarios développés comme autant d'hypothèses qui se reconnaissent comme telles et dont aucune ne prétend d'ailleurs détenir la vérité.

Confrontant ces informations à ce que m'a enseigné l'observation de la dyade mère-enfant, de la famille nucléaire, de la famille élargie et, enfin, des familles éclatées et recomposées, j'ai été amené, non sans hésitation, à franchir un pas, le mien propre, et à réfléchir moi-même aux informations que j'ai collectées pour tenter de les réunir d'une façon à la fois convergente et cohérente.

Je me suis en effet aperçu que les hypothèses anthropologiques, évoluant sur fond des datations paléontologiques, ne donnaient par exemple aucune date, même approximative, de la mise en place de la Loi de l'interdit de l'inceste et de la pratique universelle de l'échange des femmes qui y a conduit, qu'elle en eût été contemporaine ou qu'elle en eût résulté. La seule date que j'ai pu repérer et qui a attiré, de ce fait, mon attention a été celle des premières sépultures survenues, selon les sources, il y a 150 000 à 80 000 ans. Je me suis alors demandé ce qui a pu se passer pour que les humains se soient mis un jour à enterrer leurs morts. Et je dois avouer que la question que je soulevais m'a... ravi !

Tout d'abord parce que, par rapport au début de l'*East Side Story*, cette date, si floue soit-elle, m'a paru récente, très récente, laissant supposer une profonde et considérable maturation préalable des processus de pensée.

Ensuite parce que cette date est bien antérieure aux indices témoignant de préoccupations artistiques ou religieuses, quand ce n'est pas de l'éclosion des mythologies.

Enfin parce qu'elle m'a conduit à réfléchir de manière inductive, en partant de mes constats propres, pour remonter jusqu'à elle.

Quarante années d'exercice de la médecine, et plus particulièrement de la médecine d'enfants, quarante années d'écoute d'histoires et de discours de mères, de pères, de femmes, d'hommes, d'enfants, filles ou garçons, d'adolescentes et d'adolescents, seuls ou en groupe, m'ont conduit à conclure que la question majeure qui agite, sans la moindre exception et de toutes sortes de manières, tous les individus que j'ai rencontrés est la question de la mort. Et qu'il n'est pas d'humain, quels que soient son sexe, son âge, sa condition, sa culture, son instruction, sa langue, sa résidence géographique, sa nationalité, ses croyances ou sa religion, qui ne soit pas travaillé par l'angoisse de son échéance. Cette préoccupation, consubstantielle de l'humain, ne l'empêche évidemment pas de vivre.

L'angoisse de mort nous habite donc en conscience et nous rend, plus que toute autre caractéristique de notre espèce, uniformément identiques les uns aux autres. Elle est au principe de nos structures, de l'ensemble de nos comportements, comme de nos échanges avec les autres.

Je ne peux cependant pas en rester là. Ne serait-ce que pour lever tout malentendu — et ils sont légion à ce propos. Je parle d'angoisse de mort, c'est-à-dire de la sourde peur que nous éprouvons à l'idée que, quoi que nous fassions, nous mourrons un jour ou l'autre.

Ce qui n'a strictement rien à voir avec ce que recouvre la vague notion d'instinct de mort. Cette notion désigne le fait que nous possédons une programmation instinctuelle susceptible de retarder parfois la survenue de notre mort, comme quand nous parvenons à nous arrêter à temps sur la chaussée pour ne pas être écrasés par un fou du volant ou que nous savons faire preuve de prudence dans des circonstances dangereuses. Ce comportement instinctuel relève d'un mécanisme, d'essence purement animale, celui de la préservation de notre vie, et n'a rien à voir avec l'angoisse que j'évoque.

L'angoisse de mort n'a rien à voir, non plus, avec la pulsion de mort. Celle-ci est un ressort inconscient qui tendrait en quelque sorte à ramener le vivant à l'état organique dont il est issu. La pulsion de mort nous travaille à notre insu et régit considérablement le rapport que nous entretenons à la vie, la nôtre ou celle des autres. La pulsion de mort constitue le soubassement de la pulsion de vie qui s'érige sans relâche sur elle. Nous ne pouvons pas y échapper : quand nous sombrons dans le sommeil, quand nous nous terrons dans le silence ou la solitude, nous sacrifions sans le savoir à cette pulsion. Mais notre sommeil nous aura reposés, et nous serons plus en forme pour nos activités de la journée. De même goûterons-nous plus encore la conversation et la compagnie au sortir de notre épisode de retrait. Il en va comme si nous évoluions de manière ascendante sur une pente très raide et que, immanquablement entraînés à glisser, nous parvenions à trouver, ici ou là, des points d'appui. Ces points d'appui, situés eux-mêmes sur le parcours de la pente, nous permettent soit de nous reposer un moment avant de repartir en sens inverse, soit de progresser dans notre ascension en raison même de l'aide qu'ils nous confèrent. Certains d'entre nous, qu'on dit être gagnés par la pulsion de mort, peuvent se laisser simplement glisser sur la pente — ce qui se passe dans la mélancolie ou dans les graves épisodes de dépression — ou bien entreprendre — quand ce sont des criminels ou ces fameuses « bombes humaines » qui sont devenues depuis quelques années le cauchemar diaboliquement banalisé de notre quotidien — de détruire au passage les points d'ancrage des autres et de les entraîner dans leur propre mort.

Instinct, pulsion et angoisse de mort sont évidemment étroitement liés dans la psyché, la mise en œuvre de la pulsion influant, en la diminuant nettement, sur l'intensité des deux autres : si je suis débordé ou que je me laisse déborder par la pulsion de mort qui m'habite, je n'ai que faire de mon instinct de mort que je balaie d'un revers de main et je me ris de mon angoisse de mort qui a au demeurant déserté ma personne — ce qui implique que sa persistance à un point raisonnable soit indispensable au maintien de la vie.

J'ai fait usage, ici, de ce type d'image impliquant pente, points d'appui et ascension, parce qu'il a été souvent exploité dans nombre de films d'action et de suspense et que de ce fait il nous est familier. Le processus qu'il illustre nous concerne tous sans exception, à ceci près que, même si nous sommes rompus aux enchaînements des événements qu'il implique, le scénario, pour ce qui nous concerne directement, n'en est connu à l'avance par aucun de nous.

À distinguer nettement de l'instinct de mort et de la pulsion de mort, l'angoisse de mort suppose donc, pour sa part, la prise de conscience, aiguë et plus ou moins violemment refusée, de notre état de mortel. Elle suppose, autrement dit, un processus mental d'intégration de cet état, sur fond d'un processus général d'intégration de quantité d'autres phénomènes qui n'aurait jamais pu survenir si nous n'avions pas été dotés d'instruments de réflexion et de la conscience de nous-mêmes et du monde environnant tel que nous le percevons.

Ce qui me conduit à penser que *Homo erectus* ou *Homo habilis*, par exemple, tout au long des centaines de milliers d'années de leur évolution, pendant lesquelles ils ont construit leur capacité de réflexion sur fond de la fameuse notion de différence, étaient, comme les animaux, certainement dénués d'angoisse de mort. Ils voyaient bien, autour d'eux, mourir, d'accident ou d'épuisement quand ils ne les tuaient pas eux-mêmes, leurs semblables. Ils ne devaient pas s'en émouvoir plus que cela. Et sans doute n'étaient-ils probablement pas capables de penser ou d'imaginer que cela pouvait leur arriver, se contentant de rapporter la modification de l'état de leurs semblables morts à la seule notion de différence entre vivant et mort, sur le modèle dont ils avaient enregistré depuis longtemps l'existence dans le règne animal.

Je postule, à partir de là, que l'angoisse de mort est née en l'humain au moment même où il a enseveli le cadavre d'un de ses semblables.

Pourquoi aurait-il été conduit à le faire ? C'est une question qui me semble n'avoir pas été posée de cette manière.

Je ne souscris pas à l'hypothèse qui ferait des premières sépultures autant de garde-manger. Que *Homo*, longtemps charognard et cannibale, ait eu l'idée de conserver ainsi une nourriture qu'il aurait été certain de retrouver ne me semble pas en effet pouvoir expliquer l'éclosion des rituels funéraires qui se mettront en place et qui se généraliseront par la suite.

Je pense que la sépulture n'a pu être qu'un effet de hasard.

Il y a donc eu un cadavre — il le fallait bien pour qu'il y ait sépulture ! Mais pourquoi ce cadavre-là a-t-il suscité chez son fossoyeur, qui ne savait certainement pas qu'il innovait, une pratique pas même envisagée pendant les millions d'années d'évolution de l'espèce ? Car des cadavres, il y en avait déjà eu depuis ce temps-là ! Il y en a eu autant qu'il devait y en avoir, et partout à la surface du globe ! Pour répondre à cette question, je postule, pour ma part, que ce cadavre-là a dû faire peur. Il a dû susciter une peur immense, considérable, jamais éprouvée auparavant. Une peur si grande que l'auteur du geste d'enterrement y aura réagi en un mouvement violemment défensif et sans savoir le moins du monde ce qu'il faisait. La seule explication que j'imagine à l'acte, c'est que l'auteur de la sépulture a soudain craint que le défunt ne se redresse et qu'il ne lui fasse du mal, qu'il ne le détruise[1] ! Comme si la force, la puissance redoutable et peut-être même le prestige de l'individu à terre n'avaient pas été entamés et continuaient de l'habiter même mort. Luttant violemment contre la crainte étrange et inconnue qu'il a sentie monter en lui, l'auteur de la sépulture aura voulu neutraliser tout à fait ce mort et le réduire concrètement et définitivement à l'impuissance. Il s'est alors empressé de rouler sur lui un ou plusieurs lourds rochers. Puis, il l'a recouvert de tout ce qu'il pouvait trouver, amoncellement de pierres, de branchages, de terre ou de simples cailloux. Et il ne s'est arrêté — avant de s'enfuir pour revenir ensuite, je suppose — que lorsqu'il a jugé son entreprise suffisante en ayant définitivement soustrait à son regard la dépouille menaçante.

---

1. Ce type de crainte, qui ne nous a pas quittés, a fait au demeurant le succès d'un film célèbre : *La Nuit des morts-vivants*, de George A. Romero, 1968.

La scène n'est pas difficile à imaginer. Mais, si tant est qu'un tel scénario soit recevable, on doit en déduire que la crainte que le cadavre ne se relève et n'entreprenne de se venger n'est certainement pas, elle non plus, venue par hasard. Elle témoigne de l'éclosion subite d'un processus conscient d'anticipation jusqu'alors probablement inconnu et qui diffère radicalement de tout ce dont avait procédé le simple instinct d'autoconservation, l'instinct de mort, qui seul prévalait jusque-là.

Il existait déjà, évidemment, au sens strict du terme, un processus pouvant passer pour de l'anticipation. Mais il était réflexe et automatique : s'éloigner d'une bête féroce ou fuir devant un ennemi potentiel a toujours fait partie des mécanismes instinctuels de tous les animaux. Le stimulus de ce type de processus a toujours été le mouvement, un objet en mouvement (chute de pierre, torrent, cascade, etc.) ou bien un être vivant, c'est-à-dire lui aussi en mouvement. Celui-ci a d'ailleurs toujours suscité la prudence, sinon la fuite. Le cadavre, reconnu comme tel, ne devait quant à lui jamais susciter une telle réaction. Il suffit, pour s'en convaincre, de voir la manière dont un charognard s'approche de sa proie. Mû par la défiance, il procède par un mouvement circulaire en spirale qui, le mettant à l'affût de la manifestation du moindre mouvement, le rapproche progressivement du corps étendu. Ce qui lui permet d'en jauger suffisamment l'immobilité pour la penser définitive et de sauter sur lui au moment opportun.

Homo devait lui-même procéder toujours ainsi. Mais voilà que, cette fois, le cadavre qu'il a pourtant identifié comme tel l'effraie. Il craint de lui quelque chose à venir. On peut en conclure que, s'il a été conduit à éprouver de la frayeur — et une frayeur d'importance ! —, c'est parce qu'il avait de bonnes raisons, voire toutes les raisons, de l'éprouver. Comme si cette frayeur, qui devait avoir été là depuis bien avant la mise en œuvre de la sépulture, non seulement persistait en présence du cadavre, mais atteignait soudain une intensité insoutenable. Cette anticipation non instinctuelle, cette anticipation consciente, équivalant à une réflexion sur le type de risque encouru — la mort — dans un temps non encore advenu, a certainement auguré chez le fossoyeur la prise de conscience de sa propre condition, autrement dit de sa condition de mortel tenant à la vie. Et ce n'est pas tout. Car prendre conscience de sa condition de mortel, c'est mettre en place en même temps l'embryon d'une autre prise de conscience, celle de l'existence du temps et de son écoulement : voilà en effet que quelque chose est perçu avant même que ce ne soit là, au voisinage immédiat de la frayeur subie et dans le moment même où la réalité présente s'impose au regard ; voilà que tout cela se succède, assaille et s'entremêle dans un ordre quelconque, et sans la moindre possibilité de contrôle. Il s'agit probablement, là, de la première et de la plus violente expérience traumatique de l'histoire de l'espèce. Il faudrait l'imaginer à la manière dont les images nous sont proposées, là encore, dans certains films d'horreur : la réalité évoque un *flash-back* effrayant, relayé aussitôt par un autre flash, un *flash-forward*, qui se plaque à son tour sur le spectacle réel, les séquences se disjoignant, s'entremêlant et se superposant sans relâche, dans tous les sens, à un rythme insensé. La violence qui en a résulté ne s'est pas inscrite seulement au niveau des connexions neuronales qu'elle a créées et figées, elle a sans doute débordé ce registre en ayant entraîné une sécrétion massive de ces molécules proches de celles du stress qui ont dû inonder l'ensemble des structures cérébrales et en ont peut-être modifié les connexions, sinon les rapports. Il en est probablement résulté une modification irréversible de la sensibilité et de la condition de l'individu dont l'animalité, altérée et dépassée, a dû se sentir envahie par ce qui est désigné aujourd'hui comme le registre des émotions complexes, lequel laissera pointer les stigmates d'une nouvelle étape de l'humanisation.

Il en faudra, des expériences violentes de cet ordre, il en faudra encore pendant des centaines de générations successives pour qu'elles soient repérées, décortiquées, démystifiées, intégrées, organisées pour donner naissance au registre des sentiments et pouvoir être versées au compte de l'existence du temps et de son écoulement, ouvrant ainsi la voie d'une prise de conscience du fait d'être vivant avant que de se percevoir comme soumis aux lois de cet étrange ingrédient dans lequel on se trouve inscrit — ce qui définit sans doute le mieux la condition de mortel.

Ce processus a donc mis des millénaires, sinon des dizaines de millénaires, pour se mettre tout à fait en place. Est-il très important de savoir si ce qui y aura œuvré aura été la transmission d'une expérience, la sélection naturelle ou une forme d'hérédité de l'acquis ? Sur un plan spéculatif et scientifique, assurément. Mais, pour ce qui concerne chacun de nous, n'est-il pas plus commode de le mettre au compte d'un parcours qui aura évolué depuis la fente des silex de nos lointains ancêtres jusqu'aux prouesses spéculatives et technologiques de nos contemporains ?

Et tout a été si bien transmis jusqu'à nous que l'éclosion de l'angoisse s'avère repérable, de nos jours, chez le nourrisson. Elle se développe en effet dans le troisième trimestre de la vie pour culminer vers la fin de ce troisième trimestre dans une phase connue sous l'appellation d'« angoisse du neuvième mois ». Angoisse contemporaine de cet instant où le bébé se perçoit soudainement comme lui-même, totalement coupé de sa mère alors qu'il s'était cru jusque-là n'en être qu'un morceau. Je ne suis pas en train de dire, en osant ce parallèle, que pour *Homo* tout cela aurait été analysé ou clairement perçu sur-le-champ, loin s'en faut ! Je dis seulement qu'un processus violent est advenu, qu'il a probablement été responsable de l'agencement de nouvelles connexions dans le cerveau, tout comme il aura déclenché l'affinement de la perception en une cascade qui prendra certainement, elle aussi, des millénaires pour se formaliser tout à fait — on peut même ajouter que nous ne cessons pas, de nos jours encore, d'être concernés par une telle formalisation.

Il reste cependant à savoir pourquoi ce premier cadavre enfoui a suscité une telle peur.

Je propose tout d'abord qu'il a dû s'agir d'un meurtre. Ce qui a dû entraîner la nécessité de s'assurer que le cadavre en était bien un et qui a rendu plus étrange encore le sentiment qu'il a suscité. Mais il ne devait certainement pas s'agir de n'importe quel meurtre. Car tuer ses semblables devait être un fait courant, tout à fait banal et ne revêtant certainement pas au regard de son auteur la moindre importance. Il a donc dû s'agir d'un meurtre accompli après une longue préméditation, autrement dit, comme on le qualifierait de nos jours, d'un assassinat.

Sans doute était-ce, comme je l'ai laissé entendre, l'assassinat d'un individu particulièrement redoutable, autant par son statut que par sa force, sa violence, son irascibilité ou sa cruauté. J'irai même jusqu'à imaginer que, dans de telles conditions, le forfait n'a pas pu être commis par un seul individu mais par plusieurs. Tout comme l'assassinat auquel elle était consécutive, la première sépulture aura probablement été une œuvre collective. Et je ne suis pas loin d'imaginer que de jeunes mâles frustrés se seraient ligués pour tuer le mâle dominant de la horde et mettre fin aussi bien à sa tyrannie qu'à sa jouissance exclusive de l'ensemble des femelles.

L'angoisse des représailles qu'ont éprouvée les assassins a certainement culminé dans celle, étrange, qui a fondu sur eux. Et cette angoisse, par son intensité et son partage, scellera en même temps entre eux ce qu'ils venaient d'inventer : l'embryon d'une histoire commune, et celui d'un lien social consistant, fondés l'un et l'autre sur une entreprise également commune et non pas seulement destinée à satisfaire les besoins immédiats et circonstanciels d'individus anonymes.

Enfoui, le cadavre était extrait de la chaîne alimentaire et ne pouvait plus être mangé par les charognards. Rien n'interdit d'imaginer qu'il sera venu, longtemps, hanter les cauchemars — pourquoi la capacité de rêver n'aurait-elle pas existé à ce stade de développement alors qu'on sait son existence chez le nourrisson ? — et relayer, voire renforcer la peur qu'il avait suscitée. Histoire d'en finir avec la frayeur, on a peut-être expérimenté l'ensevelissement sur des cadavres anonymes pour vérifier répétitivement que le procédé les réduisait à l'impuissance. On sera aussi peut-être allé vérifier périodiquement que le fameux premier cadavre gisait toujours sous l'amoncellement dont on l'avait recouvert. Peut-être même sera-t-on allé jusqu'à renforcer le dispositif, augurant la pratique ultérieure de l'entretien des tombes, la répétition des gestes contribuant à alléger répétitivement la frayeur. Tout cela aura probablement participé à la généralisation progressive de la pratique, ouvrant timidement la voie, sous la pression de la toute neuve angoisse, à une interrogation sur l'au-delà et à une ritualisation ultérieure qui diffusera peu à peu et mettra en place la relation que nous continuons à avoir aux défunts.

LA LOI DE L'ESPÈCE

Le scénario que je construis de toutes pièces autour de la seule datation des premières sépultures est étroitement apparenté, bien entendu, pour qui le connaît — et l'aura reconnu —, à celui que Freud a lui-même construit, dans son livre *Totem et Tabou* publié en 1913.

Freud postulait en effet qu'à un moment aléatoire de son développement l'espèce humaine aurait abandonné son statut humanoïde pour donner naissance à l'humanité et que cela se serait produit à la suite d'un événement crucial qui aurait introduit un ordre contraignant et suffisamment différent du précédent pour radicaliser la séparation que l'humanité avait entrepris d'opérer d'avec le règne animal : au sein d'une horde, de jeunes mâles frustrés se seraient un jour ligués contre le mâle qui y était dominant. Ils l'auraient tué et auraient scellé leur complicité en partageant son cadavre au cours d'un repas cannibalique. Freud date de ce meurtre, qu'il qualifie de fondateur et qu'il reprendra à plusieurs reprises en soulignant son importance, en particulier en 1938 dans *Moïse et le monothéisme*, la mise en place de la Loi de l'interdiction de l'inceste comme Loi fondamentale de la nouvelle espèce. Il laisse entendre, allant jusqu'à l'écrire, que les « frères », bourrelés de remords, se seraient par la suite punis eux-mêmes en se privant du bénéfice des femelles de leur « père » et auraient, ce faisant, instauré puis édicté la Loi.

L'extrême proximité entre le scénario que j'ai été amené à imaginer et celui de Freud n'est certainement pas un effet de hasard. J'ai lu Freud puisque je le cite. Cela m'a certainement conduit à ne pas hésiter à mettre un meurtre collectif derrière l'invention de la sépulture dont je ne sais pas si Freud aurait pu techniquement la prendre en considération. J'aurais volontiers imaginé que mon scénario aurait pu constituer une étape intermédiaire dans la trajectoire dessinée par Freud et qui va du meurtre à la Loi. Mais rien n'est moins certain, puisque, là où il évoque un repas cannibalique, je postule la sépulture ; là où il évoque le remords, je postule l'éclosion de l'angoisse de mort. Et puis comment savoir, surtout, si, à un tel stade de l'évolution, il était déjà possible de parler de catégories aussi clairement définies que celles de « père » et de « fils ».

Or, là encore, je me heurte, au sein des sources paléoanthropologiques, à une absence de datation. Si bien qu'il ne me semble pas possible de clore le débat.

Car, si la première sépulture a suivi la mise en place de la Loi de l'interdit de l'inceste, on peut alors créditer totalement Freud, ne pas hésiter à parler clairement de « père » et de « fils », et, sans ignorer la possibilité de la survenue de l'angoisse de mort, ne pas toutefois lui accorder la même importance dans l'économie psychique et affective des êtres. Si, en revanche, la première sépulture a précédé la mise en place de la Loi, il m'est autant impossible que cela l'aurait dû être à Freud d'utiliser les termes de « père » et de « fils », le géniteur n'ayant pas alors encore eu la moindre idée du lien qui l'unissait à sa progéniture, pas plus que les jeunes mâles ligués contre lui ne pouvaient savoir quoi que ce soit de son rôle dans leur existence. Rien dans ce dernier cas n'interdirait alors de faire de la première sépulture la pièce maîtresse d'un processus de pensée conduisant à la lente et inéluctable mise en place de la Loi de l'espèce. Et de laisser alors en suspens le rapport que Freud a établi entre le meurtre fondateur et la tragédie grecque d'Œdipe dont il a fait la pierre de touche de sa théorie.

Il est néanmoins certain que l'événement n'a pu survenir qu'à une étape évolutive précise des relations qui avaient lieu entre les individus au sein des hordes dont la configuration a été évoquée.

On peut somme toute dire de cette configuration qu'elle impliquait dans la reproduction des êtres guidés par leurs seuls instincts, s'accommodant des conditions environnementales et dont la seule définition demeurait donc exclusivement biologique. S'il existait des génitrices remplissant leur éternel rôle animal de mères, il n'y avait face à elles qu'un simple géniteur profondément égoïste et violent et qui n'avait certainement pas plus conscience de son rôle dans la procréation que n'en a aujourd'hui un grand singe. On imagine aisément d'ailleurs que sa préoccupation ne devait pas le porter à déployer une attention particulière à une progéniture qu'à l'instar de certains primates il ne devait certainement pas hésiter à tuer si elle en venait à gêner son activité primordiale, l'activité sexuelle.

Il est non moins certain que le meurtre évoqué dans l'un comme dans l'autre des scénarios va profondément changer l'évolution de l'espèce. Si Freud l'articule, comme dans une forme de conséquence immédiate, à la mise en place de la Loi de l'espèce, la culpabilité des « fils » les conduisant à renoncer à la jouissance des femelles de leur « père », je serais tenté de penser, pour ma part, que cette mise en place a sans doute pris un temps infiniment plus long. Le scénario de Freud introduit, me semble-t-il en effet, une mutation brutale et quasi miraculeuse à propos de laquelle j'émettrais volontiers encore une réserve : quand on pense en effet à la manière dont, à notre propre époque, les tortionnaires et autres auteurs de crimes contre l'humanité refusent toute mise en cause de leurs comportements, on imagine mal comment des individus, infiniment plus frustes et ne s'étant frottés à aucun des discours moraux, qui n'interviendront que plusieurs dizaines de millénaires plus tard, auraient pu opérer un renversement aussi radical de leurs tendances naturelles.

Je ne vois pas en effet des meurtriers, ayant inventé l'idée de la complicité et ayant constaté l'efficacité de l'union de forces mineures contre une force plus grande, ne pas profiter des bénéfices immédiats de leur forfait. Je pense, et à plus forte raison s'ils en ont conçu l'angoisse nouvelle — et singulièrement désagréable — de la mort, qu'en malfaiteurs des plus classiques ils seront allés jusqu'au bout de leur projet. Ils se seront sans doute partagé les femelles devenues disponibles, sur un mode nécessairement inéquitable. Il est en effet probable qu'au sein de leur groupe une certaine hiérarchie, fondée elle-même sur la force physique d'individus inégalement dotés, aura continué de prévaloir. Les plus forts auraient sans doute opéré les choix les plus avantageux, s'attribuant les femelles les plus attractives, en laissant les autres aux congénères moins bien gâtés par la nature, lesquels, tout frustrés qu'ils auraient pu s'estimer, n'auraient pas eu d'autre choix que de s'en contenter. L'entente, scellée autant par le meurtre que par ses conséquences, aurait alors fondé un ordre nouveau et de nouveaux rapports, sans que n'eût encore à intervenir une quelconque Loi régissant l'espèce. On sera simplement passé d'une horde, avec un mâle dominant se réservant l'intégralité des femmes, à un groupe au sein duquel se sera mise en place une ébauche de la conjugalité. Chacun, sur-le-champ, aura sans doute été satisfait de l'arrangement, s'étant trouvé propriétaire exclusif, et surtout reconnu par ses pairs, d'une femelle dont la jouissance lui était garantie par le pacte implicite.

Il n'est d'ailleurs pas du tout exclu que le meurtre fondateur n'ait pas été étroitement associé à sa motivation et que ne se soit pas progressivement ébauchée une forme de lien associant ainsi le sexe et la mort. Non pas comme on l'entendrait aujourd'hui, à savoir que l'invention de la reproduction sexuée n'a pu se produire, dans l'évolution du monde vivant, qu'en contrepartie de la mort. Mais comme associant par le seul niveau de leur violence ces deux pulsions particulières que sont la pulsion sexuelle et la pulsion meurtrière, la première, éventuellement soutenue par la seconde, parvenant à satisfaire un objectif qui deviendra bientôt central dans la logique des comportements : coïter pour réduire la pression de l'angoisse de mort. Et ce, chez le mâle, et chez lui seul, bien évidemment. Car, si le meurtre fondateur a pu quelque peu concerner les femelles, ce ne pouvait être que d'une autre manière. Elles en ont évidemment été l'élément déclenchant, mais elles en ont été et elles s'en sont tenues totalement à l'écart. Elles auront pu prendre acte à cette occasion de la pulsion meurtrière masculine, être même amenées évidemment à la craindre, pour elles-mêmes comme pour leurs rejetons, et à éprouver, elles aussi, par un probable effet de contagion qui aura sans doute pris des millénaires, l'angoisse de mort. Mais leur rapport plus large à la mort, comme à la conscience du temps, n'a sans doute pas été affecté de la même façon qu'il l'a été chez leurs partenaires. On peut aller jusqu'à imaginer qu'elles avaient depuis longtemps, elles, une expérience plus profondément vécue que n'en avaient leurs mâles. Car ce sont elles qui avaient à vivre la mort de leur progéniture. Et on peut imaginer leur réaction à la manière proprement bouleversante dont les primatologues décrivent le comportement des femelles des grands singes en présence des cadavres de leurs petits. Bien que le sachant mort puisqu'il ne s'accroche plus à elles, elles continuent de le porter des jours durant et de tenter de lui donner à manger tout en ne cessant pas de le humer ; jusqu'à finir par sentir l'odeur de la décomposition ; elles le laissent alors, et elles s'éloignent avec leur groupe non sans se retourner à plusieurs reprises, comme travaillées jusqu'au bout par un fol espoir. Imaginons donc ces femmes, des millions d'années durant, vivre une telle expérience. Comment leur douleur aura-t-elle pu leur permettre d'accepter d'une manière ou d'une autre l'écoulement du temps et l'échéance programmée ? Ce qu'elles transmettront de leur vécu à leur progéniture différera du tout au tout de ce que cette progéniture recevra plus tard des mâles en général et de son géniteur en particulier. Sans doute feront-elles en sorte que leurs filles les imitent et répètent leur comportement — une manière de faire encore en vigueur dans nombre de cultures — alors qu'elles se contenteront d'apporter le strict nécessaire à leurs garçons qu'elles savent voués à rejoindre le clan des mâles. Ce rapport différentiel des sexes au temps, et en conséquence à la mort, est d'ailleurs un des éléments qui crée le plus de malentendus et pour lequel il est strictement impossible d'établir, même de nos jours, une plate-forme de conciliation.

Il aura probablement fallu quelques dizaines de milliers d'années encore pour que l'intuition de la relation sexe-mort soit mise à profit pour expliquer les débuts et fins de vie quand il sera question de développer l'élevage d'abord et l'agriculture ensuite.

Pour autant, c'est la suite, l'enchaînement des événements et la succession des générations à partir de l'acte fondateur qui poseront problème. Le pacte initial n'ayant garanti que la forme et non le fond des relations, la sécurité a dû longtemps paraître précaire, la crainte de voir l'ordre bouleversé ne s'étant certainement pas aisément dissipée. On imagine tout d'abord le soin jaloux avec lequel chaque mâle aura veillé à la propriété[1] exclusive de sa femelle. On peut aussi imaginer la lenteur et les difficultés de ce passage de la horde initiale, et de la logique relationnelle qui la caractérisait, à l'ébauche de ce qui se consolidera, lentement et dans le brouillard évolutif, sous forme de société, la toute première, laquelle grandira en cherchant ses marques, sans que cela ne l'empêche de faire école et d'être imitée.

Le pacte initial entre complices, et le partage inéquitable qui s'en est suivi, n'a pas dû en effet résoudre définitivement les problèmes.

Que s'est-il passé, et comment les choses ont-elles pu évoluer au passage des générations ? Cela n'a pas dû être simple. Il suffit, pour le concevoir, de se référer à la labilité de notre propre mémoire historique : ne gardant qu'une bien faible trace de ce qu'il avait vécu, chacun des complices a dû se débrouiller comme il l'a pu avec le développement de sa descendance. À moins que ne soient intervenus

1. Notons que ce type de comportement demeure encore vivace de nos jours, comme en attestent les Othello de tout poil ! Ce n'est pas en effet demain la veille qu'on parviendra à convaincre les hommes que la relation sexuelle nouée à une femme ne fait pas automatiquement de cette dernière leur stricte propriété.

des rituels régulateurs de visite à la sépulture — ancêtres des cultes des morts ultérieurs — ou l'entretien de la narration des étapes du forfait — autre ancêtre, celui-là, des mythes. S'il s'est trouvé des individus immédiatement enclins à sacrifier leur désir d'exclusivité sur la possession sexuelle des femelles de leur propre groupe, c'est-à-dire de leurs filles, il y en a certainement eu d'autres qui ont dû tomber dans la répétition du passé contre lequel ils s'étaient pourtant dressés. Il n'y a rien d'étonnant à de telles variantes comportementales, et il suffit pour le comprendre de se référer à la manière dont nos contemporains fougueux et généreux révolutionnaires deviennent fréquemment à leur tour les pires dictateurs dès leur accession au pouvoir ! Les choses ont donc dû se passer dans le plus grand désordre avec sans doute, quelque part, la trace profonde du pas qui avait été franchi, à savoir l'union de forces faibles contre une force plus grande — mécanisme que notre actualité continue d'illustrer, ici ou là et en toutes occasions, à la surface de notre globe !

Sans doute y a-t-il eu d'autres et encore d'autres meurtres pendant quantité de générations successives. Sans doute même d'autres frères se sont-ils ligués pour tuer le mâle dominant d'une autre horde que la leur et lui confisquer ses femelles. Rien n'interdit non plus d'imaginer que de jeunes mâles soumis d'une horde étrangère aient pu offrir leur alliance contre une part du butin ou qu'à l'inverse ils se soient ligués à leur tour pour défendre les femelles à portée de leur main contre cette incursion étrangère. Sans doute la plupart des figures de l'alliance se sont-elles inventées. Quelque chose aura fini par se dégager, en fin de compte, qui aura mis en rapport étroit la violence générée par la frustration et la jouissance de partenaires sexuelles visée par cette violence. L'équation qui s'ébauchera posera à chacun la question de savoir s'il vaut mieux vivre dans sa horde en y demeurant frustré sauf à prendre le risque de mourir, ou bien aller tenter sa chance[1] en s'intégrant à une horde autre et en y nouant des alliances. Il n'est donc pas interdit de penser qu'au bout de quelques millénaires ou de quelques dizaines de millénaires une idée plus consistante de l'appartenance à un groupe a fini par se dégager, conférant à chacun des membres l'idée de liens l'unissant aux autres et dont l'existence a sans doute contribué à faire baisser la pression de l'angoisse de mort.

Il n'y a cependant toujours pas, dans cet univers, plus de père que de fils ou de filles catégorisés comme tels. Il y a essentiellement des ententes entre mâles autour de la possession des femelles. Sans doute la lointaine, la très lointaine idée, soulignée par les pratiques funéraires, d'un partage assurant une forme de protection contre la violence a-t-elle lentement fait, elle aussi, son chemin dans un territoire ou au sein de quelques hordes. Et avec elle le concept de couple. Sans doute des couples se seront-ils formellement constitués, s'alliant eux-mêmes entre eux et se reconnaissant mutuellement dans ce qu'on pourrait imaginer comme une sorte de légitimité — un îlot d'individus se reconnaissant au milieu d'un environnement humain disparate ! Au sein de ces différents couples, chaque mâle, pourvu de la femelle qui lui a échu, aura, en s'assurant d'éventuelles

1. Ce qui a dû requérir des moyens physiques adaptés dont témoigneraient les formes mêmes de nos adolescents actuels : un torse court et des membres inférieurs démesurés permettaient au jeune mâle de courir vite et d'affronter les dangers à la recherche d'une partenaire, alors que la femelle pubère s'enveloppait d'une couche de graisse destinée en cas de disette à préserver une éventuelle grossesse.

alliances, à en défendre la propriété contre d'autres mâles, célibataires ou non, proches ou étrangers au groupe. Le lien social, auguré longtemps auparavant, toujours à l'occasion du fameux meurtre du mâle dominant de la première horde, aura fini par trouver en quelque sorte sa première application. Une forme de convention plus ou moins clairement édictée aura ainsi donné une plus grande consistance encore, voire une formalisation, au lien social.

Quelques millénaires se seront sans doute encore écoulés avant que tout cela ne se stabilise et que se raréfie le modèle de la horde que ne pouvait pas ne pas remettre à l'ordre du jour, à chaque génération, sous forme de soubresauts, d'une sorte de « retour de refoulé », la maturation de la progéniture. On ne voit pas en effet par quel miracle le mâle géniteur aurait universellement réussi à renoncer à sa progéniture femelle quand celle-ci était arrivée à maturité sexuelle, ni comment les jeunes mâles, bourrelés par les poussées hormonales, auraient spontanément renoncé à copuler avec leurs sœurs ou leur mère.

C'est alors, probablement, que serait apparue la nécessité de catégoriser et de nommer les liens entre individus. Le géniteur, sans nécessairement avoir une conscience de son rôle[1] dans la procréation — elle ne surviendra sans doute pas clairement avant que n'ait été entrevue l'idée de l'agriculture puis celle de l'élevage —, aura été crédité d'un lien spécifique avec la progéniture de sa femelle. L'ébauche des catégories de père, fils et filles, face à une mère reconnue depuis toujours comme telle, se serait ainsi mise en place.

1. Un rôle qui demeurera longtemps encore mystérieux puisque le spermatozoïde ne sera reconnu qu'en 1670, après l'invention du microscope, et que la première fécondation ne sera observée qu'en 1875 !

Par un effet de nécessité, une convention nouvelle, doublant l'ancienne, et susceptible de mieux régler encore les rapports au sein de la société, serait apparue pour la protection univoque des membres de toute l'espèce vivant dans l'environnement : les appariements sexuels ne pourraient avoir lieu qu'entre individus foncièrement étrangers les uns aux autres. Mais, pour que cette convention puisse être unanimement adoptée, et surtout suivie d'effet, il a dû paraître indispensable de l'asseoir sur une Loi, celle de l'interdit de l'inceste, qui deviendra seulement alors la Loi spécifique de l'espèce et qui interdira définitivement les appariements sexuels et les accouplements entre proches.

L'ordre du langage se sera enfin imposé à l'ordre des instincts. On pourrait également dire que l'ordre masculin aura reçu, à cette occasion, sa première formalisation, s'imposant à des femmes qui, faute de moyens physiques pour s'y soustraire, se seront sans doute contentées de ne pas y adhérer, augurant la forme de lutte qu'elles ne cesseront plus de mener, comme elles le pourront, contre le sexe oppresseur. Notons cependant cet ordre comme une adaptation augurant l'indéniable progrès de l'espèce qui sera à partir de là totalement différente de ce qu'elle était.

Il n'est d'ailleurs pas interdit d'imaginer que ce progrès ait pu se trouver facilité par une évolution biologique insoupçonnée et insoupçonnable jusqu'à ces dernières années. Les généticiens ont en effet récemment démontré que le chromosome Y, inventé par l'évolution, il y a 300 millions d'années, pour conférer au mâle sa spécificité, a perdu considérablement de son matériel au fil du temps. Composé alors de 1 500 gènes, il n'en compte plus de nos jours qu'une cinquantaine à peine, si bien que sa disparition définitive est prévue au terme des prochains dix millions d'années. Le processus a été certes lent, mais rien n'interdit d'imaginer qu'il ait pu entraîner, entre autres phénomènes, il y a quelques centaines de millénaires, une diminution sensible de la sécrétion testiculaire de testostérone dont on sait qu'elle est responsable de l'addiction à l'activité sexuelle et en particulier de l'agressivité qui y est corrélée.

On pourrait imaginer encore autre chose : l'ordre quasi consensuel établi par la Loi de l'espèce, s'il a à peine diminué l'angoisse de mort consubstantielle à *Homo*, a dû néanmoins la rendre un peu plus « vivable », les individus n'ayant plus peur de perdre immédiatement la vie dès lors que la nécessité de s'accoupler leur en faisait courir le risque. Je rapprocherai le fait des succès réguliers que j'ai pu enregistrer dans ma pratique toutes les fois que j'ai eu à prendre en charge des enfants à cet âge où, torturés par l'idée de la mort, ils en arrivaient à exprimer leur angoisse en refusant de se séparer de leurs parents, de rester seuls dans une pièce, d'avoir les W.-C. fermés, le tout émaillé d'affreux cauchemars et de réveils nocturnes intempestifs. Je les écoutais me dire leur inquiétude. Et, quand ils avaient fini, je leur disais qu'ils n'étaient pas seuls dans leur cas puisque la mort concerne chacun et que chacun s'est posé à un moment ou à un autre les questions qu'ils se posent. Après quoi, je leur parlais de l'évolution de la longévité au fil des âges pour finir par leur dire qu'ils avaient toutes les chances, quant à eux, d'approcher des cent ans de vie — ce qui est vrai. J'ai remarqué que cette assurance, venue de surcroît d'un médecin, suscitait en eux un soulagement immédiat et parvenait à elle seule à faire disparaître leurs symptômes.

Je considère cependant, les étapes mises à part, que le débat n'a pas lieu d'être entre les tenants de l'hypothèse freudienne, ceux de l'explication anthropologique et le scénario personnel que j'ai osé agencer. Que les différentes étapes du processus aient donné lieu à des hypothèses différentes n'a pas grande importance en soi puisque le résultat auquel on aboutit est le même : une Loi édictée et intériorisée et non pas un effet d'évitement instinctuel comme on en observe dans certaines espèces animales.

L'anthropologie du siècle écoulé, qui a beaucoup fouillé ce gisement de questions, y a répondu en mettant au principe de l'avènement de la Loi la règle de l'échange des femmes[1], telle que j'ai tenté d'en rendre rapidement compte, comme une solution, la plus efficiente, dictée par la nécessité. Quand l'enquêteur demande au primitif pourquoi ce dernier a pris femme hors de son groupe plutôt que d'épouser sa sœur, ce dernier en riant lui répond que, s'il avait épousé sa sœur, il n'aurait pas eu de beau-frère pour l'accompagner à la chasse.

UN PUISSANT MOTEUR AUXILIAIRE DE L'ÉVOLUTION

La question reste toutefois encore en suspens du sens de ces échanges. Pourquoi les hommes ont-ils soumis les femmes et ont-ils disposé d'elles, les échangeant entre eux, sans jamais s'être préoccupés de leur consentement ? J'ai évoqué la plus grande force mâle. Peut-on la croire suffisante à elle

1. Échange qui interviendra avec un certain nombre d'accommodements imposés par les conditions environnementales, lesquels formeront l'embryon des différents systèmes de parenté observables à la surface du globe.

seule, dans la mesure où les femmes ont été, depuis toujours, dotées de tous les atouts, y compris une force certaine, une grande résistance et une non moins grande endurance, leur permettant d'assurer leur survie et celle de leur progéniture en toute autarcie ? Quel autre facteur aurait donc pu intervenir pour expliquer que le sexe masculin, qui, malgré son ratio de 104 mâles pour 100 femelles, n'est pas loin d'être considéré par les éthologues comme un sexe parasite, se soit ainsi maintenu ?

Puisque j'ose des hypothèses, j'identifierais volontiers, sur ma lancée, ce facteur au seuil d'excitabilité sexuel, depuis toujours très différent d'un sexe à l'autre.

Quelle qu'ait été l'ampleur de notre évolution, nous n'avons jamais cessé d'être des animaux soumis aux lois de la biologie. Or, comme pour en assurer un meilleur développement, l'*œstrus*, caractérisant la disponibilité sexuelle périodique des femelles animales, a disparu dans notre espèce dès le début de l'*East Side Story*. À la différence des femelles des autres espèces, qui ne le sont qu'à de courtes périodes de l'année, celles de l'espèce *Homo* ont d'emblée été continuellement disponibles sur le plan sexuel. J'insiste sur cette notion de disponibilité. Dans les autres espèces, les mâles face à des femelles non disponibles demeurent indifférents alors qu'ils tentent sans relâche de les couvrir, allant jusqu'à lutter à mort pour leur possession, dès que la présence de phéromones dans l'air environnant leur signale le déclenchement de l'*œstrus,* comme s'ils étaient eux-mêmes conditionnés par ce signal chimique issu du corps de leurs femelles. La disponibilité de l'un et de l'autre des deux sexes étant en phase et directement reliée au déclenchement de l'*œstrus,* les femelles animales, obéissant aux lois de la perpétuation de l'espèce, reçoivent le vainqueur ou le mâle d'occasion, sans le moindre état d'âme, devenant à nouveau indisponibles dès qu'elles ont été fécondées.

La disparition de l'*œstrus* dans l'espèce humaine va conférer un statut plus important à un autre facteur, lequel existe également dans les autres espèces et explique la vectorisation des rapports qu'on y observe : ce sont en effet toujours les mâles qui se battent pour les femelles et non pas l'inverse. Ce facteur, qui est directement en relation avec les particularités de l'anatomie et de la physiologie sexuelle, c'est le seuil d'excitabilité sexuelle.

Dans toutes les espèces, y compris dans l'espèce humaine, il est bien plus bas chez les mâles que chez les femelles. Ne dit-on pas couramment que « les hommes ne pensent qu'à ça » ? Et, biologiquement, il ne peut pas en être autrement. Imaginerait-on, en effet, la possibilité d'un coït initié par une femelle avec un mâle en état de détumescence ? Alors qu'avec une femelle indifférente, voire opposante dans les cas de viol, le coït pour un mâle est toujours possible. Le travail avec les couples en difficulté montre au demeurant que l'impuissance masculine pose bien plus de problèmes que la frigidité féminine. On peut toujours vouloir récuser les conclusions d'un tel constat en le rapportant aux effets de l'éternel machisme et de la non moins éternelle maltraitance des femmes. Une telle approche serait cependant partisane parce qu'elle laisse de côté quantité de facteurs collatéraux inhérents à la différence des sexes et à leurs dynamiques spécifiques.

Ce dispositif naturel n'est donc pas plus sans importance qu'il ne serait un effet de hasard. Il est foncièrement au service du destin de l'espèce. Dans toutes les espèces animales, les mâles paradent, en effet, et font état de leurs éventuels avantages pour être élus par la femelle, laquelle, programmée pour conférer à sa descendance le meilleur matériel génétique possible, prendra en quelque sorte le temps nécessaire pour élire le mâle doté des meilleures qualités. Si de telles stratégies semblent ne pas intervenir de façon flagrante ou ne pas revêtir la même importance, de nos jours, dans notre espèce, on peut cependant en observer des équivalents dans la manière dont s'organisent, dans nombre de sociétés, les dotations matrimoniales : si, dans certaines sociétés, les hommes « achètent » leurs femmes en versant aux pères de ces dernières un montant compensatoire de la transaction, il arrive que l'échange se fasse parfois en sens inverse et que les pères versent, à rebours, un capital à leurs futurs gendres si le mariage de leurs filles équivaut, pour eux comme pour leurs filles, et en conséquence pour leur descendance, à une ascension sociale.

C'est donc depuis toujours que la différence des seuils d'excitabilité sexuelle orientait les rapports, expliquant aussi bien leur vectorisation que la forme de hiérarchie qu'ils dessinaient et qui entraînait une asymétrie flagrante des conditions de vie des protagonistes. Les mâles, une fois leurs besoins sexuels satisfaits, avaient en effet tout loisir de s'adonner à la chasse ou à la cueillette pour se nourrir. Leurs compagnes, occupées aux soins de leur progéniture, étaient logées, elles, à une tout autre enseigne. Elles n'étaient cependant pas sans tirer quelque bénéfice de leur soumission aux initiatives mâles. Tout comme les femelles primates, elles avaient des orgasmes, et des orgasmes certainement plus intenses que les orgasmes masculins — il faudra attendre la fin du XXe siècle et les travaux de Masters et Johnson[1] pour

1. W. H. Masters et V. E. Johnson, *Les Réactions sexuelles*, Paris, Robert Laffont, 1968.

confirmer ce qui était affirmé depuis l'Antiquité par les propos prêtés à Tirésias. Le rapport qu'il y aurait, dans l'un et l'autre sexe, entre la hauteur du seuil d'excitabilité et l'intensité du plaisir tiré de l'acte sexuel aurait, semble-t-il, une valeur constante. À la forme d'inconséquence brouillonne des mâles qui n'ont pour souci que de multiplier les actes pour n'en obtenir qu'un plaisir fulgurant, bref et difficile à renouveler sur-le-champ, se trouve opposée une moindre appétence sexuelle spontanée des femelles compensée par un plaisir plus ample, plus intense, beaucoup plus prolongé et facilement renouvelable. Cette véritable prime de plaisir n'interviendrait pas seulement pour rétablir une forme d'égalité, compensant ainsi la moindre fréquence par la qualité. Elle permet sans doute aux femmes de mieux assumer les soins requis par les rejetons dont elles ont la charge exclusive, et lourde, et auxquels elles sont, comme dans l'ensemble du règne animal, viscéralement attachées. À cette époque lointaine — encore que cela ait existé de manière équivalente jusqu'à une période très récente, voire existe encore —, cela obérait singulièrement leur disponibilité et ne leur permettait pas de chasser ou de cueillir, comme elles en étaient évidemment capables, pour assurer leur autarcie alimentaire, les contraignant à se contenter des dispositions imprévisibles de leur compagnon quand ce n'était pas du surplus ou des restes de ses repas.

Quoi qu'on veuille lui faire dire de nouveau, cette physiologie demeure aujourd'hui identique à elle-même. Et, si elle semble devoir intervenir dans un débat qui connaît de nouveaux rebondissements, ce n'est qu'au compte d'un questionnement, rendu nécessaire et pertinent par la mutation récente de la condition féminine, sur ce féminin dont le mystère demeure le même qu'au temps où Freud en parlait comme d'un « continent noir ».

On peut ajouter, au passage, que, si les femmes, tirant néanmoins un plaisir consistant des soins prodigués à leur progéniture, ont réellement permis la perpétuation de l'espèce, c'est sans doute l'addiction des hommes à leur plaisir sexuel qui en a fait les explorateurs et les conquérants des terres qu'ils ont été. Que cette conquête ait eu lieu à pied durant des millions d'années ou qu'elle ait emprunté un jour les galions d'une armada se lançant à la recherche d'une nouvelle route des Indes, qu'elle se commette dans l'établissement de records sportifs, de création d'entreprises, de montages financiers ou de lancement de fusées dans l'espace, le moteur, empruntant la voie de ce qu'on appelle la sublimation, en demeure résolument le même.

Outre l'importance cardinale de l'angoisse de mort qu'elle met en évidence, cette lecture de la longue et lointaine aventure des humains est intéressante en ceci qu'elle montrerait la constitution du lien social comme le tout premier des liens qui se sont formés — le groupe, les sous-groupes puis les sous-sous-groupes, et ainsi de suite. Comme s'il y avait été autorisé par cette inclusion rassurante, c'est ensuite le couple, le plus petit des sous-sous-groupes, qui se met en place. Et c'est bien plus tardivement enfin qu'interviendra la notion de famille, à ressort là encore sociologique, au sens où on l'entend aujourd'hui.

L'autre intérêt de cette lecture réside dans le constat, s'il en était besoin, de l'importance de la mère au fil des âges et de la place centrale qu'elle occupe d'un bout à l'autre de la chaîne évolutive. Recroquevillée sur sa condition et son identité féminines, dont la différence n'a pas cessé de se marquer au fil de l'évolution, elle a assumé seule en effet, comme dans l'ensemble du règne des vertébrés et plus particulièrement dans celui des mammifères, la gestation et la longue mise en œuvre des soins requis par une progéniture immature. Et parce que ces soins ne lui sont pas contestés, elle développera à l'endroit de cette progéniture l'attachement féroce que produit un plaisir authentique et sans doute présent depuis toujours.

Pour ce qu'il en est de l'autre partenaire de la procréation, c'est-à-dire celui qu'on désigne actuellement sous le vocable univoque de père, les choses sont foncièrement différentes. On peut déjà relever que, d'un bout à l'autre de sa lente évolution, il n'est pratiquement mû, comme c'est le cas dans le règne animal, que par son désir sexuel au service égoïste duquel il met sa force, son énergie et sa détermination. Il n'a, de ce fait, d'abord été qu'un géniteur qui ne savait pas même qu'il l'était. Il est devenu ensuite le partenaire d'un couple, ce qui l'a introduit à sa place de père social quand l'environnement a consenti d'abord à lui donner l'exclusivité de sa partenaire et de la progéniture de cette dernière, puis, par la suite, à le reconnaître, à partir de l'instauration de la Loi de l'espèce, comme celui par lequel se définissait aussi l'identité d'une progéniture dont les membres étaient à croiser avec ceux d'une progéniture étrangère. C'est bien plus tard, longtemps plus tard, autrement dit à une date très récente à l'échelle historique, qu'il revêtira les atours du père, tels qu'ils nous sont apparus comme devoir le définir et tels qu'ils apparaissent, à nombre de nos contemporains, désormais comme obsolètes ou, à nouveau, selon le point de vue d'autres, d'une importance cruciale.

Aussi importe-t-il, pour comprendre la manière dont cela nous a conduit au point où nous en sommes, de continuer d'égrener patiemment l'histoire de notre humanité en voie de développement jusqu'à des dates plus proches de nous.

III

LE DON DU PÈRE

À L'AUBE DES CULTURES

Ayant patiemment laissé se tricoter les connexions du cerveau dont il avait hérité depuis que ses lointains ancêtres avaient eu l'idée de se mettre et de rester debout, s'étant soumis, au fil du temps, à de féroces sélections et à quantité de mutations qui ont fini par lui conférer un organisme et une réactivité extrêmement proches des nôtres, étant enfin parvenu à régler de façon plus ou moins satisfaisante la violence générée par ses besoins sexuels, *Homo* s'est donc soudain trouvé confronté un jour aux effets persistants de l'expérience cruciale qu'il venait de traverser : l'éclosion brutale de l'angoisse de mort qui s'est inscrite en lui avec son cortège émotionnel, bouleversant de fond en comble sa condition, au moment de la première sépulture.

Cette prise de conscience lui a fait donner un statut à cette mort. Elle la lui a fait percevoir comme pouvant certes être donnée ou reçue, mais toujours inéluctable et ne pouvant pas, quoi qu'il puisse faire, ne pas le concerner directement, alors même qu'il ne peut rien en savoir. Sommes-nous d'ailleurs, à cet égard, si différents de lui ? Que savons-nous de la mort ? Pas grand-chose. Nous avons à peine de vagues idées sur celle des autres : elle nous touche — encore que ce soit, hélas, de moins en moins depuis que les médias nous font part du bilan des attentats et autres horreurs qui se multiplient de par le monde —, elle nous attriste et nous bouleverse parfois quand elle concerne des gens que nous connaissons plus ou moins, pouvant même aller, quand il s'agit de nos proches, jusqu'à affecter de façon notable, voire durable, notre relation au monde. Mais, sur notre propre mort, que savons-nous ? Rien ! Et est-ce un hasard que notre inconscient l'ignore ? Rien, donc ! Sauf que nous nous évertuons, tous sans exception, à ne pas la croire possible de crainte de ne plus pouvoir rien faire d'autre que de nous terrer dans son attente.

Cette notion, devenue obsédante et dont *Homo* n'est donc plus jamais parvenu à s'affranchir, a certainement marqué sa psyché des premières interrogations sur sa condition de vivant et sur le sens de sa place dans le monde. Il a bien tenté d'en faire baisser la pression, augurant un processus fameux qui sera un jour nommé « refoulement », mais tout ce qu'il sera parvenu à obtenir de ses efforts sera de voir éclore en lui un phénomène étrange et nouveau qu'on pourrait assimiler à la mémoire consciente. Sans doute était-il pourvu depuis longtemps déjà d'un embryon de cette mémoire, et sans le moindre doute était-il capable, depuis des dizaines de millénaires, de se souvenir des lieux qu'il avait traversés, des plantes et des animaux qu'il avait croisés, des pièges qu'il avait posés. Mais rien ne nous autorise à penser qu'avant le cataclysme émotionnel ressenti lors de la première sépulture il ait pu avoir une mémoire d'émois certainement rares et frustes. Son comportement et ses gestes en seront suffisamment affectés pour expliquer qu'il ait pu transmettre à sa descendance, si lointaine fût-elle, non pas le contenu patent de ce qu'il avait vécu, mais sa trace ineffaçable et dont les effets se passent aisément des détails qu'elle ignore. Nous savons de nos jours les méfaits de ce que nous cherchons obstinément à cacher et que nous avons nommé, comme par hasard, « le cadavre dans le placard », comme pour éviter de dire « le cadavre dans la première sépulture », en renvoyant le phénomène à son origine. Or la voilà, cette mémoire, à produire de bien curieux phénomènes. Voilà d'étranges visions qui reviennent à *Homo* et qui l'assaillent sans qu'il l'ait voulu, des visions qui le troublent, parce qu'il ne peut pas ne pas y reconnaître une foule de détails, et qu'il finira un jour par nommer « souvenirs ». Est-ce au bout de quelques jours, quelques mois, années, siècles ou millénaires que, finissant par en prendre son parti, il s'amusera à les convoquer à volonté, les agençant à son gré en les combinant dans tous les sens, mettant un détail tantôt avant, tantôt après un autre, pour constater à ce stade que ses agencements ne produisent aucun effet nouveau ? À quel moment en jouera-t-il de façon suffisamment habile pour en faire autant d'écrans à ce qu'il voudrait pouvoir oublier ? À quel moment jouera-t-il à les intégrer de manière à en extraire un désir, un fantasme, voire une forme de projet ? Dès cette lointaine époque, ou bien plus tard ? Qui pourrait le dire avec assurance ? Il a pourtant bien fallu que ce que nous connaissons de nos mécanismes mentaux se mette un jour en place[1]. Et cela n'a pu se

1. Rien n'interdit d'imaginer d'ailleurs, dès ce stade, la mise en place de ce que la psychanalyse dévoilera comme étant l'inconscient : cette part, atopique, des processus mentaux forgée au fil du temps par chaque individu et destinée à gérer, par un ensemble de mécanismes complexes en perpétuelle interaction avec l'environnement physique et sociétal, la gestion des pulsions.

produire qu'en raison de l'acquisition de ce processus que nous nommons mémoire.

Les effets de l'acquisition de la mémoire vont cependant bien au-delà de ce que nous imaginons. Car la mémoire témoigne implicitement de notre inscription dans le temps, comme de l'impossibilité de nous en extraire. Ce dont je me souviens et qui transite par ma mémoire gît dans mon expérience révolue. Je le sais, comme je ne peux pas ne pas le savoir, puisque c'est à partir de mon présent que je peux faire cette incursion dans le passé. Or, tout comme je ne peux pas ne pas reconnaître que mon présent a été le futur de mon passé, je devrai convenir tôt ou tard que mon présent sera bien vite un passé et aura lui-même un futur, et ce, quoi que je fasse et même si je déplore ne pas pouvoir avoir, hélas, sur ce futur un regard aussi performant que celui que je crois avoir sur mon passé. Je vis donc dans le temps. Et je le subis. Il me domine, il me travaille, il me fabrique. Non seulement je n'ai sur lui aucune prise, mais je ne peux pas même espérer en avoir une un jour[1]. Si je peux en effet convoquer à volonté le souvenir de mon passé, je n'ai strictement aucun moyen d'y revenir ou d'en changer le cours ; si je fais des projets sur mon avenir, rien ne me permet d'y faire une incursion pour m'assurer que mes rêves se réaliseront.

Homo aura sans doute fait lentement mais inéluctablement, quant à lui, la même expérience que celle que je décris. D'abord interpellé par des souvenirs avant de pouvoir les convoquer lui-même à volonté, il aura été amené à percevoir son existence comme une existence en déroulement, et le temps vécu dans cette existence comme vecto-

1. D'où le succès des films qui font intervenir des machines à remonter le temps ou à s'y propulser à volonté.

risé, c'est-à-dire s'étendant d'un passé révolu, même s'il est accessible à la mémoire, à un futur incertain dont il ne sait rien sinon la fin inéluctable puisque la mort aura tôt ou tard raison de lui qui n'est que l'objet et le jouet de ce fichu temps. Cette perception l'entraînera fatalement sur la pente de la métaphysique, le contraignant à apporter à ses multiples interrogations sur sa place dans le monde des réponses influencées par son environnement et auxquelles il ne pourra pas ne pas tenir tant il perçoit la paix relative qu'elles lui apportent. Il n'est pas jusqu'à la Loi de l'espèce qu'il a fini par édicter pour être impliquée dans cette question du temps et lui permettre de composer avec sa condition de mortel.

Son intelligence grandissante a par ailleurs fini par lui conférer, au cœur même de son fameux débat de fond, la conscience aiguë de ses multiples besoins et la nécessité d'en organiser la satisfaction. Ainsi se sera-t-il sans doute lancé dans des stratégies d'échange qui l'auront conduit à repérer individuellement les agents favorables à son entreprise comme ceux qui y ont été hostiles ou indifférents. Des alliances conjoncturelles auront pu ainsi naître et parfois même perdurer avec la logique habituelle qui régit ce type d'activité. L'embryon des relations sociales, qui s'était ébauché des dizaines sinon des centaines de millénaires auparavant, a dû progressivement se parfaire pour aboutir à des modèles de vie en groupe dont les modalités étaient certainement proches de celles que nous connaissons encore de nos jours. Si l'existence de l'autre y avait déjà été repérée, ce n'est pas à un autre titre que celui d'un individu *a priori* hostile et menaçant, et dont le meilleur usage qu'on pouvait en faire était de tenter de l'utiliser à son profit ; l'égoïsme foncier devait présider à des échanges dans lesquels l'oblativité devait être inconnue sinon inconvenante ; des lignes de force et des alliances devaient néanmoins finir par s'y dessiner, ouvrant parfois la voie à une fidélité ou à un attachement dont l'un comme l'autre étaient placés sous le signe d'intérêts mutuels parfois les plus mesquins. Doublant l'organisation de ces échanges contingents, il en est probablement survenu d'autres, à l'intérieur même des groupes ou dans les échanges avec d'autres groupes, qui dessineront l'ébauche des mythes dans lesquels s'ancreront les opinions et les croyances du moment.

Il va sans dire que cette évolution a sans doute été longtemps circonscrite à quelques groupes à peine. La population qui s'en est trouvée concernée n'était, au départ, probablement pas la plus importante au plan numérique. Faisant l'économie des affrontements et des guerres, elle a dû aisément prospérer par rapport aux groupes qui n'avaient pas opté pour le mode relationnel qu'elle avait instauré. Peut-être même a-t-elle été prosélyte sans le vouloir et par un simple effet de contagion. Mais les millénaires qui se sont écoulés n'ont certainement pas permis aux progrès les plus patents de diffuser de manière homogène, pas plus qu'ils ne sont parvenus à produire des résultats similaires dans un ensemble de sociétés qui évoluaient pour leur propre compte dans un environnement rendu étanche par sa distance à d'autres du même type. Pour se convaincre de la disparité de ces évolutions, il n'est que de voir les résultats enregistrés par les explorateurs des siècles derniers ou, plus simplement encore, par nos anthropologues et nos auteurs de documentaires télévisés. Les Papous du Sepik, les Amérindiens d'Amazonie, les tribus pygmées ou les cavaliers mongols ne battent-ils pas des records d'audience ?

LE NOMADE ET LE SÉDENTAIRE

Dans cette évolution lente, complexe et multidirectionnelle, un fait semble néanmoins bien établi : il y a environ vingt à trente mille ans, une partie de cet ensemble de populations a commencé à se sédentariser. Ce qui signe une étape cruciale du devenir de l'espèce, instaurant pour ses tenants un rapport au monde environnant dont les effets ne sont pas encore épuisés de nos jours. Ce qui ne veut pas dire que le nomadisme n'ait pas encore longtemps prévalu — comme en atteste au demeurant sa persistance de nos jours.

Qu'est-ce d'ailleurs qu'un nomade et qu'est-ce qui le pousse à nomadiser ?

Un nomade, c'est un individu qui quitte un jour un lieu qui ne lui convient plus ou lui semble hostile pour en chercher et parfois en trouver un autre qui lui conviendra mieux... jusqu'à ce que ce dernier lui-même cesse de lui convenir et que... On pourrait dire de lui que, par suite sans doute d'expériences pénibles récurrentes dont il a tiré un enseignement susceptible de l'avertir de leur possible occurrence, il a définitivement renoncé à intervenir sur son environnement. Il a par exemple appris que, lorsqu'un puits s'est asséché, il est inutile d'attendre que l'eau y revienne. Munis de nos connaissances actuelles, nous ne pouvons évidemment que louer sa sagesse. Mais ce dont nous pouvons, nous, démonter aujourd'hui la logique a certainement fait longtemps pour lui l'objet d'expériences catastrophiques dont il aura, quand il y aura survécu, tiré un enseignement qu'il a transmis à sa descendance. Il en sera de même pour le voisinage immédiat, la faune environnante, les pâturages ou les routes à emprunter.

On dispose d'ailleurs d'une illustration édifiante du fait dans notre histoire contemporaine. On peut en effet considérer que la conquête du territoire nord-américain par les Européens a été grandement facilitée par la longue absence de réaction des autochtones, au tempérament profondément nomade. Les Indiens, envahis par des populations décidées en raison de leur culture d'origine à investir l'espace qu'ils s'octroyaient, ne leur ont pas opposé de résistance, assimilant sans doute cet envahissement à un paramètre inattendu mais néanmoins banal de leur environnement habituel. Ils se sont donc longtemps contentés de changer de terrain de chasse, tout comme ils l'avaient toujours fait quand le gibier venait à se raréfier. C'est seulement lorsque leur espace de migration s'est trouvé singulièrement rétréci qu'ils ont fini par réagir. Mais il était trop tard : les conquérants, à la longue tradition sédentaire, avaient profité des circonstances pour s'implanter et agir sur le milieu environnant au moyen des techniques qu'ils avaient apportées dans leurs bagages. On sait par quels massacres tout cela s'est résolu.

À l'inverse des groupes nomades, nombre de groupes *Homo* sont donc parvenus un jour à trouver des territoires riches qui leur ont convenu. Ils s'y sont implantés, mettant définitivement fin à leurs pérégrinations et se sédentarisant probablement pour la première fois dans l'histoire de l'espèce. Assurés qu'elle était inépuisable, ils ont certainement dû commencer par jouir paresseusement de leur fortune. Et pourquoi ne l'auraient-ils pas fait quand les fruits alourdissant les arbres ne demandaient qu'à être cueillis et que le gibier abondant était si facile à prendre ? La générosité de la nature renouvelant le miracle aux changements de saison, ils n'ont eu sans doute, longtemps, aucun souci à se faire pour leur quotidien ou pour celui de leur descendance. D'autant que, lorsqu'ils ont vu leurs ressources risquer de s'épuiser, il leur a suffi d'entreprendre de les gérer puis de les exploiter pour enregistrer de brillants résultats. Ils en ont été conduits à investir affectivement leur environnement, prenant l'initiative d'agir désormais sur lui pour l'adapter à leurs besoins et parvenant en quelques millénaires à passer de la hutte au village avec, en guise d'étapes intermédiaires, des ébauches de maisons, des groupements disparates de huttes et de maisons puis des hameaux. Probablement par un effet d'accoutumance, inscrivant les actes dans une forme d'expérience elle aussi transmissible de génération en génération, cette sédentarisation a entraîné une meilleure appréhension du milieu de vie avant d'ouvrir la voie à sa véritable exploitation sous la forme de l'invention de l'élevage, il y a dix mille ans, puis de l'agriculture quelques siècles après si ce n'est au millénaire suivant.

Que cela se soit passé ici ou là — on pense que cela se serait produit dans la zone dite du Croissant fertile correspondant au Moyen-Orient actuel —, plus tôt ici et plus tard là, n'a pas en soi une grande importance. Ce qui est important, en revanche, c'est que la sédentarisation, supposant un rapport déjà plus harmonieux avec un environnement devenu moins hostile, parce que maîtrisé et assurant une subsistance régulière, a certainement permis aux humains de consacrer la part de l'énergie qu'ils dépensaient pour assurer leur simple survie à la prise en charge de cet environnement et à son investissement. Ils ont procédé, autrement dit, à un investissement physique et affectif définitif de l'espace, investissement dont l'intensité et l'ampleur seront probablement responsables des conventions sociales qui conduiront à l'édification ultérieure des États et des empires.

C'est probablement ainsi que seraient nées, il y a environ dix mille ans, ici et là, les premières cultures dont les échos sont parvenus jusqu'à nous.

LE NOMADE, LE SÉDENTAIRE ET LE RELIGIEUX

Il y avait donc déjà des dizaines de millénaires que le choc suscité par la découverte de l'inéluctabilité de la mort avait entraîné, chez *Homo*, toutes sortes de procédés pour faire baisser la pression de l'angoisse qui en a résulté. Au nombre d'entre eux, on peut ajouter des manœuvres de diversion, d'annulation, voire de consolation — qui persistent au demeurant — destinées, elles, à proprement refuser la mort comme un phénomène irréversible. Les rituels funéraires, comme nombre de peintures rupestres, témoigneraient de l'éclosion de questions, voire de croyances précoces autour de l'existence d'une forme de vie au-delà de l'échéance commune. Ce type de préoccupation n'a d'ailleurs pas faibli, et il continue de susciter les passions les plus vives. N'a-t-on d'ailleurs pas brocardé, en vain, ces dernières années, la conviction conférée aux hommes-bombes islamistes qu'après leur mort chacun d'eux serait accueilli, au paradis, en héros attendu par soixante-dix vierges soumises par avance à son désir ?

L'insistance du questionnement autour de l'angoisse de mort a certainement été, depuis fort longtemps, au principe de ce qu'on verra éclore comme autant de religions destinées à y répondre et au nombre desquelles on peut voir se dessiner de singulières variantes en fonction de la sédentarisation ou du nomadisme des populations.

Car les conditions d'existence, en relation étroite avec les effets des relations immédiates, ont fini par créer un état d'esprit spécifique à chacune des deux conditions.

Ainsi la sédentarisation a-t-elle dû conduire ses adeptes à croire que tout leur était dû et à se comporter à peu près comme les enfants gâtés qui nous entourent. Insérés dans un environnement généreux dont ils s'estiment fondés à tout attendre, ils l'ont donc affectivement investi. Et ils l'ont fait d'autant plus facilement qu'un tel bonheur n'était pas sans rappeler à chacun celui qu'il avait ressenti à vivre dans l'espace maternel, l'utérus d'abord, le giron ensuite, avant le pénible affrontement des réalités plus dures de l'existence. Aussi seront-ils conduits, en hommage à la mère sempiternellement pourvoyeuse, à longtemps forger des cultes féminins avant d'investir des idoles. L'idole pouvant être comprise, là, comme l'équivalent de ce que nous connaissons chez nos petits enfants comme « doudou » ou comme « nounours » et que nous avons nommé, depuis Winnicott, « objet transitionnel » pour dire qu'il représente la mère. Une mère dévouée, une mère généreuse, une mère enveloppante, une mère surtout consolatrice en toutes circonstances, qui rassure sur toute chose, et, entre autres sinon en particulier, sur la fameuse angoisse de mort. Ce qui n'a rien d'étonnant si on prend en compte le fait déjà signalé que les femmes, n'ayant pas participé au meurtre fondateur du temps de la première sépulture, sécrètent un rapport au temps, à la mort et à l'angoisse de mort singulièrement différent de celui des hommes. On peut donc établir un rapport étroit entre un environnement favorable, une mère dévouée et l'idolâtrie, ces trois facteurs concourant à la même fonction.

Que tout cela ait pu se complexifier par la suite pour donner naissance à une multitude d'objets ou d'instances, plus ou moins dotés de puissance au point de donner naissance à des panthéons, ne change rien à l'affaire : il s'agira toujours de faire barrage, par le truchement d'une représentation de la puissance maternelle, aux méfaits d'une angoisse excessive.

Il en a été par exemple ainsi — pour rester dans les faits connus de chacun — de la religion de l'Égypte ancienne. Voilà une religion, déjà complexe et très évoluée il y a plus de cinq mille ans, qui avait élaboré, depuis longtemps, une mythologie cohérente en substituant aux banales idoles des religions plus frustes des objets d'adoration à potentiel fortement symbolique. La quantité de divinités qu'elle proposait allait du soleil au chat en passant par le Nil, le taureau, la chouette ou le crocodile. Chacune d'elles était certes dotée d'un pouvoir spécifique. Mais tous ces pouvoirs concouraient à la protection de leur adorateur. Protection contre quoi ? Contre les aléas ? Contre les mauvais sorts ? Contre l'infortune ? Contre l'adversité ? Contre tout ce qui de près ou de loin ne peut que présentifier le sort contraire à la jouissance de la vie, autrement dit, contre tout ce qui de près ou de loin n'est pas sans évoquer la haïssable mort. Et ce n'est pas tout. Car, si cette religion a laissé des traces, c'est qu'elle affirmait une existence après la mort, allant jusqu'à professer que l'essentiel ne commençait en réalité qu'après cette étape et qu'il importait pour chacun, sa vie durant, de préparer le « grand voyage ». On sait le reste : l'embaumement, les momies, les provisions pour le voyage, les pyramides, etc. L'idée était judicieuse — la mère, aux représentations démultipliées, va jusqu'à subvertir la mort ! Il suffisait d'y penser : pourquoi vous inquiéter de la fin de votre état de vivant, était-il laissé à entendre, quand il ne s'agit que d'un changement d'état ? La mort n'est pas du tout une fin, c'est un début. Il suffisait de le proclamer. Et bien sûr d'y croire. Cela devait en principe suffire. Et ça a suffi pendant environ trois millénaires ! Cela a suffi à construire une société structurée, prospère, puissante et relativement pacifique.

On pourrait faire le tour de l'ensemble des variantes des dispositifs de cette époque — dont les versions cananéennes et mésopotamiennes qui sont parvenues jusqu'à nous par les traces qu'elles ont laissées ou par les emprunts qu'y ont faits les religions ultérieures. On les verra produire les mêmes résultats : une invention toujours originale et en conformité avec les données de l'environnement, une invention à visée consolatrice et apaisante en ce qu'elle conjoint les effets d'un espace rassurant à celui de dispositifs d'essence maternelle, tendres et subtilement dénégateurs.

Quand on en arrive à la religion des Grecs — qui fut ensuite adoptée et adaptée à leur empire par les Romains —, la stratégie change du tout au tout. Mais le résultat visé est toujours le même. Une mythologie élaborée à partir du chaos primitif — tout comme dans la plupart des religions environnantes — donne naissance à un panthéon de dieux qui ont pour particularité d'être singulièrement identiques aux humains, à ce détail près qu'ils ne sont pas affectés, eux, par la mort. On pourrait dire que le message qui sourd du dispositif reviendrait à dire, en visant à alléger la sempiternelle angoisse de mort, qu'on ne doit tout simplement pas s'en laisser envahir ou écraser, puisque les dieux immortels qui mènent le monde et les hommes se conduisent exactement comme les humains eux-mêmes, connaissant la hiérarchie des rapports, les alliances et les dissensions, se trouvant confrontés à des problèmes en apparence insolubles, ayant leurs déboires conjugaux comme leurs caprices ou leurs sautes d'humeur. Qu'importerait alors l'inéluctabilité de la mort puisque d'en être à l'abri ne donne pas plus d'avantages dans la gestion du quotidien ? Et puis, n'y avait-il pas cet univers singulier, l'Hadès, entièrement dévolu au séjour des morts et où tout, excepté le temps, se déroulait en parfaite symétrie avec la vie terrestre, permettant la poursuite de la pensée comme les retrouvailles des proches — une autre version, en quelque sorte, du grand voyage égyptien ? Si on en juge par la manière dont a brillé la civilisation grecque et par ce qu'elle a apporté jusqu'à ce jour au monde, on ne peut que saluer l'extraordinaire efficacité de son invention.

Bien qu'ils se soient multipliés et qu'ils aient accru leur influence à la surface du globe, ces différents dispositifs ne sont cependant pas toujours parvenus à gagner à leur logique les populations nomades qui y sont restées obstinément rétives. Au fil du temps, l'option nomade a dû fabriquer et modeler — sans doute continue-t-elle de le faire — un dispositif cognitif, traduit par un état d'esprit particulier résultant sans doute lui-même des dizaines de millénaires de migration de l'ancêtre *Homo* lancé à la conquête de la planète. Dans la mesure où il n'a aucune raison d'instaurer un investissement à l'endroit de l'environnement, qu'il en change sans cesse et qu'il éprouve parfois des difficultés à en trouver un plus convenable, dans la mesure où il ne peut pas faire confiance aux ressources de cet environnement pour assurer le nécessaire à sa descendance, le nomade a renoncé à investir affectivement l'espace dans lequel il se déploie et duquel il arrive même à se défier. On pourrait presque avancer, à son propos, qu'il aura connu des conditions telles qu'elles auraient sans cesse démenti les promesses implicites du discours maternel, l'amenant sinon à le démystifier, du moins à prendre ses distances face à lui. Percevant en revanche son parcours existentiel comme soumis à l'incertitude de celui de sa descendance, il prendra la mesure de l'aléatoire de ce temps insaisissable et en acquerra une conscience encore plus aiguë, ce qui l'aurait contraint à prendre en compte sa fuite et à gérer sa propre durée de vie, toutes choses l'ayant en quelque sorte préparé à accepter de « faire avec » sa condition de mortel.

Si bien que, lorsqu'il en viendra, bien plus tard, à concevoir la religion à la fois comme réponse à la quête de sens de sa vie et comme parade la plus efficace à la pression de son angoisse de la mort, le nomade en arrivera à inventer, il y a près de quatre mille ans — donc bien avant l'épanouissement de la civilisation grecque qu'on situe entre le VIIIe et le IIIe siècle avant notre ère —, la première religion monothéiste. Les Hébreux, inventeurs de ce monothéisme, étaient une tribu nomade dont le nom même signifie « ceux qui passent ». Ce peuple, qui nomadisait donc en Mésopotamie, se donnera, après un séjour de deux cent soixante-dix ans en Égypte, un texte, la Thora, qui narre le fait comme ce qui serait son histoire en consignant en même temps le corpus de ses croyances. La Thora, plus connue sous le nom de Pentateuque ou d'Ancien Testament — qu'on peut éventuellement lire comme une mythologie de datation récente par rapport à l'ensemble de notre propos —, a été doublée, au fil du temps, d'un volumineux corpus de commentaires connu sous le nom de Talmud et destiné à affiner le contenu du message qu'elle est censée délivrer. Or les commentateurs ont relevé depuis longtemps le fait que, si le texte thoraïque accorde une large place, dans son premier livre, à des figures maternelles fortes, les matriarches Sarah, Rebecca, Léa et Rachel, narrant en détail leurs interventions, il ne les évoque plus du tout par la suite, et le mot « mère » lui-même ne figure plus dans le texte après la réception des dix Commandements. Un peu comme si toute l'entreprise avait visé à déjouer les manœuvres de l'instance maternelle comme à en limiter les pouvoirs, au bénéfice de la constitution, originale à l'époque, d'une société de pères ! Pour mener à bien leur entreprise, les Hébreux ont pris appui sur le fameux Dieu-un qu'ils se sont donné et qu'on s'est évertué à vouloir nommer, dans les autres langues, Yahvé, Yohvé, Jéhova, ou autres prononciations du même type, alors même que son écriture, YHVH, strictement imprononçable, fonctionne à la manière d'un logo[1], condensant en quatre lettres les trois modalités, entrelacées sans ordre, de l'inscription de l'être dans le temps : avoir été, être, avoir à être[2]. Ce qui témoigne du fait

1. La particularité du logo, c'est de ne « parler » qu'à l'œil — qu'on pense aux chevrons, au curieux losange ou au lion stylisé de nos marques de voitures. Mais cette manière de parler est singulièrement efficace. La rétention et la mémorisation de son message sont en effet infiniment supérieures à celles de tous les autres moyens de communication. On sait d'ailleurs les fortunes que dépensent les services marketing des grandes entreprises pour trouver des logos performants.

2. Si on doit procéder à une traduction littérale, les fameuses quatre lettres sont la condensation sans aucun ordre de : il a été, il est, il sera. L'inconvénient de cette traduction vient de ce que la troisième personne du singulier, il, pourrait laisser entendre, en français, l'existence d'une quelconque instance. Or il s'avère que les langues sémitiques — l'arabe comme l'hébreu — rendent notre infinitif par cette troisième personne du singulier du présent, tout comme le latin des dictionnaires la rend par la première personne du singulier du présent, alors même que l'infinitif y existe. La traduction que je propose demeure donc fidèle au sens original en lui conférant toutefois l'esprit de la langue française dans laquelle je la transpose.

que le monothéisme, option d'un peuple nomade, s'est construit avant tout sur l'injonction faite à ses adeptes de prendre conscience de leur inscription dans le temps.

MÈRE, PÈRE, ESPACE, TEMPS ET MORT

Le rapport privilégié du sédentaire à son espace — dont j'ai signalé qu'il n'est pas sans rappeler le rapport privilégié à la mère — a constitué à n'en point douter un formidable avantage pour ses tenants en ce qu'il suscite, comme on le sait depuis Freud, la confiance en soi aussi bien que le développement de l'esprit d'entreprise et celui de la technique, toutes choses longtemps laissées de côté par l'option nomade qui avait opté pour une solution différente.

On peut d'ailleurs vérifier le fait en examinant la manière dont les religions monothéistes ont diffusé au cours de l'histoire récente à la surface du globe.

On sait que le judaïsme n'a jamais eu de propension prosélyte et qu'il a depuis toujours plutôt découragé les conversions. Le peuple désigné comme « élu » a dû certainement trouver bien lourdes les modalités de son élection pour la faire partager par d'autres. Choisi, il se déclare lui-même n'avoir pas vécu le fait sans regret et ne l'avoir réellement été que pour accomplir le parcours dont il a reçu l'ordre et qui, une fois achevé, le constituerait en exemple susceptible de convaincre à sa foi dans le Dieu-un le reste de l'humanité — entreprise vaste, sinon impossible, tant elle contraint à une ascèse rigoureuse et à une infinie patience dans laquelle le temps demeure le principal ingrédient.

Le christianisme qui en a découlé a, lui, opté pour une visée prosélyte — douce au début, bien moins douce ensuite quand le politique s'en mêlera — visant le salut de toute l'humanité. Ses fondements faisant intervenir une mère, Marie, la mère du Christ, il n'aura pas de grande difficulté à diffuser dans l'aire géographique tempérée de l'hémisphère occidental, aux ressources abondantes et aux populations sédentaires de longue date, supplantant, par l'apport d'un symbole maternel d'importance[1], l'idole-objet transitionnel là où elle avait encore cours, comme le culte du Panthéon des religions gréco-latines. Il rencontrera en revanche de bien plus grandes difficultés dans l'aire géographique où le nomadisme, dont j'ai dit qu'il s'était toujours montré méfiant face aux promesses d'essence maternelle, persistait de façon prévalente en raison de la géomorphologie et de la précarité des ressources.

Quand l'islam a repris les apports du judaïsme et du christianisme, en les assortissant d'une détermination prosélyte dont il semble au demeurant ne s'être pas départi et pour laquelle il s'est donné, en guise de butée, l'éternité, il a diffusé sans difficulté dans les aires de nomadisme — jusqu'en Extrême-Orient —, mais il s'est trouvé arrêté aux portes de

1. Le symbole n'épuisera ni sa puissance ni son efficience si on en juge à la manière dont il a réussi à relancer la chrétienté occidentale en perte de vitesse au début du Moyen Âge, augurant l'ère de l'abondante iconographie des Vierge à l'Enfant. Il en sera encore fait usage dans des circonstances similaires au milieu du XIXe siècle sous la forme du dogme de l'Immaculée Conception. Sans compter que la France, qui revendiqua très tôt un statut de fille aînée de l'Église et qui se plaça sous le signe de la Vierge Marie, emprunta à l'Église son organisation pyramidale, forgeant un État fortement centralisé, unique en Europe, à laquelle n'a pas touché la Constitution révolutionnaire jacobine.

Vienne, échouant à convertir les populations déjà christianisées dont on sait combien leur parcours, croisades incluses, les avait enracinées dans l'idée qu'elles défendaient la seule vraie foi.

Il serait bien entendu ridicule, quand tant d'autres facteurs interfèrent, de réduire à un schéma aussi squelettique la visée et l'apport de ces religions qui se partagent — non sans tension, hélas ! — une grande partie du monde. Tout comme il serait ridicule de laisser croire que je puisse envisager de résumer, en quelques phrases, des notions aussi vastes et aussi complexes que celles d'espace et de temps. Je me contente de suivre mon idée de la gestion de l'angoisse de mort pour montrer qu'en toutes choses elle n'a jamais cessé de préoccuper notre humanité. Or les religions, toutes sans exception, ont tenté de la réguler en y apportant leurs réponses. Et pratiquement toutes, même les monothéistes, ont à cet effet laissé entendre, quand elles ne l'ont pas ouvertement professé, l'existence d'une vie après la mort.

On ne sait cependant pas assez que le message essentiel du judaïsme — religion mal connue, y compris des juifs eux-mêmes —, le message qui s'avérera l'organisateur des ressorts de la société qu'il a édifiée comme de sa manière d'envisager son rapport au monde, tourne autour d'un ordre qui lui fut donné et dont la formulation est à tout le moins étrange : « J'ai placé devant toi la vie et la mort... tu choisiras la vie. » Pour paradoxal qu'il soit — « je te donne à choisir entre ceci et cela, choisis ceci ! » —, un tel message n'en souligne pas moins le fait que la Thora ne fait pas la moindre mention explicite à ce qui se passe après la mort. Et qu'on ne trouve rien qui y fasse mention pendant les six à huit siècles que dura le royaume d'Israël. Bien que les commentateurs ultérieurs affirment qu'on y trouverait des propos laissant entendre que l'âme serait immortelle, il faudra tout de même attendre une période située entre le début du IIe siècle avant notre ère et la fin du IIe siècle de notre ère pour trouver, sans doute sous l'influence des religions voisines qui ne s'étaient pas départies de leur zèle prosélyte, une référence à la résurrection des morts et à l'au-delà. Sans jamais entrer dans le détail de ce que serait le séjour des morts — le SHéHoL —, les textes de cette époque ne l'en évoquent pas moins. Quant au fait que le texte de la prière individuelle fasse état d'une bénédiction de Dieu qui rend les morts à la vie, il s'agit d'un ajout tardif qui daterait du début de notre ère.

Le christianisme, se prévalant, lui, de l'argument de la résurrection de Jésus dont il ne cessera pas de témoigner, connaîtra le formidable essor qui a été le sien. Il ne cessera d'ailleurs pas de disserter sur l'au-delà, sur le Paradis, l'Enfer, le Purgatoire, allant même jusqu'à inventer, au XIe siècle, le royaume des limbes destiné aux nourrissons morts sans avoir reçu le baptême. Il utilisera d'ailleurs très tôt cette notion pour asseoir sa puissance politique, n'hésitant pas à user de son pouvoir d'intercession en vendant des grâces, ce contre quoi s'élèvera un jour le schisme protestant.

Pour ce qui concerne l'islam, la presse, qui a eu à traiter ces dernières années d'événements impliquant certains de ses fidèles, a largement diffusé son opinion sur ces points, opinion plus radicale et surtout plus évocatrice et plus imagée encore que l'opinion chrétienne. Le Coran est en effet émaillé de références, accompagnées de quantité de nuances, à la vie dans l'au-delà. Et comme il confère à Dieu un pouvoir absolu auquel l'humain n'a pas d'autre choix que de se soumettre (le mot « musulman » signifie soumis), les références à l'au-delà n'en acquièrent que plus de force. Il n'est d'ailleurs pas impossible qu'une lecture erronée de son message soit parvenue à susciter le suicide des hommes-bombes islamistes, lequel n'est pas sans évoquer les sacrifices humains des religions idolâtres, en particulier ceux du culte de Baal, contre lesquelles l'islam s'est toujours violemment élevé.

Pour ce qui les concerne, le bouddhisme et les autres religions extrême-orientales, dont il n'a pas encore été question, ont résolu le problème d'une manière encore plus originale puisqu'elles ont fait du corps le simple habitat d'une âme appelée à se réincarner jusqu'à atteindre la perfection. Ce qui permet au demeurant de négliger ledit corps qui peut être indifféremment brûlé, confié au fleuve (dans la variante hindouiste), voire donné en pâture aux vautours comme cela se passe au Tibet.

L'entreprise n'a donc jamais été — loin s'en faut, et les passions qu'elle soulève aujourd'hui encore ne cessent pas d'en témoigner — dénuée d'importance. Car c'est de la tentative de résolution d'un destin forcément tragique qu'il est question. Même s'il ne s'agit que de croyances, auxquelles chacun peut ou non adhérer, il importe toujours de trouver le moyen de lutter contre la pression de l'angoisse de mort, de permettre l'investissement de la vie et de freiner les forces d'autodestruction qui travaillent chacun aussi bien que la société dans laquelle il s'inscrit. Or cette angoisse est si forte et souvent tellement handicapante que chacun, pour s'en défendre ou en alléger le poids, s'agrippe à la solution que lui ont apportée les croyances, la religion ou la foi dans lesquelles il est venu au monde, auxquelles il a adhéré et dont il est prêt à défendre, au prix même de sa vie, la pertinence et la vérité.

Il en va au point que la fin du communisme a vu refleurir les religions dont on avait tenté d'affranchir les peuples.

C'est dire combien le recours à la protection que ces dernières sont censées procurer a continué de paraître supérieur aux promesses du matérialisme. Ce que résume d'ailleurs la célèbre sentence d'André Malraux quand il avertit que « le XXIe siècle sera religieux ou ne sera pas ». Cette opinion aux accents prophétiques relève en réalité d'une simple déduction que son auteur, grand voyageur, a tirée de son observation des mondes qu'il avait traversés. L'horreur des guerres et des massacres du XXe siècle, associée à une diffusion médiatique sans précédent dans un monde réduit du coup à l'échelle d'un village, aura suffisamment éclaboussé nos semblables pour les tremper à nouveau, comme jamais ils ne le furent, dans une angoisse de mort dont la pression semble avoir atteint un niveau en passe de devenir intolérable.

RETOUR À LA LOI

Au fond, et à y regarder de près, il en irait de tout cela comme de la première sépulture. Pour énorme et efficace qu'il dût être, le premier rocher roulé sur l'effrayant cadavre n'a pas atténué la peur qui en avait été conçue. Il en fallut un deuxième, puis d'autres encore, puis des branchages, de la terre et tout ce qui était à portée de main. Sans grand résultat, comme on l'a vu, puisque la peur, au lieu de disparaître, a laissé place à une inévacuable angoisse. Les religions n'auront somme toute été que comme autant de rochers nouveaux destinés à faire disparaître les effets de l'angoisse, alors même que la Loi de l'espèce qui a été mise en place (ou qui avait déjà été, selon le point de vue qu'on adopte) aurait dû en principe suffire à elle seule.

Car que promeut cette Loi ne prohibant en apparence que les unions entre proches en prônant l'échange des femmes, sinon le traçage de la succession des générations en un processus irréversible qui, conforme au déroulement du temps et à sa vectorisation, aurait dû depuis fort longtemps inscrire les humains dans ce temps et leur en faire accepter la logique ? Il ne s'agit cependant pas de laisser croire que les promoteurs de la Loi auraient sciemment visé un tel but. Il a été montré que, quel que soit le scénario choisi, la Loi se sera sans doute imposée et aura été adoptée pour résoudre au premier chef les modalités de l'échange des femmes. Mais, tout comme quantité d'autres règles de vie, elle aura sans doute imprimé dans l'humain ses conséquences et son méta-message. Se mettre dans une disposition et l'accepter finit toujours par entraîner une adhésion au contenu de cette disposition. Adhésion qui concerne non seulement les mentalités, mais le corps lui-même. On sait, par exemple, depuis l'Actor's Studio, que l'artiste à qui il est demandé de jouer un personnage particulier ne parvient à en rendre la vérité qu'en s'efforçant à éprouver les émotions dudit personnage, ce que le texte et les situations qu'il joue l'aident certainement à faire. Mais il a été également montré que la seule mimique de l'émotion jouée entraîne de profondes modifications du milieu intérieur de l'acteur.

Ce n'est pas pour autant, comme chacun le sait, que la Loi de l'espèce soit parvenue à s'imposer facilement à chacun. La gageure à laquelle elle s'attaquait était en effet inédite et surtout de taille. L'anthropologue Frazer soulevait la question avec beaucoup d'humour en se demandant pourquoi l'humanité avait éprouvé la nécessité de la forger alors qu'elle n'a jamais éprouvé le besoin de forger une quelconque loi pour interdire de mettre sa main dans le feu.

Manière subtile de signaler que nous sommes tous, sans exception, tellement attirés par l'inceste qu'il nous a fallu et qu'il continue de nous falloir une Loi pour ne pas y céder. Ce qui ne préjuge d'ailleurs pas de l'efficacité de cette Loi puisque toutes les sociétés vont entreprendre de la renforcer par quantité de dispositions légales.

Or, si on interroge les facteurs qui rendent nécessaires de telles dispositions, on ne manquera pas de constater qu'elles relèvent de la relation que chacun croit pouvoir entretenir à sa mère d'abord, puis, par extension, à tout ce qui lui est proche. Si on se souvient que les femmes, objet d'échange entre les hommes, n'ont pas été consultées, on comprend plus facilement qu'elles ne soient pas naturellement portées à décourager l'insistant intérêt que leur porte leur enfant. Elles sont même fondées à accueillir non sans bonheur le message qui leur est adressé. Et pour cause ! Si on prend à la lettre la définition que l'anthropologie donne de l'inceste, à savoir « faire du même avec du soi », on conçoit que les mères y seraient portées pour plus d'une raison. Indépendamment de l'occasion qui leur est donnée de protester contre la Loi et d'en freiner la mise en œuvre, elles ont l'occasion, là, de croire pouvoir se reproduire comme par clonage, ou tout au moins rapter cet enfant et de le faire seulement le leur pour éventuellement l'offrir à l'histoire dans laquelle elles sont inscrites. Que les enfants, portés par elles et gardant une trace d'elles, puissent désirer retourner en elles est la chose la plus banale qui soit. Il suffit, pour s'en apercevoir, d'interroger celles qui en ont eu plusieurs : elles auront remarqué que, dès la venue du nouveau-né, leur enfant précédent régresse, réclame le sein, le biberon ou la couche et va même jusqu'à ne pas hésiter à dire son désir de retour dans le ventre de sa mère. Toutes choses qu'on peut comprendre si on garde à l'esprit le fait que lui n'a pas envie de grandir parce qu'il sait déjà que la vie a un terme. Or, si les mères n'interviennent pas elles-mêmes pour dire la Loi, il n'y a pratiquement aucune chance pour que les enfants s'y soumettent. Et, si elles ne le font pas, elles enferment pour longtemps ces mêmes enfants dans des problématiques susceptibles de leur nuire et de se transmettre de générations en générations. La vignette clinique suivante en fournit une illustration édifiante.

Il faut toujours une réponse de la bergère au berger

Le délicieux angelot de sept ans, blond, frisé, aux yeux clairs, que j'avais devant moi ce jour-là, contrastait par sa présence et sa vivacité avec sa mère qui semblait, elle, épuisée et désespérée par le problème pour lequel elle venait me consulter. Depuis plusieurs années déjà et malgré le recours à différents spécialistes, l'angelot, quatrième de ses sept enfants, était encoprétique, c'est-à-dire qu'il ne pouvait pas retenir ses selles et qu'il les faisait dans sa culotte. Le motif, exposé, n'a pas semblé le gêner, lui, puisqu'il crut devoir le ponctuer en me gratifiant d'un sourire quasi divin. Étonné de son attitude, je me suis hasardé à lui demander ce qu'il pensait de tout cela. Sa réponse ne s'est pas fait attendre : « Moi, la seule chose à quoi je pense, la seule chose qui m'intéresse, c'est me marier avec ma mère ! » J'avoue que, plus que surpris, j'en suis resté littéralement coi. Ce genre de propos, parce que la Loi pèse toujours et malgré tout de tout son poids, ne se laisse parfois entendre, dans les bons cas, qu'entre les mots ou seulement, à condition de bien dresser l'oreille, après de nombreuses séances de commentaires de dessins. Mais il n'est pratiquement jamais claironné, surtout face à un tiers qu'on vient à peine de rencontrer. J'ai cru devoir répondre aussitôt à mon angelot mué en diablotin par un discours ferme et bien structuré. Mais chaque remarque que je lui adressais recevait une réponse désarmante. Son père ? Il allait bien mourir un jour ! Et si c'était dans longtemps ? Il attendrait ! Sa mère devenue vieille ? Il l'aimerait toujours ! Laide ? Elle ne le serait jamais ! Et ainsi de suite. La fois suivante, à deux semaines de la première, j'eus droit à un effondrement maternel plus marqué encore que le précédent, au même divin sourire de mon angelot et à ses mêmes propos qu'il a spontanément présentés par un « pour moi, rien n'a changé, je veux toujours me marier avec ma mère ! », comme si, heureux d'avoir trouvé un confident, il pouvait se désintéresser du problème de son incontinence. J'ai eu encore une fois la malencontreuse idée d'en appeler à sa logique, pour me rendre compte qu'elle demeurait aussi imparable qu'imperméable à une argumentation que j'avais pourtant faite plus persuasive encore. De l'interdit, il n'avait rien à faire, pas plus qu'il n'en craignait la sanction. C'était peut-être bon pour les autres, mais, en ce qui le concernait, son amour était si grand qu'il était prêt à tout braver. C'est seulement à la séance d'après que, frappé par la totale absence de réaction de la mère aux propos réitérés de cet enfant, je me suis souvenu d'une autre maman qui s'était plainte un jour à moi de propos du même ordre avec lesquels son fils ne cessait pas de la courser. Je me suis souvenu également que, lorsque je lui avais demandé comment elle y avait réagi, elle m'avait répondu avoir pourtant correctement répondu en déclarant à son enfant : « Mais (sic)*, il y a ton père ! » Il me fut facile de lui montrer combien sa formulation, surtout introduite par ce*

« mais », ne pouvait que maintenir l'enfant dans son impasse. Je repris alors avec la mère de mon angelot l'histoire de ce dernier, si bien qu'au terme de son exposé, c'est elle qui finit spontanément par lui dire que le projet qu'il avait forgé pour leur avenir commun ne l'intéressait pas, qu'elle avait un mari qu'elle aimait, avec lequel elle avait fait tous ses enfants y compris lui-même et qu'elle n'en voulait pas d'autre, que lui était son fils et qu'il le resterait à jamais, et quantité d'autres propos du même ordre.
Le symptôme de l'angelot a disparu le soir même.

Tant qu'il n'avait pas été éconduit, l'angelot était intimement persuadé d'être dans son bon droit. Il a fallu que sa mère rejette clairement et sans détour le contenu de son message pour qu'il renonce enfin à continuer d'entretenir l'illusion qu'il nourrissait. Combien souvent tout cela se retrouve-t-il dans les scénarios des amours malheureuses, et combien souvent la crainte de « faire de la peine » à un soupirant ou à une soupirante ne fausse-t-elle pas les rapports et ne prolonge-t-elle pas indéfiniment la torture engendrée par le malentendu.

La situation a donc été prise en charge et résolue par l'attitude tranchée de la mère. Imaginons qu'elle ne l'ait pas été. Que se serait-il passé ? Sous la pression de facteurs divers, l'encoprésie aurait fini par tôt ou tard disparaître. Comme aurait fini par s'enfouir le désir de se marier avec la mère. Mais, alors que la disparition de l'encoprésie n'aurait plus jamais eu à intervenir dans le devenir des mécanismes défécatoires, le refoulement du désir aurait laissé dans la psyché une trace qui aurait profité de la première occasion pour s'exprimer à nouveau avec la même énergie. Ce qu'illustre une autre vignette clinique.

Jusqu'où peut prétendre aller l'amour ?

J'avais déjà repéré que ce couple était inquiet, très inquiet. À l'initiative du père, ils multipliaient les consultations pour une fillette de quelques mois, sans s'interroger sur leur anxiété qu'ils jugeaient l'un et l'autre légitime et qu'ils versaient au compte de leur inexpérience. Or la fillette déclara un jour une diarrhée profuse en début de nuit, alors qu'elle avait été vue en excellent état à la consultation l'après-midi même par ma collègue. Ce fut, du coup, le recours à l'hôpital, l'attente aux urgences, l'exploitation des propos alarmistes du jeune interne de garde. Pour finir, le lendemain, par un esclandre à mon cabinet. Le père vint en effet faire le procès de notre pratique. Il refusait d'admettre que sa fille ait pu tomber malade quelques heures seulement après avoir été examinée et déclarée en bonne santé. J'eus le plus grand mal à le calmer. J'y parvins néanmoins. Je le reconduisis alors au secrétariat pour qu'on lui donne le rendez-vous qu'il me demandait pour vérifier la guérison de sa fillette. Là, comme pour encore mieux présenter des excuses, surtout auprès de la secrétaire qu'il avait agressée auparavant, il me déclara dans un élan de passion irrépressible, en me parlant de sa fillette : « Comprenez-moi. Je l'aime. Je l'aime. Je l'aime. Je l'aime à la folie. Je suis fou d'elle. Je l'aime tellement que je ne laisserai jamais aucun homme l'approcher. Et il ne faudra pas qu'il y en ait un qui s'y essaie. C'est simple, quand elle sera grande je me marierai avec elle ! » Ma secrétaire s'est étouffée de rire et l'épouse interloquée en a ouvert des yeux immenses. Je me suis dit pour ma part qu'il ne me faudrait pas oublier, à la consultation suivante, de faire parler cet homme de sa mère.

Je pensais en effet qu'on était, là, avec ce jeune père « fou d'amour » — comme il le dit lui-même —, dans une vision du monde qui illustre à la perfection la genèse d'un mouvement incestueux susceptible, si on n'en fait rien, d'être un jour ou l'autre mis en acte. On pourra toujours prétendre que le propos est bien anodin et qu'il n'a jamais été qu'une boutade. C'est une bonne excuse. De celles qu'on peut verser au rang des conduites, banalisées et considérées comme anodines, celles de ces pères qui prennent des années durant des bains avec leurs filles, au motif de les familiariser avec l'autre sexe et de leur éviter les stupides inhibitions que pourraient générer le refoulement, la pruderie et l'ignorance — c'est en effet comme ça, et pas autrement, que ce type de conduite se commente. Bref ! qu'il procède d'une boutade ou d'un pseudo-désir d'émancipation, quelque stigmatisable qu'il soit pour tout autre que pour le père incriminé qui n'y voit rien de répréhensible, ce type de conduite proteste toujours de l'amour qui le promeut et qui en justifie la mise en œuvre.

Or la question que pose cet amour, c'est celle de sa nature et du contenu qui s'en donne ainsi à voir. Que porte-t-il en lui ? Quel avenir peut-il avoir ? À quelles sources s'alimente-t-il ? Et quels sont les courants qui l'entretiennent ?

Il est difficile de répondre simplement à des questions aussi vastes. Mais il me semble que la meilleure voie pour y parvenir consisterait à inverser la dynamique du problème. En le prenant non pas à partir du symptôme qu'il produit, mais à partir des conditions qui ont conduit à ce symptôme.

Je pose en quelque sorte d'emblée que l'inceste d'un père sur sa fille n'a rien à voir avec un accident. Qu'il ne survient pas de n'importe quelle façon ou en n'importe quelle circonstance. Il a été longuement préparé par des déviations de la Loi, certes minimes mais parfaitement repérables, dans le comportement des générations antérieures. Au point de n'être jamais rien d'autre, et jamais rien de plus, que la mise en acte de l'inceste que le petit garçon qu'a été jadis un père se serait cru invité à consommer avec sa mère, et que de multiples facteurs l'ont empêché de mener à bien.

J'ajouterai que, si une pulsion incestueuse a germé dans la tête de ce père, qui voulait se marier plus tard avec sa petite fille, elle n'est que la reprise d'une pulsion, identique à celle de mon angelot, du petit garçon que ce père a été. Et que cette pulsion initiale, qui aura été refoulée telle quelle, n'a pas surgi en raison chez lui de l'existence ou de l'éclosion de dispositions perverses, mais seulement parce qu'il a été lui aussi la cible privilégiée de pulsions violentes en provenance de sa mère. Cela expliquerait que, si la Loi de l'espèce a posé et continue de poser autant de problèmes, c'est essentiellement en raison du fait que les dispositions maternelles, à l'endroit du temps et de l'angoisse de mort, ont été depuis toujours, depuis avant même la première sépulture, radicalement différentes des dispositions masculines. Cela ne signifie pas, loin s'en faut, que les mères soient seules et entièrement responsables des difficultés rencontrées dans l'application de la Loi. Leur propension a en effet quantité de vertus dont aucun enfant ne peut se passer pour éclore à la vie. À ceci près que ladite propension doit avoir une limite grâce à laquelle l'enfant pourra intérioriser le temps et le constituer à son tour comme l'ingrédient essentiel de sa personne. La problématique de l'inceste se trouve donc étroitement liée à celle du temps. Ce temps sans l'assomption duquel il n'y aurait pas d'humain, il n'y aurait que de l'animal. Que de l'animal dans l'humain. Car, même si on a de plus en plus décrit, chez les primates comme chez les oiseaux, des comportements d'évitement de l'inceste, il ne s'agit que d'évitement. Alors que, chez l'humain, la Loi de l'espèce a été édictée et est passée par le langage — comme l'illustre l'échange entre mon angelot et sa mère — et par la conscience de ses implications : soumission à la logique de l'écoulement du temps et prise en compte de l'inéluctabilité de la mort qui en est la conséquence. L'inceste, ignorant délibérément la succession, voire l'existence des générations, devra donc être lu comme une tentative de figer ou d'inverser l'écoulement du temps et comme une dérive présomptueuse — présomptueuse, et surtout « tueuse » ! — de la pensée qui croirait pouvoir ignorer ces lois et y faire échec à bon compte.

C'est sans doute pour encore mieux asseoir la Loi qu'elle s'était donnée qu'en dehors des systèmes religieux qui ont éclos de tout temps et partout et qui en assuraient le relais l'humanité s'est dotée de dispositifs très anciens mais découverts seulement au XIXe siècle qu'on a décrits comme des systèmes de parenté.

LES SYSTÈMES DE PARENTÉ

Sans que nous l'ayons toujours su, sans que la plupart d'entre nous le sachent, sans que nous en saisissions non plus clairement les conséquences, il s'avère que les sociétés humaines sont organisées depuis des temps immémoriaux selon des schémas relationnels reconnus comme autant de systèmes de parenté. Ces systèmes dans lesquels nous sommes donc tous inscrits et qui modulent en partie, sans que nous nous en apercevions, nos manières de penser et d'agir ne furent découverts et décrits qu'à partir de la seconde moitié du XIXe siècle.

Qu'est-ce donc qu'un système de parenté et à quoi cela sert-il ? Je serai tenté de répondre que c'est une modalité de gestion, pour ne pas dire une réponse, rendue singulière et différente de la voisine par des conditions d'environnement, à une même question, celle que pose l'application de la Loi.

Il s'agit, en effet, d'un ensemble de dispositions destinées à renseigner tout individu (ego, dans le vocabulaire anthropologique), de manière claire et précise, sur les alliances matrimoniales qui lui sont permises ou interdites. Ces dispositions sont accompagnées d'indications portant sur la manière dont ego nomme ses parents proches et éloignés, établissant avec eux des liens hiérarchisés évidemment dotés d'affectivité.

Les systèmes de parenté, on ne sait pas très bien pourquoi, sont au nombre de six dits « élémentaires » — donc les plus répandus et certainement les plus anciens — et d'un certain nombre dits « complexes » ou semi-complexes. Quand on pense à la multitude des codes de communication — ne serait-ce que la multitude de langues dont quantité ont disparu[1] — que *Homo* a été poussé à inventer au fil de sa longue aventure de conquête de la planète, on ne peut qu'être étonné du tout petit nombre de systèmes de parenté. Mais on ne peut aussi que l'admettre ; comme si les facteurs environnementaux étaient susceptibles à eux seuls d'imposer des solutions multiples, alors que l'organisation des liens parentaux, mettant en relation un nombre restreint d'individus, crée bien moins de combinaisons. Il est vrai que la combinaison de relations duelles des trois termes que

1. Il continue même d'en disparaître !

constituent le père, la mère et l'enfant ne donne que six possibilités !

Les systèmes de parenté ne sont pas spécifiques aux populations dont ils ont reçu leur appellation. On ne sait pas exactement pourquoi ils ont été forgés ni comment ils l'ont été, pas plus qu'on ne sait pourquoi ils existent dans les lieux où ils ont cours, mais on les retrouve s'appliquant à des populations totalement étrangères et parfois fort éloignées géographiquement les unes des autres — quel rapport de proximité peut-on en effet établir entre les Inuits, les Saxons, les Sardes ou les Savoyards qui relèvent pourtant du même système ? L'appellation qui leur a été donnée ne l'a été qu'en raison du fait que leur formalisation a été consécutive à l'étude de la population concernée.

Ainsi appartenons-nous, dans notre sphère occidentale, au système appelé « eskimo » qui, privilégiant la famille nucléaire, ne nomme pas différemment les grands-parents ou les oncles et tantes, qu'ils soient maternels, paternels ou par alliance, et confère aux cousines et cousins la même nomination et le même rang. On peut s'étonner d'avoir à relever une particularité à laquelle il n'a jamais semblé nécessaire à la plupart d'entre nous de prêter attention : nous appelons en effet indifféremment « oncle », le frère de notre père, celui de notre mère, comme chacun des époux respectifs de nos tantes paternelles ou maternelles. La prohibition du mariage entre cousins caractérise ce système même si cette disposition a été amendée en France vers les années 1920.

Mais ce système n'en est qu'un parmi les six.

Ainsi, dans le « système hawaïen », toutes les tantes et tous les oncles sont appelés mère et père, tous les cousins et cousines sont appelés frères et sœurs ; comme si toute une génération s'était donné pour tâche d'élever la génération suivante. Bien que ses géniteurs lui soient parfaitement repérables, ego dispose ainsi dans ce système de plusieurs mères et de plusieurs pères ayant les mêmes prérogatives et la même fonction pour lui comme pour tous les enfants de sa génération. Le système est plus verrouillé encore que le précédent puisque aucune disposition légale étatique ne peut lever l'interdit signifié à ego d'épouser les enfants des frères et sœurs de ses géniteurs qu'il vit comme étant ses frères et sœurs.

Le « système iroquois » nomme père le père et tous ses frères, et mère la mère et toutes ses sœurs. En revanche, les sœurs du père sont nommées tantes, et les frères de la mère, oncles. Les enfants de tous les pères et de toutes les mères sont désignés comme frères et sœurs alors que l'appellation de cousins est réservée aux enfants des sœurs du géniteur, les tantes, et à ceux des frères de la génitrice, les oncles. Il en va comme si ego devait se repérer par rapport à deux ensembles familiaux unis par lui, la branche masculine de sa parenté d'une part et la branche féminine d'autre part, tous les enfants issus de ces deux branches étant ses frères et sœurs, ce qui le contraint à s'unir avec des enfants d'autres ensembles familiaux.

Les choses sont plus complexes dans le « système crow ». Comme dans le système iroquois, tous les frères du père sont appelés père, toutes les sœurs de la mère sont appelées mère, et leurs enfants respectifs, c'est-à-dire ceux des frères du père et ceux des sœurs de la mère, sont nommés frères et sœurs, qu'ego ne peut donc pas épouser. Des termes spéciaux sont en revanche réservés aux sœurs du père et aux frères de la mère. Et ces particularités entraînent que les enfants des frères de la mère sont nommés fils et fille, alors que les fils des sœurs du père sont appelés père, et leurs filles, sœurs de père. Là encore, quoi qu'on veuille, on ne peut s'unir qu'avec l'enfant d'un groupe éloigné.

Dans le « système omaha », les frères du père sont nommés, comme dans les deux précédents systèmes, père, et les sœurs de la mère sont nommées mères, tous leurs enfants respectifs étant nommés frères et sœurs. Les frères des mères sont nommés frères de mère, leurs fils héritant de la même appellation, alors que leurs filles sont nommées mères — ce qui peut conduire un homme adulte, voire âgé, à s'adresser à la petite-fille de sa tante maternelle en la nommant « mère ». Seuls les enfants des sœurs du père — qui seraient de simples cousins dans le système eskimo — reçoivent, eux, la curieuse appellation de neveux et nièces. Là aussi, tout a été fait pour verrouiller le système.

Le « système soudanais », enfin, nomme différemment, quant à lui, les oncles et tantes selon qu'ils sont maternels ou paternels, et nomme les cousins selon leur position (fils du frère ou de la sœur de la mère, fille du frère ou de la sœur du père, par exemple). Dans ce système, à l'inverse de ce qui se passe dans les autres, les mariages entre collatéraux sont non seulement admis, mais recommandés.

Si on ajoute, à l'existence de tels systèmes, des règles d'habitat des nouveaux couples adoptées par les cultures, les coutumes ou la tradition, on se retrouve dans des dispositifs qui rendent très problématique l'extraction d'individus de leur groupe d'origine — comme si seul leur groupe pouvait leur éviter de déroger à la Loi. Ce n'est pas sans conséquence, à notre époque où les brassages de populations voient éclore des unions d'inclination entre individus issus de systèmes et de cultures étrangers les uns aux autres et qui aboutissent parfois à des impasses sous la pression non conscientisée de ces éléments. Car le système et la culture formatent, comme on dit en langage informatique, la vision du monde de l'individu qui y a été élevé.

Si la différence sensible qui intervient dans les modalités d'union est suffisamment frappante, il n'en est pas toujours de même dans les conséquences des modalités d'élevage[1]. Il nous est difficile de concevoir, nous qui vivons dans la logique établie par le système eskimo, que le mariage idéal dans les cultures qui prévalent au sein du système soudanais, auquel appartiennent les populations maghrébines, soit celui d'une nièce avec son oncle paternel ou bien avec le fils de cet oncle. L'Occident colonisateur n'a pas manqué en son temps de tirer avantage de ce type de découverte et d'en faire usage pour justifier la mission qu'il s'était découverte auprès de ceux qu'il a considérés comme des sauvages à civiliser. Cet état d'esprit s'est inversé par la suite, et on n'a pas manqué, avec le même excès, de prôner l'importance de l'enseignement qu'on pouvait tirer de ces populations jadis méprisées et qu'on s'est empressé de créditer d'un rapport plus authentique à la bonne nature. Je me souviens de la manière dont on a importé d'Afrique noire, vers 1960, l'allaitement à la demande. Des films montraient les bébés accrochés à leurs mères jusqu'à un âge avancé et n'hésitant pas à se saisir eux-mêmes à loisir du sein qui était à leur portée. À partir de quoi, on insistait sur le fait que ces bébés heureux, ayant satisfait leur besoin de

1. J'ai vu un jour arriver chez moi un couple venu me prendre pour arbitre de l'élevage de leurs trois enfants. Elle était suédoise, lui, japonais, et leurs opinions respectives divergeaient radicalement sur dix-neux points dont ils avaient méticuleusement dressé la liste en les confrontant aux opinions françaises qui s'en écartaient évidemment. Ce fut une consultation très instructive.

succion, ne suçaient pas leur pouce. La conclusion qui s'est immédiatement imposée était qu'il nous fallait, nous, revenir aux saines lois de cette fameuse et si merveilleuse nature, et nous laisser guider par nos bambins certainement aussi géniaux et ayant les mêmes potentialités que ceux qui nous étaient montrés. Je pourrais dater de cette époque la regrettable dérive de nos sociétés intronisant l'enfant-roi. Comment de si bonnes intentions ont-elles donné un si piteux résultat ? Tout simplement parce que, à ignorer les différences des cultures et des systèmes de parenté, on a tiré, de faits spécifiques à une culture et à un système particuliers, des conclusions totalement erronées. On a, à tort, étroitement associé succion du sein à la demande et non-succion du pouce, alors que ce constat relève simplement du fait que le bébé, en contact corporel étroit et permanent avec sa mère, n'éprouve jamais le besoin d'halluciner sa présence en suçant son pouce. De même peut se comprendre, à partir de ces graves négligences de lecture d'ensemble de la culture et du système délibérément importés, notre dérive vers l'idéologie de l'enfant-roi. Si les mères allaitantes africaines sont ainsi dévolues à leur enfant, c'est pour quantité de raisons — dont, entre autres, la précarité des ressources — qui ne sont absolument pas celles des mères occidentales. De toutes les manières, cela ne dure pas indéfiniment. Cet enfant, chassé ou non du sein par un puîné, va devoir rapidement prendre une certaine distance à l'endroit de sa mère génitrice, dont le relais est pris par l'ensemble des femmes du groupe, et remis à son statut d'enfant, c'est-à-dire, dans la logique de sa génération. De telles conditions évitent le surinvestissement dont pâtit notre petit Occidental, objet chéri et exclusif d'une mère si souvent prête à ne vivre que pour et par lui.

De telles approximations, de telles méprises, de telles confusions ont probablement interagi avec les registres de la parentalité comme en témoignent les dispositions des différents systèmes passés en revue. Il n'est pas indifférent que, dans l'un d'entre eux, tous les hommes d'une génération soient autant de pères, toutes les femmes autant de mères. Que dans un autre soient pères seulement le géniteur et tous ses frères, seulement mères la génitrice et toutes ses sœurs, alors que d'autres ont jalousement réservé ces titres précis aux seuls géniteur et génitrice. Je n'ai pas trouvé dans mes lectures d'explication à ces variations pas plus que je n'ai découvert les facteurs susceptibles de les avoir induites. Les conditions géographiques, avec tout ce que cela comporte en termes de climat comme d'économie de subsistance, sont certainement intervenues, générant des conduites adaptatives quasi réflexes qui ont été conservées ou bien amendées quand elles n'ont pas été abandonnées. Cela n'a donc certainement pas procédé d'un caprice ou d'un arbitraire, mais d'une prise de décision qui s'est sans doute imposée comme la solution la plus économique à des situations conflictuelles inextricables. Puis cela s'est transmis par le code linguistique qui n'a jamais cessé d'être actif même si son usage, au fil des générations, en a fait oublier la signification obvie.

Les systèmes de parenté et les cultures qui y prévalent enferment donc les individus dans les mailles d'une logique dont la lecture n'est pas toujours évidente. Je ne m'étendrai pas à cet égard sur les difficultés que rencontrent les couples mixtes[1] formés d'autochtones et de partenaires issus de

1. Ces mariages ne sont jamais l'effet d'un hasard, mais celui d'une nécessité commandée par une histoire à laquelle les sujets n'ont pas toujours accès, mais qui les régit cependant.

l'immigration. Elles n'ont pas à être comprises seulement par des différences de culture ou de religion. Elles doivent l'être par ce que produit la pression des logiques respectives des systèmes en présence, celles par exemple, les plus fréquentes chez nous, du système soudanais et du système eskimo. Des pressions qui balaient tout sur leur passage et qui en arrivent parfois à user les meilleures volontés. La confirmation m'en a été donnée par les cas limites que j'ai rencontrés et qui concernaient — comme on pourrait ne pas s'y attendre ! — certains couples... juifs, qu'on aurait pourtant pu imaginer devoir être préservés des difficultés dont ils venaient faire état par une solide communauté de religion et de modes de pensée. Il s'agissait le plus souvent de couples, tout de même « mixtes », formés par des partenaires dont l'un était ashkénaze et l'autre séfarade. Au sein de la communauté juive, on désigne par ashkénazes — le mot, en hébreu, signifie Allemand — les juifs à enracinement européen ancien, et par séfarades — le mot, en hébreu, signifie Espagnol — les juifs méditerranéens, ceux des communautés du Moyen-Orient et ceux d'Afrique du Nord, bien que l'origine de nombre d'entre eux remonte au-delà de l'Inquisition. Les juifs, ayant vécu et vivant dans des aires culturelles différentes, en ont depuis toujours adopté la plupart des dispositions. Si bien que les juifs ashkénazes, vivant dans l'aire européenne, fonctionnent selon les règles des cultures prévalant dans le système eskimo, alors que les juifs séfarades ayant vécu ou vivant dans l'aire arabo-islamique fonctionnent selon celles des cultures prévalant dans le système soudanais. Or, dans ces dernières, la patrilocalité est de mise[1] :

1. Ce qui n'est pas toujours le cas. Il peut y avoir des us et coutumes fort différents au sein d'un même système de parenté.

le couple constitué par le fils s'intègre à sa famille d'origine en y intégrant son épouse, alors que le couple constitué par la fille est dévolu, lui, à la famille d'origine de l'époux de cette dernière. Cela ne va jamais sans créer de problèmes, dans les cas que j'ai rencontrés, quand l'épouse ashkénaze d'un séfarade refuse l'intégration à sa belle-famille en revendiquant la prévalence de ses liens à sa propre famille d'origine ou quand l'épouse séfarade d'un ashkénaze se sent rejetée parce qu'elle n'a pas été intégrée par sa belle-famille comme la femme de son frère l'aura été par la sienne propre. Il va sans dire que ces problèmes s'estompent au fil des générations et que la culture prévalant dans l'environnement finit par s'imposer et imposer sa logique. Mais cela prend du temps et ne manque pas de créer des problèmes collatéraux aux effets insoupçonnés et parfois ravageurs.

On pourrait comprendre de tels problèmes en faisant appel à la notion d'identité à laquelle, de plus en plus de nos jours, s'agrippent nos semblables. Mais, quand on dit les choses ainsi, on ne peut pas toujours comprendre la phénoménale énergie mise au service de la revendication. Alors que penser les systèmes de parenté, les cultures, voire les us et coutumes, comme autant de repères complémentaires contribuant, tous, à amoindrir la pression de l'angoisse de mort rend parfaitement compte de la violence des confrontations qui se jouent. Comme si, derrière la notion galvaudée de revendication identitaire, il ne s'agissait que de cela et de cela seulement — le récent débat sur les insignes religieux et le foulard islamique en étant probablement une des illustrations les plus achevées.

LES CODES CULTURELS

Est-il encore nécessaire, après la recension de ces curieuses et si nombreuses inventions que notre espèce a promues au fil des centaines de milliers d'années de son évolution, d'insister encore sur le génie dont elle n'a pas cessé de faire preuve depuis notre lointain ancêtre *Homo* ? En multipliant de façon exponentielle ses connexions neuronales, cette évolution est parvenue à lui façonner un cerveau tel qu'il a pu — et qu'il continuera de pouvoir —, à chaque changement de génération, en transmettre l'état. L'éducation ne date pas de notre ère ; active ou passive, elle a toujours existé, visant à transmettre des croyances et un savoir à une descendance qui les attend, qui les réclame et qui y est par définition perméable. Le processus, étalé dans le temps, n'a cependant jamais manqué d'user du fameux et toujours efficace procédé essais-erreurs, nous amenant à ce que nous pensons, nous-mêmes aujourd'hui, être la vérité indépassable de notre monde, alors même que le développement très récent de la physique atomique comme celui de la génétique ou bien de la biologie moléculaire nous invitent à relativiser la moindre de nos certitudes. Et, si on extrapole la réflexion à un laps de temps à peine plus étendu, force nous est de devoir reconnaître que nous avons toujours avancé à tâtons et que la remise en cause de certaines de nos opinions ne ruine pas pour autant l'ensemble de nos manières de penser. Ce n'est pas parce que Aristote, Euclide, Homère, Pythagore, Marc Aurèle ou tant d'autres ne savaient rien de l'héliocentrisme de notre galaxie ou de l'existence du continent américain que leurs œuvres ne gardent pas de nos jours encore une importance aussi grande. À la distance temporelle qui nous sépare d'eux nous ne pouvons pas ne pas reconnaître la dette que nous continuons d'avoir à leur endroit ni combien nous demeurons proches d'eux.

Les cultures ont donc certainement élaboré très tôt, à tâtons et en fonction des impératifs environnementaux, des modes de pensée, d'échange et d'être, des règles de comportement dont il n'existe plus aucune trace tangible — puisque l'écriture n'est connue que depuis cinq mille ans à peine —, mais dont je postule, pour ma part, qu'elles ont dû s'inscrire de manière extraordinairement précise, efficiente et inévacuable dans la langue parlée par le groupe qui en était l'auteur. Au point que toute langue confère certainement à ses locuteurs, à leur insu, une vision et une appréhension du monde qui lui sont spécifiques. Ce dont atteste le fait que, si le registre concret d'une langue ne pose en général pas de problème de traduction — une cuiller, un bateau, une maison ou un jardin trouvent leurs équivalents dans toutes les langues —, il n'en est pas de même du registre abstrait qui traduit cette vision du monde.

La simple conjugaison du verbe être — il est vrai qu'il n'est pas sans importance ! — fréquemment irrégulière dans les langues dérivées de l'indo-européen est une belle illustration des variantes qui s'y introduisent en fonction de l'histoire et de la résidence géographique des peuples qui en ont usé. Ainsi peut-on repérer que le français qui dit *je suis* le dérive du latin *sum,* lui-même dérivé du grec *eisum,* rejoignant l'infinitif latin *esse* dans son sens de *se trouver, être soi* ; c'est-à-dire *être ce qu'on est* qu'on retrouve au demeurant dans l'anglais qui dit *I am* en contractant la vieille expression *I as me,* rencontre conjoncturelle de *je* et de *moi* identiques l'un à l'autre. Mais, dans le même anglais, l'infinitif *to be*, comme tous les usages de *be*, tout comme l'allemand *bin* ont a à faire avec la racine grecque *phuo* qui a donné le parfait latin *fui* et qui prend son origine dans le radical *phusis* qui signifie *croître, pousser*. On a été parce qu'on a crû. On a crû puisqu'on est là pour le dire. On sera, *will be*, quand on aura crû pour le dire. Quant à l'allemand *sein* qui a remplacé l'ancien *wesen*, il indique le fait de *demeurer*, c'est-à-dire de cesser de pérégriner, de nomadiser en quelque sorte. Ce qui renvoie à la notion d'être que signe l'*habitus* latin — la même notion existe en français — correspondant au grec *ethos* (d'où dérive le mot *éthique*) et qui laisse entendre une *manière d'être par un séjour durable.* Cette notion de stabilité se retrouvant par ailleurs dans certains patois français qui demandent *où restez-vous ?* pour *où habitez-vous ?* Face à cela, il est frappant de constater que, pour les populations nomades qu'ont été les Sémites (Hébreux et Arabes), il n'y a pas de verbe être au présent, la notion en étant rendue par la simple apposition : *ana mrid* = je (suis) malade, en arabe, *ani gadol* = je (suis) grand, en hébreu, *ana fi lmadarssa* = je (suis) à l'école, en arabe, *ani babaït* = je (suis) dans la maison, en hébreu. Comme si l'apposition était destinée à signaler la présence du nomade en tout lieu, signant son atopie et la légitimant du même coup. L'hébreu moderne a curieusement conservé cette construction. Est-ce sous l'effet du passé sédentaire des populations qui en ont usé que l'arabe dialectal, dérivé de l'arabe classique après la conquête, a conjugué le verbe être au présent et en a même fait un auxiliaire, en disant *rani* pour *je suis*, lequel *rani* veut exactement dire *il m'a vu* ? Ce qui donne comme conjugaison du verbe être au présent : *il m'a vu, il t'a vu, il l'a vu,* etc. en appelant ainsi au témoignage d'un tiers pour attester de son être — ou de sa sédentarité ? — et en s'aliénant ainsi à lui. D'où peuvent d'ailleurs se comprendre, sinon se déduire, les différences de comportement qu'on peut observer : la froideur distante, quand ce n'est pas la morgue, des Européens arc-boutés à leurs certitudes et à la sécurité qu'ils tirent de leur riche environnement, face au comportement ostentatoire de ces *Méditerranéens* hélant du geste et de la voix tout un chacun en espérant se voir accorder par son regard le droit à être où ils sont et pouvoir ainsi simplement s'assurer qu'ils sont.

Je n'ai hélas pas assez de connaissances pour pouvoir extrapoler de ces exemples ce qu'il en est des autres populations du monde, mais je suis sûr que mon hypothèse pourrait se vérifier. Je suis en tout cas régulièrement émerveillé par ce que me fait découvrir mon dictionnaire étymologique et je me suis amusé, il y a longtemps déjà, à collecter les appellations des parents à divers degrés dans les plus de quarante langues que j'ai découvertes dans ma clientèle. Si les signifiants étaient bien sûr régulièrement différents, le sens qu'ils laissaient entendre était à peu près similaire : le grand-parent, avec toutes ses déclinaisons, était « grand », « ancien », « lointain » ou bien « d'avant », etc. J'ai été seulement frappé par l'homonymie que le terme arabe établit avec le mot « puissant », ce qui se conçoit au demeurant quand on sait que le mot qui dit « père » dans cette langue désigne également le « possédant », le « propriétaire ». Et ce, avec d'amusantes variantes dans certaines contrées puisque le terme « puissant » homonyme de « grand-père » désigne le seul grand-père paternel, le grand-père maternel étant appelé par ses petits-enfants « père + son prénom ». Cela pourrait correspondre aux précautions prises sous nos latitudes qui désignent parfois de façon différenciée par « papy et mamy » et « pépé et mémé » les grands-parents des deux lignées, mais faire du grand-père maternel un autre père n'est pas anodin : cela signale une disposition dont on sait la place qu'elle occupe dans l'inconscient.

On pourrait, autrement dit, longuement gloser, à partir de ces exemples en apparence anodins, sur les attitudes, et les attentes intrinsèques dans le moindre des échanges, des locuteurs de chacune des langues. Des langues dont, semble-t-il, seuls les apparentements ont été tracés par la science qui en traite, la linguistique, sans qu'on ne soit pas plus parvenu à saisir les circonstances et la nécessité de leur éclosion qu'à comprendre la genèse du langage articulé lui-même. Est-il pour autant interdit de les imaginer comme autant de codes susceptibles de permettre, par l'arbitraire même du signifiant, la communication entre les locuteurs ? Les bébés qui entrent dans le langage ne se posent pas autant de questions quand ils forgent des néologismes pour désigner des objets ou des actions. *Chaussure*, déformé, donnera *totu*, *bouteille* donnera *batil*, *voiture* donnera *vroumtu*, etc., autant de mots que le tout-petit utilise sans gêne et sans complexe et qu'il n'abandonnera, pour entrer dans l'ordre ordinaire, que s'il ne se sent pas suffisamment compris — l'inverse le laissant longtemps dans le système qui lui est propre et dont l'avantage sera de lui permettre d'avoir une communication privilégiée avec sa mère. Quant à la manière dont se sont fabriqués les différents pidgins aux quatre coins du globe, elle semble signer à elle seule la faculté des humains à inventer les codes de communication qui leur conviennent, quitte à devoir en emprunter pour le distordre le matériel des voisins ou celui des envahisseurs.

Les singularités que j'ai essayé de passer en revue ne sont pas le produit du hasard. Elles ont toutes une histoire qui les légitime et à laquelle il me semble qu'on ne se soit pas encore assez intéressé alors même qu'elle intervient dans la facture de visions du monde multiples et spécifiques.

Or une vision du monde, ce n'est pas une petite chose. Ce n'est ni un caprice ni une fantaisie, encore moins un détail négligeable. C'est ce à quoi les sujets se raccrochent éperdument comme à LA vérité suprême, au point de perdre pratiquement toute possibilité d'imaginer qu'il puisse y avoir, ne serait-ce que pour d'autres qu'eux, une autre vérité ou une autre manière de voir. Au point d'être prêt à se battre jusqu'à la mort pour elle et forcer éventuellement les autres à y adhérer. Comme si l'existence d'une vision autre constituait une insupportable menace pour la sienne propre. Et pour cause ! Puisque cette vision du monde traduit ni plus ni moins tout ce qui, dans sa construction, permet, à celui qui y adhère, d'alléger la pression de l'angoisse de mort qui ne cesse pas de le travailler.

À quoi sera parvenue cette accumulation de précautions et de moyens que l'évolution n'a pas cessé de produire et qui vont, pour ne citer que les plus importants, d'une sépulture à des mythes et des religions, en passant par une Loi, des dispositifs légaux, des systèmes de parenté, des codes moraux et linguistiques ? On peut se le demander tant est schématique la manière dont j'en ai brossé les contours, alors même qu'il existe des bibliothèques entières pour traiter de chacun d'eux.

À quoi sera parvenue cette accumulation de précautions et de moyens au sein desquels on devine les ombres errantes d'une mère inquiète, d'un père irritable et d'un enfant en attente ?

À quoi sera parvenue cette accumulation de précautions et de moyens ? À permettre à l'humain d'assurer sa subsistance et sa reproduction ? Certes ! À le socialiser ? Certes, encore ! Mais comment ? Sinon en l'ayant aidé tout au long de ce parcours à gérer la pression de son angoisse de mort et à composer du mieux qu'il pouvait avec le temps dans lequel, qu'il le veuille ou non, il est toujours inscrit. Car c'est cela, et surtout cela, que nous enseignent les étapes sur lesquelles je me suis attardé, à savoir qu'il existe pour chacun une étroite corrélation entre la pression de son angoisse de mort et la qualité de la vie qu'il se construit : quand la pression est à son comble, il ne peut littéralement pas vivre, quand elle est ramenée à son plus bas niveau, il peut alors percevoir comme un don inestimable le temps qu'il a à vivre et l'occuper du coup avec une joie qui ne demandait qu'à s'exprimer.

C'est sans doute le bénéfice le plus patent qui soit à verser au compte de cette aventure longue et complexe dont notre époque n'est jamais après tout qu'une étape qu'on pourrait dire banale si elle ne nous concernait pas directement, tous autant que nous sommes, nous imposant la nécessité d'en faire le point pour savoir, même grossièrement, où nous en sommes.

Mais cette action soutenue et allant toujours dans le même sens a-t-elle été le fait d'un pur hasard ou bien a-t-elle eu un agent, conscient ou non de ce qu'il faisait ?

LE DON DU PÈRE

Si on devait résumer tout ce qui s'est dit jusqu'à présent, on ne manquerait pas de devoir relever que, jusqu'à notre époque, elle-même y compris, l'évolution n'a pas cessé de tenter, sans grand succès d'ailleurs, de résoudre la complexité de la relation entre les mâles et les femelles de notre espèce, entre les hommes et les femmes.

Depuis le début de leur histoire, ces mâles humains, ces hommes, n'ont jamais cessé en effet de poursuivre en premier lieu la satisfaction (consolatrice ?) de leurs besoins sexuels en s'accouplant à leurs femelles, ces femmes qui, comme toutes les femelles animales, avaient seules le pouvoir de donner les enfants des deux sexes à l'espèce et d'en assurer ainsi sa reproduction.

Ils se sont un jour constitués en association de malfaiteurs. Le forfait qu'ils ont commis, même s'il a renforcé leur cohésion, leur a infligé une angoisse définitive de la mort et leur a conféré une conscience plus ou moins brumeuse du temps dans lequel se déploie leur durée de vie. La violence de la découverte les a sans doute laissés des siècles et des millénaires dans ce qu'on pourrait assimiler à une forme de désarroi. Et ce d'autant qu'ils ne pouvaient certainement rien en dire à leurs partenaires dont on imagine qu'elles n'auraient effectivement rien eu à en dire. Elles avaient sans doute pour leur part, déjà depuis longtemps, affronté ce problème. Et elles avaient fini par le résoudre à leur manière en ayant délibérément chassé d'elles la moindre conscience du temps, histoire de refuser la mort de leurs enfants. De quelle oreille en effet auraient-elles pu entendre la découverte de leurs mâles ? Qu'en auraient-elles appris ? Que la mort frappe. Et alors ? La belle affaire, ne l'ont-elles pas su depuis toujours, elles qui l'ont vécue dans la chair de leur chair ? Qu'auraient-elles eu à gagner à cette prise de conscience, alors que le système subtilement dénégateur auquel elles avaient fini par aboutir leur avait offert une protection dont, tout insuffisante qu'elle fût, elles étaient parvenues à expérimenter les effets parce qu'elle leur permettait de continuer de déployer la même énergie auprès de leurs enfants vivants ? Il n'était, une fois pour toutes, pas question que la mort leur fût présentée comme inéluctable. Ce bilan, ce dialogue, l'un et l'autre fictifs, n'eut bien sûr jamais lieu, il ne pouvait avoir lieu, il n'a d'ailleurs toujours pas eu lieu.

Les femmes, les mères, sont donc demeurées seules dans leur coin, continuant de remplir leurs tâches essentielles autour de leur progéniture. Les hommes, ces géniteurs, le sont restés aussi, encombrés de l'intolérable pression de la fameuse angoisse. Si bien que, pour s'en débarrasser ou tout au moins l'alléger, ils ont été conduits à devoir maîtriser leurs pulsions brutes, composer avec leur déraison constitutive, entrer dans l'échange avec leurs semblables et inventer la gestion de ces nouveaux liens. Cela a donné lieu à une convention d'échange des partenaires potentielles, laquelle s'est scellée par la mise en place de la Loi de l'espèce. Et, comme s'ils avaient confusément perçu que cette Loi, imposée délibérément par eux à leurs compagnes, avait besoin de parfaire l'effet de ses termes, ils n'ont pas manqué, toutes les fois que l'occasion se présentait ou que la nécessité s'en faisait sentir, d'en redoubler les dispositions autant par des codes linguistiques que par l'édification de systèmes familiaux, la mise au point de mesures légales et l'invention de montages culturels ou cultuels, le tout donnant lieu à des mythologies porteuses de la mémoire obscurcie des étapes qui furent franchies comme de celle, problématique, de l'inscription de notre espèce dans ce temps insaisissable au cœur duquel elle se déploie. Sans qu'ils l'aient voulu, et encore moins su, poussés par ce qu'on pourrait désigner comme leur égoïsme foncier, ils se sont trouvés être les agents de l'extraction de notre espèce du règne animal et donc de son humanisation.

Il y a donc eu depuis toujours des hommes face à des femmes dont ils disposaient à leur gré et dont ils faisaient, sans le vouloir ni longtemps le savoir, ces mères dévouées, prévenantes, protectrices, consolatrices, gardiennes acharnées du confort de leurs enfants, et dans lesquelles peut-être déjà il leur arrivait parfois de reconnaître leur propre mère. Il y a toujours eu des hommes, bien moins qualifiés que ne l'étaient les femmes, mères ou non, pour les soins requis par leur progéniture. Ce dont ils n'avaient cure, au demeurant, car ils ont toujours d'abord eu le souci de leur propre personne, refusant de sacrifier la satisfaction du moindre de leurs besoins, surtout sexuels. Mais, s'adaptant sans relâche aux conditions de leur environnement comme à celles que leur imposait la pratique de l'échange, des millénaires durant, ils ont œuvré à parfaire l'organisation de leur groupe le plus intime, le plus immédiat, celui avec lequel ils vivaient le plus clair de leur temps et qu'ils emmenaient avec eux dans leurs pérégrinations, leur(s) compagne(s) et leur progéniture, assumant ainsi, de mieux en mieux sans doute, ce qui a pris de plus en plus nettement l'allure de ce qui sera nommé plus tard famille. Ces mâles de l'espèce, ces hommes, soucieux de se faire admettre auprès de leur partenaire, ont donc un jour définitivement avalisé, voire réglé, les liens consistants qu'ils avaient noués à elle et aux rejetons qu'ils en ont eus. Ils ont inventé les conditions susceptibles de leur assurer la reconnaissance de leur statut et dont la moindre n'a pas été la contention exercée autour du couple.

On peut dire à cet égard que l'évolution de notre espèce lui a fait un don, le don de cette instance qui lui est spécifique, le don du père.

Que tout cela soit passé par un processus adaptatif, perfectible et révisable sans relâche n'en a pas moins laissé une profonde inscription dans la psyché de chacun. Inscription qui est parvenue jusqu'à nous et qui fait de ce père, en raison même de l'assomption de sa position de garant d'une Loi à laquelle il sait lui-même être soumis, un père radicalement différent du géniteur animal, même si ce géniteur animal peut être reconnu dans certaines espèces comme ayant un rôle et une fonction dévolus à la protection de sa progéniture et à la prorogation de la vie. Qu'il se soit toujours trouvé confronté à l'animalité consubstantielle de la mère de ses enfants, laquelle n'a jamais cessé de le combattre au nom même et de la tyrannie de l'amour porté à ses enfants, et du savoir incommunicable qu'elle aurait toujours eu sur la mort, n'a pas été sans lui poser quantité de problèmes qu'il a tenté de résoudre à coups d'innovations et d'inventions toujours tournées vers la fabrication de la conscience du temps et l'acceptation de sa condition de mortel.

On ne doit cependant pas croire que l'évolution qui conduit le père d'un stade de géniteur ignare et égoïste, comme celui enfoui sous la première sépulture, à celui du père conscient de l'importance de sa place et des ses prérogatives, le *paterfamilias* romain, par exemple, en passant par l'étape du père essentiellement sociologique, celui qui a permis, par l'échange des femmes, la mise en place de la Loi de l'espèce, n'a d'autre intérêt qu'historiographique, faisant d'elle une collection d'accidents révolus d'une histoire qui aurait changé de cap et pris soudain un nouveau sens. Nous gardons vivante en nous et formidablement active la leçon déposée par le franchissement de chacune de ces étapes, comme en atteste une vignette clinique lumineuse que j'ai eu le bonheur de recueillir.

L'autre bout du monde

Je n'étais pas très heureux cet après-midi-là d'avoir dû revenir à mon cabinet alors que c'était mon jour de congé hebdomadaire. Mais je n'avais pas pu non plus me soustraire à la demande insistante d'une amie avocate qui, sans m'en dire plus, tenait à avoir mon sentiment sur la situation — complexe, m'avait-elle averti — d'une famille dont elle avait le dossier en charge.
Sont entrés dans mon bureau : une dame d'une bonne quarantaine d'années, une grande fille d'une douzaine d'années, un monsieur d'une petite trentaine d'années et deux autres enfants, plus petits, un garçon d'environ cinq ans et une fillette de trois à quatre ans. La dame et la grande fille se sont spontanément installées sur les sièges faisant face à mon bureau, le monsieur et les deux enfants plus petits ont pris place, les uns contre les autres, en retrait sur le canapé.
La dame a alors pris la parole et m'a fait le récit suivant.
Des années auparavant, alors qu'elle vivait depuis quelques mois une aventure intéressante et qui lui semblait prometteuse, son partenaire ne lui a soudain plus donné signe de vie. Elle l'a appelé, en vain, à son domicile puis à son bureau où on lui a dit ne l'y avoir plus revu. Les amis communs et la famille n'en avaient pas eu plus de nouvelles et partageaient son étonnement comme son inquiétude. Elle était alors allée à la police signaler sa disparition. Après un long interrogatoire, on a enregistré sa déposition en lui promettant de la tenir au courant. Des semaines sont passées pendant lesquelles son angoisse a laissé place à une forme de tristesse accompagnée d'une molle résignation.

Elle en était là quand elle a reçu un coup de fil dudit partenaire qui l'appelait depuis... les antipodes ! Il y avait trouvé une situation dont il se met à parler d'abondance et qu'il décrit comme merveilleuse. Il est lyrique et il ne cesse pas de lui vanter la douceur du climat, la couleur du ciel, celle de la mer, la magie de la lumière et l'atmosphère paradisiaque qu'il a trouvée. Alors qu'elle ne sait pas si elle doit être soulagée ou irritée et qu'elle se demande ce que signifie ce brusque coup de fil, il lui propose de venir le rejoindre et, si elle le voulait bien, de... l'épouser ! Elle n'en croit pas ses oreilles, elle se fait répéter à plusieurs reprises la proposition. Le coup de fil dure très longtemps. Il la convainc. En moins d'une semaine, elle s'arrange avec ses parents, met ses affaires en ordre, donne sa démission et règle tous les détails de sa situation parisienne. Puis elle s'en va convoler sous le soleil des îles exotiques. Mais un mois s'est-il à peine passé qu'elle est contrainte de s'enfuir, en pleine nuit, et de prendre le premier avion qu'elle trouve pour une île située à 2 500 km de là. Sa vie était devenue infernale : un brutal et grave changement d'humeur était survenu chez son mari qui s'était soudain mis à boire inconsidérément et à la battre comme plâtre tous les soirs. Dans la ville où elle a atterri, elle trouve en quelques jours un poste de secrétaire. Sa situation et les liens qu'elle noue lui plaisent suffisamment pour l'amener à renoncer, au moins pour un temps, à son retour en métropole. Des mois et des mois passent. Elle a définitivement tourné la page de son pitoyable mariage. La vie qu'elle mène est douce et facile. Le temps s'étire, et elle ne le voit pas passer. Elle reçoit même ses parents, puis des amis, qui viennent la visiter sans parvenir à la convaincre de retourner avec eux. Puis voilà qu'un soir, au bar de l'unique hôtel de l'île, elle

rencontre un homme qui lui fait la cour, qu'elle trouve charmant et avec lequel elle, qui avait eu une existence chaste jusque-là, passe la nuit. Le matin, l'homme a disparu et elle se rend compte alors qu'elle ne sait pas même son prénom. Il lui a néanmoins laissé un souvenir puisque dans les semaines qui suivent elle constate qu'elle est enceinte. Loin de lui poser problème, cette grossesse lui semble pouvoir donner un nouveau sens à sa vie. Elle met au monde une petite fille — la grande fille qui l'accompagne à la consultation —, qu'elle a un immense plaisir à élever.
Quelque trois ou quatre ans plus tard, sa situation matérielle ayant continué de s'améliorer, elle fait l'acquisition d'une maison avec un jardin si grand qu'elle est contrainte d'engager un jardinier pour l'entretenir. Après quelques mois, elle noue une aventure avec ledit jardinier qui vient s'installer chez elle et avec lequel elle a deux autres enfants — c'est le monsieur plus jeune qu'elle qui l'accompagne, et les deux enfants dont il s'agit sont ceux qui sont serrés contre lui.
Tout allait fort bien, et les choses auraient pu en rester là. Mais voilà qu'elle reçoit de métropole une lettre d'un notaire lui annonçant qu'elle est bénéficiaire d'un énorme héritage. Elle rentre à Paris avec son compagnon et leurs enfants. Ils sont tellement contents de ce qu'ils trouvent sur place — l'héritage est effectivement important, incluant une magnifique maison dans une banlieue chic — qu'ils décident de rester et de se marier.
Elle va à la mairie accomplir les démarches dans ce but. On lui fait alors remarquer qu'elle est déjà mariée et qu'il lui faudrait au préalable, pour tout au moins concrétiser le projet auquel elle semble tenir, divorcer de son premier mari. Pour ce faire, elle s'adresse à un avocat — l'amie qui

me l'a envoyée —, lequel parvient déjà à retrouver la trace du premier mari, ce qui n'était pas gagné d'avance. Les choses se compliquent quand le mari — histoire sans doute de lui créer des ennuis pour se venger de leur vieille histoire — réclame, pour accorder le divorce, un droit de visite sur la grande fille, qu'elle avait pourtant déclarée sur place comme seulement sienne, les deux derniers enfants ayant été reconnus, eux, par le père jardinier. Elle a beau faire valoir des dates et raconter son histoire avec force témoignages et documents à l'appui, le juge en charge du dossier refuse de se rendre à son argumentation. Cette fille, née dans le mariage et non reconnue par un autre homme, est décrétée comme l'enfant du mari auquel elle devra donc être confiée, comme cela se fait couramment, un week-end sur deux et la moitié des vacances scolaires. La fille, en âge d'être entendue selon la Convention internationale des droits de l'enfant, hurle au juge qu'elle ne veut pas aller chez cet inconnu en ajoutant qu'elle a déjà un père — le jardinier, qu'elle désigne comme tel — et qu'elle n'en veut pas d'autre. Le juge décide alors de la retirer à sa mère et de la confier à une institution au sein de laquelle des psychologues sont chargés de la faire revenir sur son refus en lui mettant un marché en mains : la loi étant la loi, tant qu'elle sera figée dans son attitude, elle ne pourra voir sa mère que deux heures par semaine — lesquelles tombaient l'après-midi de mon jour de congé —, alors qu'elle pourra retourner vivre à plein temps auprès d'elle dès lors qu'elle acceptera de se plier aux décisions du juge.

L'avantage de cette histoire, c'est que son découpage dans l'espace et dans le temps permet de distinguer de façon très nette : un géniteur — dont nul ne sait rien, la maman n'ayant même jamais su son prénom —, un père social — le mari de cette maman, dont la loi et le juge chargé de veiller à son application tiennent à préserver jalousement le statut — et enfin un homme que la fillette désigne elle-même comme son père, alors qu'il n'est ni son géniteur ni son père social, et auquel elle semble attacher une importance si grande qu'elle est prête à défendre son statut au prix de sa propre liberté.

Si notre incursion anthropologique nous a permis d'esquisser ce qu'il en est de ces catégories de géniteur — le premier dans l'histoire de notre espèce — ou de père social — celui qui a été au principe de la Loi de l'espèce —, nous sommes encore loin de comprendre ce qui peut rendre notre jardinier aussi précieux, et apparemment aussi bien défini, pour une grande fille avec laquelle il n'a en principe pas la moindre attache directe.

La question du père que j'évoque de cette manière est donc bien plus complexe qu'on ne serait porté à le croire à première vue. Or c'est elle, et elle essentiellement, avec la confusion de laquelle on n'est pas parvenu à la sortir, qui explique aussi bien les différences qui se notent dans l'organisation des sociétés et des peuples que l'évolution convulsive qu'ont connue, ces dernières décennies, nos sociétés occidentales.

Mais on ne peut pas y répondre sans avoir fait le point sur cette étrange relation qui, depuis les temps lointains de notre longue histoire, n'a jamais cessé, pour le meilleur et pour le pire, d'unir et d'opposer les deux parents de l'enfant.

IV

LA MÈRE SÛRE ET LE PÈRE FLOU

Sûre, elle l'a toujours été, cette mère. Elle l'était déjà, avant même d'avoir eu à obéir aux mutations commandées par l'espèce nouvelle qui l'a happée. Elle s'est à peine contentée d'adapter aux conditions qui lui étaient faites les dispositions animales auxquelles elle a toujours été arc-boutée. Soumise à la violence de la pulsion sexuelle de mâles rendus fous par sa perpétuelle disponibilité, elle s'est résignée à être l'enjeu de leurs luttes, demeurant à l'écart de ce qu'ils échafaudaient, eux, dans une perspective qui lui restait étrangère et de laquelle elle ne voulait sans doute rien savoir. Fallait-il qu'elle en tirât des avantages et des compensations pour se tenir ainsi, sans apparemment réagir, des millions d'années durant ! Fallait-il qu'elle eût une singulière réserve d'énergie pour s'obstiner dans cette attitude récalcitrante. À moins qu'elle n'eût été seule à savoir et la douleur et le plaisir qu'elle pouvait concevoir. Fallait-il qu'elle sût le bonheur, la force et le pouvoir qu'elle détenait et dont il n'était pas question qu'elle se prive, qu'elle en disserte — l'eût-elle pu ? — ou qu'elle en révèle la nature ! Fiable, résolue, économe, efficace, et, plus que discrète, secrète. Mystérieuse, comme ce « continent noir » auquel

Freud en viendra un jour à comparer son essence, en posant sous la forme d'un *che vuoi ?*, que veux-tu ?, une question restée à ce jour sans réponse, celle de son désir. Que veut donc l'être féminin qu'elle est depuis toujours et qu'elle ne cesse en principe pas d'être en devenant mère ?

Sûre, elle continue de l'être. Et elle le restera à jamais.

Comme la permanence de l'air, du ciel et de la terre. Comme l'indispensable socle sans lequel il n'y aurait tout simplement pas de vie.

Flou, il l'a été, lui, ce père, tout au long de son histoire de mâle qui ne savait pas même ce qu'il était. Flou. Indéfini. Indécis. Pataud et maladroit. Errant aussi. S'aventurant aux limites de tout ce qu'il rencontrait. S'exposant, sans réserve ni retenue, dans tout ce qu'il entreprenait. Extravagant. Dispendieux. Brouillon. Suivant sans ordre ni hiérarchie toutes les pistes qui se présentaient à lui, eût-il eu à en pâtir, faisant parfois périr le groupe qu'il avait entraîné avec lui ou parvenant d'autres fois, le hasard aidant, à le faire bénéficier d'une adaptation ou d'une invention nouvelle. Et tout cela sous la pression de ces pulsions sexuelles qu'il n'est jamais parvenu et qu'il ne parviendra d'ailleurs jamais à tout à fait maîtriser. Puis, un jour, au bout de millions d'années de ce comportement qui n'avait aucun sens défini, au détour d'un projet encore plus insensé peut-être auquel ses fameuses pulsions n'ont pas été étrangères, le voilà à commettre un acte qui va changer de fond en comble son comportement : il écrase sous un amoncellement de roches un être haï et craint. Et ce geste lui fait découvrir la dimension du temps, grâce à la crainte anticipée d'une réaction au forfait qu'il vient d'accomplir. Il fait naître en lui une angoisse de mort qui ne le quittera plus. Concevant et entérinant un jour la hiérarchie des liens, il sera amené à se sentir inscrit pour une durée limitée dans ce fameux temps. Il entreprendra alors de l'organiser, avec toujours les mêmes moyens frustes et précaires, avant de chercher à lui donner un sens. C'est à tâtons, toujours dans le même flou, et sans jamais savoir précisément où cela le conduira, qu'il édictera un jour une Loi pour l'espèce, s'avisant un peu tard qu'imposée à sa compagne elle s'avère à l'usage ne pas être si simple à appliquer. C'est encore à tâtons qu'il tentera alors de la parfaire par quantité de dispositifs complémentaires auxquels les conditions environnementales donneront des colorations spécifiques, lesquelles colorations interviendront à leur tour pour en compromettre l'unité ou en obérer l'efficacité, imposant encore d'autres mesures qui, à leur tour, etc. Il en va donc comme si, pour lui qui l'a toujours été, la dimension du flou devait à jamais, en tout lieu et en toutes circonstances, être la sienne !

Il y eut bien, ici ou là, quand les cultures se développeront et que l'écriture en permettra la diffusion, quelques dispositions destinées à clarifier le paysage : le *paterfamilias* romain, installé au sommet de l'édifice familial pyramidal que la société avait construit pour lui en lui conférant droit de vie et de mort sur l'ensemble de la maisonnée ; ou bien le père, *abou*, de l'aire arabo-islamique dont le nom est synonyme de *propriétaire* — il l'est d'ailleurs, propriétaire de ses enfants, puisque les dispositions du droit de cette aire lui en accordent toujours la garde, quels que soient ses torts, dans les procès de divorce. Mais qu'a-t-on fait ailleurs, et par la suite, des leçons de ces initiatives ? On les a imitées, on les a adaptées quand on ne les a pas récusées ou qu'on n'en a pas pris l'exact contre-pied. Comme s'il avait de toutes parts été admis et entendu qu'on ne pouvait ni ne devait, en aucune façon, contrebalancer, pas plus que l'en assortir, la certitude conférée à la mère par une certitude équivalente conférée au père. Qu'il était impératif, pour le bien-être et de l'espèce et des individus qui la composent, que ce dernier soit et demeure à jamais dans le flou — là encore, le fait peut être vérifié dans les nombreux traités qui ont retracé l'histoire des pères et de la paternité.

Si le flou s'est donc imposé, s'il a du coup été prôné et adopté quasi universellement, comme le seul pendant possible de la certitude, cela a certainement une raison sur laquelle je compte bien revenir. Signalons, pour l'instant, que je ne me serais jamais lancé dans la rédaction de cet ouvrage si le père était demeuré seulement flou et s'il n'était pas en passe de proprement disparaître, qu'il ait été proprement éjecté par une évolution de notre monde ou qu'il se soit lui-même éjecté d'une position qu'il ne supportait décidément plus. Je reviendrai sur cette évolution et sur les facteurs qui y ont contribué, soucieux que je suis de continuer de mieux éclairer ces notions de certitude et de flou en recourant à la logique comportementale — les actes comme les paroles sont toujours sexués — de ces deux êtres sur lesquels elle précipite.

LE FÉMININ ET LE MATERNEL

Ce sous-titre n'associe pas par hasard ces deux notions. Il est là pour affirmer avec force que la mère est un être féminin et qu'il ne peut pas en être autrement. On serait porté à croire que mon assertion ressortit d'une tautologie banale que rien ne justifie. Je prends néanmoins le soin non seulement de la maintenir, mais de la marteler. Car je me souviens d'avoir été violemment pris à partie, lors d'une conférence publique il y a quelques années à la Sorbonne, par une auditrice vindicative qui a violemment réagi à ma formulation en exprimant clairement — sous les acclamations du public ! — son souhait de me voir proprement et rapidement... disparaître.

Poser ce préalable à la définition de la mère est pourtant strictement indispensable tant la confusion des esprits est devenue grande et tant, les progrès de la technique aidant, un certain égarement nous laisserait croire que la mère serait somme toute interchangeable et que la maternité, qui l'a toujours définie et qui continue de la caractériser, pourrait être assumée par un être autre que féminin. Sans parler des prétentions des couples homosexuels masculins revendiquant le droit à l'adoption, il faut savoir, par exemple, que le grave débat actuellement entretenu autour du clonage, qui se profile à notre horizon et auquel la presse ne manque pas de donner un certain écho, a été précédé, dans les années 1970 et 1980, par des recherches menées sur... la grossesse masculine ! Ces recherches, couvertes en surface, comme elles l'ont été pour le clonage lui-même, par des préoccupations d'ordre vétérinaire autour de l'éventuel accroissement du rendement des troupeaux, n'en avaient pas moins fait copieusement fantasmer sur leurs applications à notre propre espèce.

Clamer par ailleurs ce qui s'apparente à une évidence pour certains et à une insulte pour d'autres a pour but de revenir en détail sur ce qui caractérise ce féminin au point de le rendre spécifique et impossible à référer au masculin avec lequel il n'entre en aucun rapport, aucun des deux ne pouvant se déduire de l'autre, l'un et l'autre ne pouvant être conjoints que par le relevé précis de leurs différences respectives. C'est d'ailleurs pour cette raison que je laisserai de côté l'abord clairement différencié de l'être féminin et de la mère, d'une part, et celui de l'être masculin, père ou non, d'autre part. Et que j'opterai pour un exposé destiné à aborder de manière symétrique et comparative, les unes après les autres, l'ensemble des particularités de ces deux personnages également indispensables à la bonne santé physique autant qu'à la structuration psychique correcte de tout enfant.

Du coup, je ne résiste pas à faire état d'une association insistante qui m'est venue au fil de l'écriture de ces lignes. Il s'agit d'une remarque, en apparence anodine, que je me suis formulée sur ces différences dont je fais état. C'était il y a bien longtemps, et je n'ai jamais bien su de quoi elle procédait. J'ai en effet été frappé du fait que, sur les plages, aux terrasses de bistrots, dans la rue ou dans les réunions publiques, les hommes ne perdent pas une occasion de regarder les femmes en y prenant l'indéniable plaisir que l'on sait — et qui ne laisse d'ailleurs pas indifférents les objets de leur attention. J'ai cependant relevé que, dans les mêmes circonstances, les femmes regardent elles aussi plus souvent les femmes que les hommes qu'on se serait attendu à les voir regarder par un banal effet de symétrie. Si tout cela ne relevait que d'un processus de capture de l'image de l'autre, destiné à alimenter des fantasmes érotiques, n'est-il pas étonnant de relever que les magazines féminins ne publient que des photos de femmes[1] ? On serait tenté de croire que tout cela aurait une fonction univoque : per-

1. Ce que font également, mais là c'est plus attendu sinon plus compréhensible, les magazines masculins qui ont cherché à les imiter.

mettre aux femmes, qui se sentent si fréquemment laides, de réfléchir aux moyens d'accroître leur pouvoir de séduction et d'être alors encore plus regardées, en tirant exemple de celles qu'elles regardent, ou bien en s'inspirant des modèles qui illustrent les pleines pages. Je ne crois cependant pas que cette explication, même si elle est certainement vraie en partie, soit la seule. Je pense, au contraire, que les femmes, tout comme les hommes, captent par le regard qu'elles portent sur leurs congénères ce que l'être féminin parvient parfois, sa beauté aidant, à irradier d'une énergie de vie utile à tous et dont chacun s'empare d'autant que le prix en est dérisoire. Comme si, me semble-t-il, la beauté avait un statut d'utilité publique. Ce dont je serais tenté de fournir une autre preuve en évoquant l'état de bonheur dont nous nous sentons envahis devant une œuvre d'art, un bel édifice, en visitant une belle ville ou en embrassant du regard un beau paysage, et, *a contrario*, l'accablement que nous ressentons au spectacle d'un paysage de désolation, à celui d'une banlieue sinistre ou d'édifices dont l'esthétique a été sacrifiée au bénéfice de la fonctionnalité[1]. Il semblerait que l'esthétique porte indéniablement en elle un effet d'essence érotique utile à tous parce que capté par chacun. Ce que soutient au demeurant Platon qui fait remarquer que nous avons, nous humains, définitivement situé la beauté du côté de la vie et la laideur du côté de la mort, la vie étant habitée par les échanges et ponctuée par l'amour, l'éros, qui y circule.

---

1. Exercice d'application ou de vérification du fait : comparer l'effet d'une visite de Dubrovnik à celle d'une de ces multiples villes-champignons de style stalinien de l'intérieur de la côte dalmate, ou bien celle de la cour du Louvre à celle de certains quartiers de quelques-unes de nos banlieues !

Cela n'a pas qu'un intérêt anecdotique, loin s'en faut, mais intervient, à notre insu, jusque dans notre quotidien le plus banal. Ainsi en est-il, par exemple, de la lame de fond passionnelle, soulevée sans avoir été clarifiée, par le débat houleux qui s'est développé autour du foulard islamique. On n'a voulu y voir qu'une manœuvre visant à la perpétuation de l'oppression des femmes en les soumettant à une véritable régression dans les rapports que nos sociétés ont instaurés à elles. Ce n'est pas faux. Mais, ce disant, on a du coup occulté le résultat de ces dispositions très anciennes et mises probablement en place sur un mode empirique dont l'efficacité n'a pas manqué d'être éprouvée. On peut en effet imaginer que les sociétés méditerranéennes du début de notre ère — le fait y était généralisé — qui contraignaient les femmes à ne pas laisser voir leur beauté, voire à ne pas même exposer leur visage, ont cherché à frustrer plus encore les hommes que les femmes de l'époque de la force de vie qu'ils pouvaient tirer de ce spectacle. Ce qui avait pour conséquence de les mettre en déficit de ces forces susceptibles de tempérer leur agressivité, de les livrer ainsi à la violence de leur pulsion de mort et d'entretenir en eux une humeur belliqueuse capable d'en faire des guerriers déterminés et prêts à se lancer dans la moindre entreprise capable de purger en eux l'insupportable bouillonnement. Ces dispositions, qui ont certainement favorisé en leur temps les entreprises de tous les empires, de celui de Darius à celui d'Alexandre pour se poursuivre par la conquête à visée prosélyte de l'islam, se trouvent aujourd'hui décalées par rapport à la logique moins ouvertement belliqueuse des relations internationales. Ce en quoi on ne peut que reconnaître la pertinence des déclarations des femmes en lutte dans nombre de pays de l'aire arabo-islamique qui soutiennent que les progrès attendus à l'intérieur des sociétés dans lesquelles elles vivent doivent passer par leur émancipation à visage découvert.

Cette parenthèse, qui me conduit ainsi à conférer à l'esthétique des vertus vivifiantes et pacificatrices, m'incite à me réjouir du fait que les humains viennent au monde par l'intercession de ces femmes devenant mères, qui ont toujours été belles[1], qui le sont et qui le demeurent, dispensant de ce seul fait, sans relâche, autour d'elles et à leur insu, autant de force de vie.

Mais n'y aurait-il que la beauté pour unir jusqu'à presque les confondre le féminin et le maternel, ou bien serait-il possible de les associer plus encore par le biais de la certitude qui semble, dans l'un et l'autre des registres, se déployer en modalités multiples et fort différentes les unes des autres ?

De fait, tout cela, beauté, force de vie, certitude, équilibre et harmonie dirai-je même, ne cesse jamais de rester conjoint en se mettant en place tôt, très tôt, dans la vie de l'être féminin, comme promesse physiquement repérable de la perfection ultérieure de son corps. L'être tout en creux que fabrique le déterminisme génétique a depuis toujours été pourvu, dès le 160e jour de la gestation, sous l'effet de l'action d'un petit appareil neurologique — le gonadostat, fait de seulement quelques dizaines de cellules localisées dans certains noyaux de l'hypothalamus —, de 60 000 follicules sur l'ovaire, dont 1 500 seulement persisteront à la

1. « Maman, c'est toi la plus belle du monde... », dit le refrain. Et qu'on se reporte, plus haut, à l'échange que j'ai eu avec mon angelot : les yeux de l'amour ne rencontrent jamais la laideur ! Encore faut-il à l'amour un support...

puberté et dont 3 à 400 seulement subiront une maturation complète pour ne donner dans les meilleurs cas que quelques enfants à peine.

Cette anatomie que Freud assimilait au destin est déjà donc en place avant même la venue au monde, avec déjà aussi ce qu'il lui faudra d'organes intermédiaires pour remplir autant sa mission que la fonction mise à son service. Une fonction dont les caractéristiques peuvent toujours se décliner, du fait de la certitude à laquelle elles s'adossent, en sécurité, discrétion, économie, fiabilité, efficacité, mesure et cohérence.

La sécurité, qui vient au premier plan, s'exprime et se constate on ne peut plus aisément : tout ce qui concernera le devenir de ce que contiendra un jour ce corps, après qu'une fécondation s'y sera produite, se passera à l'intérieur de ce corps, à son abri, et sera servi par l'automatisme d'une machine admirablement réglée par le lent et long processus adaptatif de ce type de vie qui s'est inventé il y a plusieurs dizaines de millions d'années.

La discrétion, mise au service direct de cette sécurité, est, quant à elle, tout simplement… flagrante ! Une enseigne toute simple suffit en effet à laisser entendre qu'un certain nombre de choses se passent là, sans qu'il soit plus nécessaire d'en spécifier la nature que de les détailler. Ce que le premier regard saisit du corps féminin, ce qui en est ostensible, ce qui en fait l'emblème, n'est pas du tout de l'ordre de son fonctionnement sexuel ou de ses pouvoirs, mais de l'ordre de sa finalité ultime. Ce qui, du corps féminin, saute littéralement aux yeux, ce sont les seins. Or que disent ces seins — dont il n'est évidemment pas question de nier l'incontestable attrait érotique —, que disent-ils, sinon que le corps féminin est d'abord destiné à procréer et même à assumer la suite de ses grossesses ? Comme si, quoi qu'on veuille ou qu'on fasse, le clivage de la génitalité pure de son potentiel procréateur se heurtait à un impossible naturel et requérait toujours une opération mentale, ou tout au moins un effort intellectuel, engageant préalablement les partenaires dans la direction précise qu'ils ont choisie. Je serai conduit plus loin à reprendre cela quand je traiterai de la mutation du statut de l'enfant. Si je continue néanmoins de m'y attarder ici, ce n'est pas du tout pour dénier aux femmes — loin s'en faut, et quel malheur ce serait ! — un désir sexuel pur et réduit à cette unique dimension. C'est pour seulement signaler déjà qu'avant l'ère de la très récente maîtrise de la contraception leur potentiel procréateur, rappelé par les seins, ne pouvait jamais être délibérément mis à l'écart. L'est-il et le peut-il, d'ailleurs, même aujourd'hui ? Je n'en suis pas certain si j'en crois le fait que, malgré la multiplicité des moyens contraceptifs mis en œuvre, il se pratique encore en France 250 000 IVG (interruptions volontaires de grossesse) par an — chiffre à rapporter aux 800 000 naissances annuelles. Comme si quelque chose de l'inconscient féminin venait faire obstacle à la toute-puissance décisionnelle du vouloir, au nom de la plus grande puissance encore du désir : ces grossesses interrompues n'ont certes pas été voulues, mais elles ont été incontestablement désirées, sans quoi elles n'auraient jamais eu lieu — un abus de langage du même ordre intervient quand on désigne les enfants « non voulus » comme des enfants « non désirés », alors même que, désirés, ils l'ont été à un point tel qu'ils ont réussi à vaincre le non-vouloir qui les menaçait ! Il ne faut pas perdre de vue qu'un rapport sexuel complet en vue d'une procréation, survenant dans des conditions optimales (le jour de l'ovulation entre une femme féconde et un partenaire au spermogramme parfait), n'a que 25 % de chances de déclencher une grossesse.

Ce qui fait revenir mon propos à la dimension non encore épuisée de la discrétion, y compris quand elle concerne l'organe génital féminin lui-même. Alors que les seins sautent littéralement aux yeux, il en va tout autrement de la vulve. Elle, cachée, les fuit ; elle y échappe, comme si, sachant ne pas pouvoir s'y soustraire du fait de sa constante disponibilité à la pénétration, elle avait voulu s'en protéger. Masquée, enfouie, étroitement insérée entre les cuisses, elle entretient son mystère et sa conformation, se laissant à peine deviner au point qu'il suffit aux statuaires de faire confluer deux lignes courbes pour la suggérer. Cette discrétion, alliée à la sécurité, finit sans doute par lui conférer une sorte de modeste assurance non dénuée de sérénité, puisqu'elle va même jusqu'à se passer, au niveau de l'inconscient, d'un site qui en présenterait la conformation. Dans l'inconscient, la représentation génitale est en effet réduite, pour les deux sexes, au seul pénis. Ce qui heurte certaines sensibilités féministes revendicatrices, lesquelles s'empressent d'user de cet argument pour discréditer et rejeter la psychanalyse dénoncée comme machiste ! Un peu comme s'il eût été attendu, voire exigé, d'un appareil de projection de diapositives qu'il figurât sur l'écran ! Pourquoi faudrait-il à quiconque la représentation d'un sexe auquel il ne peut prétendre n'avoir pas été en contact direct dès le début de sa vie, la représentation de l'autre sexe n'étant là que pour compléter l'information et rappeler l'existence de la différence ?

Discrétion ! Discrétion qui en majore, ai-je dit, le mystère. Mystère réputé générateur d'effroi au point que, dans certaines contrées d'Europe centrale, on accusait au Moyen

Âge les sorcières de jeter des sorts en l'exhibant. Mystère qui n'a pas manqué de hanter les artistes de toutes les époques et de tout poil, y compris ceux qui, il y a des dizaines de milliers d'années, sur les parois de leurs cavernes, ne pouvaient pas plus s'empêcher que les gribouilleurs de toilettes de gare, de bistrots ou de facultés de représenter l'obsession qu'ils en avaient sous la forme stylisée d'une fente discrète mais toujours reconnaissable. Qu'on pense par ailleurs au tableau intitulé *L'Origine du monde*, de Gustave Courbet, exposé au musée d'Orsay, et à l'histoire de son exécution comme à celle de ses différents propriétaires, on en arrivera facilement à comprendre l'explosion actuelle de l'industrie pornographique comme alimentant la poursuite illusoire d'un affranchissement face à la fascination mêlée d'effroi que suscite cette discrétion originelle. D'autant que cette fameuse discrétion, même bousculée ou violentée par un regard qui s'y appliquerait délibérément, ne cède jamais et continue de ne pas être prise en défaut. Rien, strictement rien de constatable, de visible ou de vérifiable ne peut en effet témoigner par exemple d'une excitation, d'un désir ou d'une indifférence au moment d'un coït. Ce qui n'exclut évidemment pas le moins du monde que des phénomènes physiques constatables affectent ce sexe : sa lubrification, la turgescence des réseaux vasculaires clitoridiens et périvaginaux qui transforme les feuillets coalescents du vagin en tuyau qui attend que soit comblé le manque généré par le vide ressenti. Mais tout cela demeure dans la stricte intimité de la femme et ne peut jamais témoigner ostensiblement de ses dispositions pour son partenaire. De même que rien ne vient, ostensiblement ou de manière objective, signifier à ce partenaire la fin d'un désir ou la réalité d'un orgasme s'exprimant ou non par soupirs ou cris, lesquels permettent parfois à des femmes de les feindre sans le moins du monde les vivre — une forme de générosité qui parvient parfois à attacher un homme par la confiance en lui qu'elle finit par lui conférer. Face à un partenaire exposé par une anatomie et une physiologie qui parlent pour lui, cette discrétion est susceptible d'alimenter aussi bien un redoutable pouvoir, dont certaines femmes n'hésitent pas à faire usage, qu'un doute et une mal assurance qui minent la vie d'autres et les entraînent du côté de l'autodépréciation, sinon de la dépression, le tout n'étant jamais un effet de hasard, mais relevant toujours de l'effet d'histoires personnelles. On ne peut cependant pas clore ces considérations sur la discrétion sans mentionner le fait qu'elle contribue à peupler le silence féminin d'éventuels ou supposés non-dits, ce dont on retrouve la trace dans le propos des enfants quand ils disent que leur mère les devine ou sait tout d'eux et de leurs pensées.

La discrétion, en tant qu'elle procède d'une certaine économie, renforce cette dimension qui s'exprime proprement, elle, à tous les niveaux. En matériel et en nombre d'abord, puisque, comme déjà indiqué, une sélection ininterrompue ramène en quelques années les 60 000 follicules placés *in utero* à 1 500, dont seulement 3 à 400 parviendront à maturité. Évolution qu'on ne peut pas qualifier de dispendieuse, loin s'en faut, quand elle répond avec un tel rendement à l'objectif majeur qu'elle poursuit. Si, par ce biais, l'économie se trouve associée au registre de la sécurité, elle intervient plus encore dans celui de la gestion. Puisque, de ce stock de follicules, sauf exception, un seul ovule est pondu par mois — un seul ! Ponte renouvelée, le cycle suivant, sur fond d'une muqueuse utérine rénovée — tant qu'à faire, et pourquoi pas, histoire de sacrifier à l'efficience ? — de fond en comble. Extraordinaire horloge biologique scandant le temps avec une telle régularité. La conscience qu'elle confère de la chronologie intervient-elle dans la constitution du vécu du temps ? Conduirait-elle à en croire une possible maîtrise, sinon une possible dénégation ? En tout état de cause, cela ne se poursuit pas indéfiniment, n'étant programmé que pour fonctionner pendant une durée limitée du temps de vie, durée qui s'étend de la puberté à la ménopause, cet âge où le corps, modeste, réaliste et reconnaissant les limites de ses performances — encore le souci de l'efficience ! —, renonce à poursuivre ses habituels exploits. Ce n'est pas par hasard, d'ailleurs, si certaines sociétés africaines autorisent la femme ménopausée, à condition qu'elle soit veuve, à prendre… une épouse à laquelle elle choisit un géniteur[1] pour lui faire des enfants dont elle sera admise à être le père et à qui elle pourra transmettre ses biens ! Comme si, sortie de la scansion du temps qu'opérait jusqu'alors en elle le cycle menstruel, cette femme pouvait rejoindre les hommes dans leur rapport spécifique au temps.

Mais, si on devait situer, du mieux possible, l'occasion dans laquelle se manifeste, en fiabilité et en mesure, l'admirable cohérence comportementale de l'être féminin, on ne pourrait mieux trouver que ce moment où une fécondation est survenue.

Un corps aussi parfaitement conçu et doté en arrive donc un jour à être fécondé. Ce n'est pas alors seulement la réalisation d'une promesse consubstantielle à la fabrication même de ce corps dès sa conception et son développement.

1. Relever ici, une fois encore, le rôle négligeable du géniteur dans la suite de l'aventure des enfants mis au monde par son entremise.

C'est aussi la validation en bloc d'une foule de comportements caractéristiques de l'être féminin dès le plus jeune âge. Je ne parle pas seulement du jeu inépuisable des fillettes avec leurs poupées déjà prêtes ou fabriquées avec n'importe quoi. Je parle de ces autres fillettes dont on peut découvrir, dans les squares, dans les cours de récréation des écoles maternelles ou dans les salles d'attente des pédiatres, qu'elles sont promptes à porter secours ou à consoler l'enfant, garçon ou fille, qui souffre ou pleure. Alors que le petit garçon de leur âge en profite pour distribuer impunément un coup au passage au malheureux ou lui chiper le jouet perdu, elles inventent, elles, pour lui, des regards, des mimiques, des caresses. Elles lui restituent son jouet perdu ou lui en offrent un autre, celui qu'elles trouvent à leur portée et qu'elles savent parer d'attraits en usant de la voix et des mots. « Petites mères ! » est-on amené à vouloir leur susurrer pour masquer l'émotion que soulève leur ingéniosité. Dans la seule imitation de la leur, de mère ? C'est ce que soutiennent les négationnistes obstinés de la différence des sexes qui ont déjà semé tant de malheurs en ayant accusé la société bien-pensante de fabriquer ce type de comportement, refusant de prendre acte du fait qui, dès le développement embryonnaire, crée cette différence sexuelle fondamentale ! Ce qui transite dans ce comportement de fillette, c'est ce qu'on voit poindre, comme une aube, de ce que sera l'ensemble du comportement féminin adulte : trouver un être passible de besoins, entreprendre de satisfaire les besoins de cet être et tirer de cette satisfaction, outre un plaisir et un bénéfice l'un et l'autre générateurs d'énergie et d'une nature strictement incommunicable, un authentique sentiment de puissance. Or c'est l'aventure, la traversée d'une grossesse qui va porter cette disposition précoce à l'incandescence : l'être conçu est, par définition même, un être en perpétuel besoin qu'il n'est pas utile d'aller chercher, de pister ou d'espérer trouver, puisque, plus que tout près, il est là, en soi, niché dans ce corps qu'il sait à son entière disposition. Toutes les caractéristiques comportementales féminines se trouvent dès lors légitimées et placées sous le signe d'une cohérence souveraine et salutaire. L'environnement encourage l'exploit et l'applaudit sans réserve puisque de son exécution va naître une vie nouvelle. La puissance n'est pas alors seulement perçue et ressentie, elle est concédée et reconnue sans la moindre réserve.

Si l'irrécusable emboîtement du corps fœtal dans son corps confère plus que tout à la mère la certitude qui fonde sa dimension, il est le relais de cette autre certitude, déjà signalée, à support anatomique et à conséquences symboliques considérables, à savoir que, toujours pénétrable, quelles que soient ses dispositions, et n'ayant pas à subir à cet effet la moindre modification anatomique, une femme saurait receler intimement en elle ce considérable potentiel de puissance.

C'est pour cet ensemble de faits que j'ai dit des caractéristiques anatomiques, physiologiques et comportementales féminines qu'elles étaient placées, toutes sans exception, sous le signe d'une logique que j'ai nommée depuis déjà longtemps « logique de la grossesse ».

Au-delà de ce qu'il pourrait y avoir de restrictif dans la formulation que j'en donne ainsi, on peut se brancher sur cette logique pour comprendre la nature des travaux confiés — imposés, diraient certaines —, depuis toujours et sous toutes les latitudes, aux femmes : ces tâches que l'on a fini par disqualifier en les déclarant humiliantes et ingrates, et dans lesquelles les femmes, quel que soit leur secteur d'activité, excellent pourtant parce qu'elles en obtiennent un résultat sur-le-champ.

Obtenir un résultat sur-le-champ est en effet proche à l'extrême de l'entreprise de satisfaction immédiate des besoins telle qu'elle s'exprime pendant la grossesse puis par la suite dans la relation à l'enfant. L'une et l'autre des activités ont en partage un ingrédient commun qui n'y a pas statut d'existence mais qui pourrait y avoir statut d'insupportable importun. On s'évertue non pas à l'ignorer ou à le récuser, mais à veiller à ne jamais le laisser intervenir, à ne pas lui laisser la moindre place pour ne pas courir le moindre risque de s'en laisser affecter. Cet ingrédient, on voudrait tout simplement qu'il n'existât pas, qu'il n'eût jamais existé ou qu'il disparût aussitôt si l'on n'a pas, par hasard, pris garde à son immixtion. Cet ingrédient dont chacun a compris la nature bien que je ne l'aie pas encore nommé, c'est le temps. C'est le temps, dans toutes ses composantes et dans toutes ses caractéristiques, c'est le temps concret, le temps chronologique, le temps qui s'écoule, imbécile, toujours dans le même sens ! Le temps qui risquerait d'être perçu, intégré, vécu, intériorisé, aussi bien par la promotrice de l'action que par son bénéficiaire ! Voilà l'ennemi, l'ennemi majeur, celui auquel il ne faut jamais céder, celui dont il importe de se méfier des ruses qu'il déploie, celui qu'il ne faut jamais cesser de surveiller — tiens, cette ridule ! Et ce nouveau cheveu blanc ? quelle horreur ! Et la pub de proposer en écho la dernière crème aux composants mystérieux ! —, celui contre lequel on ne se dressera jamais assez, contre lequel on ne dépensera jamais assez de ressources ou d'énergie. Celui qu'on ne cesse pas de prendre plaisir à défaire et à vaincre en satisfaisant le besoin aussitôt et en ne souffrant pas non plus de lui laisser la moindre place quand du bout du balai on chasse une poussière obéissante et qu'on découvre aussitôt un carrelage enfin propre et qui ne le doit qu'à soi et à ce qu'on vient de faire ! Je suis le seul agent du résultat que j'obtiens tout de suite et qui atteste la puissance que je détiens.

Le temps. L'ennemi. Le temps et la mort au bout. La mort à combattre. La mort à affronter sans défaillir. La mort à dénier. Avec la détermination de ne pas la laisser vaincre.

La mère contre la mort.

Courageuse. Déterminée. Irréaliste. Folle. De cette merveilleuse folie, ingénieuse, créative et poétique, dont nul ne se plaint et dont chacun lui est, au fond de lui, humblement reconnaissant.

La mère sûre contre la mort encore plus sûre !

Pour préserver, à quelque prix que ce soit, la vie, la seule vie, la *zôê* de la langue grecque quels qu'en soient l'état ou le résultat, la vie palpitante, la vie rugissante, la vie à l'état brut, fût-elle réductible à une simple survie !

Combien me suis-je attardé sur la conscience du temps qui a été prise à un moment de l'évolution de notre espèce ! C'est peut-être maintenant que ce sur quoi j'ai tant insisté trouve son utilité. J'en reviens à la première sépulture, avec sa cascade de perceptions et d'émotions, et je rappelle avoir insisté sur le fait qu'elle n'a concerné que l'homme et non la femme. Je répéterai l'hypothèse que j'ai esquissée, à savoir que, de la découverte qu'il fit, *Homo* n'a rien pu transmettre à sa compagne qui n'a jamais rien pu lui dire, elle, de ce qu'elle savait depuis des millions d'années, que la mort qui l'avait si souvent atteinte dans la chair de sa chair était son ennemie intime et qu'elle avait dressé contre elle pour toute arme, quelque futile qu'elle eût pu le savoir, la dénégation : je me refuse à admettre la logique de l'écoulement du temps ; il me vaincra, il me soumettra à lui, mais jamais je ne lui offrirai en prime mon assentiment, jamais je ne me ferai son complice dans la mort de mes enfants. Qu'on ne compte pas sur moi ! Admettre même rationnellement la chose serait me trahir moi-même et ruiner la cohérence de mon être. Et que mon partenaire ne se risque pas à m'imposer ce que je refuse. Je continuerai de le refuser de toutes mes forces. Et, s'il en venait à accroître sa pression en me soumettant à des dispositions sociétales qu'il aura forgées avec ses comparses, il me trouvera tout aussi déterminée à résister. Je ne manquerai d'ailleurs pas de transmettre mes convictions et mon message à mes enfants, à mes filles surtout, en leur enjoignant de le transmettre aux leurs. Un jour peut-être cela triomphera-t-il ? Un jour peut-être... la victoire ?

En viendrais-je du coup à dire que l'être féminin serait un individu humainement différent de l'être masculin, avec une organisation psychique à ce point et si foncièrement différente ? Comment alors soutenir ce qui ressemblerait, dit ainsi, à une aberration, faisant courir le risque de laisser croire que les hommes et les femmes appartiendraient à des espèces différentes ? À moins qu'il ne s'agisse, après tout, de rien de plus que des conséquences, insoupçonnées et combien souvent déniées, d'une différence des sexes dont la mesure n'a jamais été assez prise en considération et qui ferait des hommes et des femmes deux sous-espèces nettement différenciées, d'une espèce commune ? Pourquoi pas ? Mais y aurait-il alors des manières différentes d'écouter les hommes et les femmes par exemple en psychanalyse ? C'est une sacrée question, et ce ne sont surtout pas en général des choses qui se disent. Et pourtant ? Et pourtant, n'est-ce pas, pour en revenir une fois de plus à lui, ce que dit Freud avec son sempiternel *che vuoi ?* Et son non moins obsédant « continent noir » ? Encore ne savait-il pas, lui, l'existence de l'ADN mitochondrial[1], hérité de mère en fille et qui fait remonter sans rupture toute fille à la plus lointaine de ses ancêtres autrement et plus efficacement encore que ne le suggère le système d'emboîtement des poupées russes. En quoi ce matériel génétique, cet ADN mitochondrial, serait-il porteur d'une hérédité susceptible d'expliquer, entre autres, la différence de relation au temps que je relève entre hommes et femmes et que je ramène à l'expérience de la première sépulture ? Je ne peux absolument ni le dire ni le soutenir. Je pose seulement cet ADN comme un facteur qu'on commence à peine à interroger et dont on ne sait encore ni les effets ni les conséquences. Rien dès lors ne m'interdit d'imaginer qu'il ne se découvre un jour ou l'autre en son sein un gène codant pour telle ou telle autre disposition face au temps ou à l'espace. Ma position sur ce point peut paraître affleurer à la prétention, voire à une certaine malhonnêteté. Je ne l'en assume pas moins. Le médecin que je suis depuis si longtemps a vécu bien trop de progrès ou de remises en question dans son champ d'activité pour se laisser arrêter par l'absence de preuve ou ne pas oser une hypothèse. J'ai exercé pendant quarante ans la pédiatrie en conseillant aux parents de mes petits patients de veiller à

1. Les mitochondries sont des vacuoles (des sortes de petites poches) intracellulaires intervenant dans divers processus métaboliques et qui contiennent, comme le noyau de la cellule, du matériel génétique composé d'acide désoxyribonucléique (ADN) dont la découverte est très récente. Cet ADN mitochondrial a pour particularité d'être transmis aux enfants sans altération et sans recombinaison avec le matériel génétique issu du père, et donc tel quel de mère en fille.

entretenir leurs liens et en particulier leur relation sexuelle, dont je disais qu'elle fonctionnait comme un admirable coupe-circuit dans les inévitables conflits de la vie à deux. Or j'ai découvert dans mes lectures un fait récemment mis au jour, à savoir que l'ocytocine, cette hormone qui intervient au moment de l'accouchement pour contracter l'utérus ou pendant l'allaitement pour chasser le lait des seins, est désormais considérée comme la molécule favorisant l'attachement et qu'elle atteint des pics de sécrétion chez les deux partenaires pendant le coït ! Ma vieille recommandation, de nature purement intuitive et pragmatique, s'est donc trouvée confirmée par la biologie. Y eussé-je renoncé en l'absence de preuve biologique ? Certainement pas, les résultats que j'ai pu en observer m'ayant incliné à ne jamais cesser d'en poursuivre la prescription. C'est donc au nom même de ce type d'expérience que je me risque à formuler des hypothèses quand je pense que de telles hypothèses peuvent aider à une meilleure compréhension de ce sur quoi nous butons.

Et puis ? Et puis même ! même si tout cela, cette histoire du temps et de la première sépulture, n'a strictement rien à voir avec l'ADN, qu'importe ? Tout cela ne pourrait-il pas avoir été transmis par un simple processus de nature éducative porté par une similitude de fonctionnement biologique des corps ? Processus plus économique et plus simple encore que celui que j'évoque en ne faisant appel qu'à la différence des sexes. Il puiserait de la force dans l'évocation des effets des phéromones, ces molécules mystérieuses qui transitent dans l'air et dont la puissance est telle qu'elles parviennent, entre autres effets, à faire en sorte que toutes les femmes travaillant ensemble dans un même atelier finissent au bout d'un temps relativement court à être toutes réglées le même jour. Et puis ! toute la biologie n'est-elle pas scandée par le temps ? Outre l'existence du rythme circadien qui déborde la limite de la succession jour-nuit, le cortisol et l'hormone de croissance, comme la mélatonine, sont sécrétés pendant la nuit ; le pylore s'ouvre toutes les quinze secondes pour permettre la vidange de l'estomac ; le pancréas déverse de l'insuline dans la circulation générale toutes les douze minutes ; les cellules sont programmées pour vivre un laps de temps précis et mourir ensuite[1] — cela s'appelle l'apoptose —, trois mois, par exemple, pour les globules rouges et deux jours seulement pour les cellules de la muqueuse buccale.

Ce qui me gêne dans le recours étroit à des processus explicatifs de l'ordre de ceux que je viens d'évoquer, c'est qu'ils ne me semblent pas suffisants à eux seuls pour expliquer la si grande résistance à toute remise en cause de la disposition féminine par rapport au temps. Alors que faire de cette résistance un facteur ontologique issu de l'évolution de l'espèce — et qui aurait fini par mettre en place deux sous-espèces — peut non seulement l'expliquer, mais invite à en interroger la finalité comme à en saisir peut-être une utilité restée jusqu'alors dans l'ombre. Il va bien falloir l'admettre : les femmes, échangées entre les hommes pour régler leurs rapports après la première sépulture à l'écart de laquelle elles ont été tenues, n'ont pas eu d'autre choix objectif que de se soumettre à la décision prise à leur endroit ; elles ne l'ont, cependant, certainement jamais admise et elles n'y ont jamais adhéré ; elles se sont donc contentées de se tenir à l'écart de la fameuse Loi de

---

1. Quand, sous l'effet de différents facteurs, le programme n'est pas respecté, la cellule ne meurt plus et devient une cellule cancéreuse.

l'espèce, n'hésitant pas à y contrevenir toutes les fois qu'elles pouvaient se le permettre sans risque, résolues qu'elles étaient, dans la communication étroite et fusionnelle qu'elles instaurent à leurs enfants, à préserver les bénéfices qu'elles ont toujours tirés de leurs dispositions animales en prenant, entre autres précautions, celle de se tenir à distance respectueuse de tout ce qu'implique la conscience du temps.

J'entends déjà et d'ici la véhémence des réactions que je soulèverai et je m'imagine déjà accusé de dénier aux femmes la capacité ou la possibilité de diriger une entreprise ou de mener des carrières que les hommes s'étaient jusqu'à présent réservées. Non seulement je réfute par avance une telle accusation, mais je tiens à préciser ma pensée en ajoutant que, même ces femmes au potentiel dont je soutiens que rien ne peut ni ne doit le limiter de quelque façon que ce soit, même ces femmes-là, comme toutes les autres, même si elles peuvent sentir, concevoir et gérer le temps, le maîtriser et s'en servir sans le moindre problème apparent, conservent et conserveront toujours vis-à-vis de lui, quoi qu'elles fassent ou qu'elles feront, un vécu spécifique et une relation totalement différente de celle que les hommes y entretiennent.

Et j'en veux pour preuve leur rapport à l'angoisse de mort. J'affirme qu'elles en sont infiniment moins oppressées que n'en sont les hommes. Attention ! Je ne dis pas qu'elles en sont totalement dépourvues. Je dis qu'elles en sont moins oppressées. C'est-à-dire que la pression de cette angoisse est, chez elles, certainement relativement basse, moins sujette à variations et surtout infiniment moins sujette à d'amples variations. Qu'on aille enquêter pour s'en convaincre du côté des soignants. Lequel ne viendra pas dire l'étonnement qu'il a conçu, au début de sa carrière, de découvrir à quel point les hommes, ce sexe dit fort, sont douillets ? « De grands enfants », pourra-t-on même l'entendre dire d'eux, avant de se mettre à encenser le courage des femmes malades qui auraient pourtant autant de raisons que leurs partenaires de craindre leur fin. Derrière cette sorte de sérénité relative témoignant d'une pression raisonnablement stable de l'angoisse de mort en toutes circonstances, il s'agit toujours d'une histoire de temps ! Car elles savent, elles, parce que la sous-espèce à laquelle elles appartiennent l'a vécu depuis des dizaines de millions d'années, elles savent ce que les hommes ne savent pas et ne peuvent pas savoir de cette forme spécifique qu'elles vivent du partage du temps. Elles savent ainsi, du savoir le plus intimement intime et le moins communicable qui puisse être, que leur vie ne s'arrête pas à leur mort physique, mais qu'elle se proroge dans ces enfants qu'elles ont portés dans leur corps, qu'elles ont mis au monde par ce même corps et donnés à la vie avec des corps qui garderont sur eux une trace d'elles à jamais ineffaçable. Elles savent qu'elles n'ont jamais été ni autarciques, ni seules, ni isolées. Elles savent que leur sagesse intrinsèque les a conduites à ne pas investir seulement sur elles-mêmes, mais à élargir la palette de leurs investissements dans les autres. Elles auront en quelque sorte eu le génie d'adhérer spontanément aux avis des bons gestionnaires qui incitent à « ne pas mettre toutes ses économies dans le même panier » ! Elles savent que leur vie a toujours été scindée entre ce qu'elles savent qu'elles sont — incomplètes — et ce qu'elles savent pouvoir être — complètes, ou presque — en excellant à satisfaire sans limite ni retard les besoins d'un tiers, qu'il soit cet impatient toujours excité et fou de la possession de leur corps ou cet autre plus extraordinaire et émouvant encore, cet autre démuni, attendrissant et prêt à s'aliéner sans réserve à elles.

Pour contester mon approche, on m'objectera évidemment l'existence de modèles qui la démentent. Celui, par exemple, de ces femmes qui ont toujours exercé leur talent, avant de se répandre en écrits comme elles se sont récemment mises à le faire sur leurs performances sexuelles : par-delà le plaisir qu'elles en obtiennent, celles-là manqueraient-elles de tirer bénéfice du plaisir qu'elles donnent à leurs nombreux partenaires et sur lequel elles savent si savamment disserter ? Quant à celles qui ne se sont jamais unies à des hommes ou à celles qui n'ont pas procréé, qu'importe ! Leur identité sexuelle, même si elles n'en ont pas utilisé les potentialités, les en rendaient porteuses, et elles savent qu'elles auraient pu les mettre en œuvre si elles n'avaient pas sublimé cette direction ou si des circonstances n'étaient pas venues les empêcher de la prendre. Et puis, si ce que je viens de dire paraît insuffisant ou peu convaincant, qu'on aille donc chercher dans l'histoire de l'humanité combien peu souvent les femmes ont œuvré du côté de la mort, combien peu souvent elles ont été des guerrières ou des meneuses de guerre ! Combien souvent ne se sont-elles pas dressées, au contraire, pour dénoncer les folies meurtrières ! J'avoue regretter d'ailleurs qu'elles ne s'y emploient pas plus. Car le jour où les suffragettes américaines se sont dressées contre la folie meurtrière de leurs hommes, elles sont parvenues à changer singulièrement le paysage politique. Qu'on retourne par ailleurs aux explications que j'ai fournies plus haut sur la pulsion de mort, on verra combien l'argument que je développe est étroitement lié, chez elles, à la faible amplitude des variations de pression de l'angoisse de mort.

Serais-je en train de dire que, du fait de leur anatomie, de leur physiologie et de leurs caractéristiques comportementales, les femmes seraient uniformément identiques les unes aux autres ? Bien sûr que non ! Et combien il me paraît important de souligner, au contraire, qu'aucune d'entre elles ne ressemble à sa voisine, que chacune est heureusement unique, allant même parfois, hélas, jusqu'à vivre sa singularité comme suspecte. En invoquant le fond ontologique commun, je n'ai jamais eu l'intention d'évacuer l'effet des histoires individuelles et de ce que produit autant une expérience qu'un tissu relationnel. Si, pour lever tout malentendu, il peut paraître important de le préciser, je n'hésite pas à dire que quelque large que soit la palette dans laquelle on peut inscrire les femmes et les mères, de la plus pusillanime à la plus écrasante en passant de la plus attractive à la plus revêche, de la plus dévouée à la plus inconséquente, en passant par l'impatiente autant que par l'autoritaire, aucune d'entre elles ne peut cependant prétendre, même aujourd'hui, pouvoir être mise à l'écart ou ne pas être concernée par la description des éléments dont je l'ai faite porteuse.

Serais-je néanmoins en train de soutenir que, du côté de l'angoisse de mort, les femmes seraient situées toutes sur le même niveau, qu'elles seraient quelque peu protégées et qu'elles vivraient en quelque sorte dans une sérénité relativement plus grande que les hommes ?

En maintes occasions, certainement !

Mais pas toujours !

Car, quelles qu'elles soient et quoi qu'elles fassent, il arrive un moment où l'angoisse de mort ne leur fait plus de cadeau, un moment où elle parvient à les envahir, un moment où elle les déborde, un moment où elle les rend proprement « folles ». Ce moment-là, c'est le moment où elles cessent d'être seulement femmes et où elles deviennent mères, mais surtout, surtout, mères de garçon ! C'en est alors définitivement fait de leur sérénité relative. C'en est fait des faibles variations de pression de leur angoisse de mort. Leur réactivité s'exacerbe. Elles deviennent intenables, ingérables, totalement déraisonnables, courant le risque, de plus en plus fréquent de nos jours, de tomber dans la catégorie de mères de garçons que j'appelle les « mères inquiètes ». Une catégorie si fortement pathogène que son identification et son repérage sont devenus l'essentiel de ce que m'a enseigné ma carrière de pédiatre, ne conduisant à professer que la maladie la plus grave qui puisse affecter un être humain masculin en devenir, c'est d'être encombré d'une telle mère. Car cette mère inquiète est prise dans le tourbillon de son ambivalence au sein de laquelle la taraude la trace de la sourde lutte que la sous-espèce à laquelle elle appartient n'a jamais cessé de mener à l'autre sous-espèce. Son fils appartenant à cette autre sous-espèce, comment fera-t-elle pour le préserver néanmoins et parvenir à réfréner, ne serait-ce qu'en elle, les pulsions et autres mouvements agressifs que, comme mue par une obscure disposition héritée de sa mère et sans jamais le savoir, elle n'a pas manqué de cultiver sa vie durant contre son père, son frère ou son compagnon ? Ne se trouverait-il pas, du coup, cet enfant, être plus exposé encore aux dangers qui menacent naturellement son existence ? Elle va donc développer une série de stratégies — dont, entre autres, celles de le garder indéfiniment en elle — et veiller jalousement sur lui en vivant pour lui, et en la majorant à l'extrême, alors que lui ne demande rien, la moindre menace dont elle ne ferait qu'imaginer l'existence. Ce qui contribuera chez lui à exacerber sa perception propre de la moindre variation de pression de l'angoisse de mort.

On peut s'étonner de la différence que je relève, et que je souligne, en fonction du sexe des enfants et se demander si le constat que j'ai été amené à faire ne proviendrait pas d'un biais statistique affectant ma clientèle, dans laquelle j'ai dit avoir compté plus de quarante langues différentes. Si curieux que cela puisse paraître, ce biais statistique ne distord pas mon analyse, mais y apporte au contraire un éclairage supplémentaire. Il est vrai que la différence de traitement des enfants en fonction de leur sexe est frappante, flagrante, et quasi caricaturale par exemple dans les populations issues de l'émigration nord-africaine. Mais cela ne produit pas les effets qu'on se serait cru autorisé à attendre ou à relever. Car cela s'inscrit dans un ensemble de dispositions, codées et portées par la langue elle-même, de la culture dans laquelle s'inscrivent ces populations. Ainsi en est-il du verbe « accoucher » qui se dit communément, en arabe dialectal, sur un mode tel que sa signification littérale serait « garçonner ». Pour demander par exemple : « Quand votre fille doit-elle accoucher ? », on dira : « Quand votre fille doit-elle garçonner ? » Laquelle fille aura « garçonné » (le verbe est un verbe d'état et n'a pas besoin de complément d'objet) quand elle aura mis un garçon au monde, mais aura autrement « apporté » (le verbe est transitif et attend un complément d'objet) une fille. Le droit de l'aire arabo-islamique qui a tiré les conséquences d'un tel fait en arrivera à faire dire à un parent : « J'ai trois enfants et deux filles » — formulation et disposition d'esprit qui nous paraissent aberrantes sinon monstrueuses dans l'inégalité qu'elles instaureraient si nous ne prenions pas en compte le fait que, dans la logique d'une telle culture, indépendamment de l'inégalité d'héritage[1] cependant cohérente avec la logique d'ensemble de la culture, les femmes finissent par occuper la plus haute marche de la hiérarchie sociale en devenant « dames » quand elles ont enfin une bru à leur service, laquelle attendra patiemment à son tour son heure de gloire, etc.

L'intérêt de cette brève incursion ethnologique réside, par ailleurs, dans le fait qu'elle montre la manière dont certains systèmes culturels ont usé pour traiter la différence du vécu du temps entre hommes et femmes, et pour gérer les variations de pression de l'angoisse de mort qui y est étroitement associée. La cohérence de la logique de grossesse, qui met au premier plan la satisfaction immédiate du besoin, produit automatiquement un investissement quasi exclusif de l'instant et une attention bien moindre portée à la durée et au long terme. Ce qui contraste avec l'investissement totalement inverse qu'opère l'être masculin. L'organisation des sociétés ayant été jusqu'à présent une affaire d'hommes, ces derniers ont imposé leurs règles et, en particulier dans le cas de figure dont je viens de faire état, ce qu'on pourrait assimiler à une épreuve de patience dont la langue a gardé la trace. L'étonnement que nous en concevons, pour notre part, n'est dû qu'à ce qu'on pourrait figurer comme une différence radicale de référentiel : notre langue, nos cultures et le système de parenté dans lequel nous évoluons, ne nous ordonnent pas en effet de telles dispositions. Mais cela ne nous empêche pas d'avoir à constater la différence radicale de relation d'une mère à son enfant en fonction du sexe de ce dernier. Différence qui n'est certainement pas étrangère

1. Disposition qui a été et qui continue d'être partagée par d'autres cultures.

au fait que, lorsqu'on se penche sur les statistiques de la morbidité, force est de constater que, sur 100 enfants malades, 70 à 75 d'entre eux sont des garçons. Je veux bien concéder que deux chromosomes X confèrent peut-être de meilleurs moyens de défense qu'un seul d'entre eux, fût-il assorti d'un chromosome Y. Mais je ne crois pas que ce soit le seul facteur à prendre en considération. Qu'une mère puisse se sentir moins maladroite avec le corps plus familier de sa fille, qu'avec le corps plus étranger de son garçon, et que cette maladresse puisse générer une gestuelle différente susceptible d'être source de malaise pour la mère comme pour l'enfant, me paraît relever d'une argumentation encore recevable. Mais pourquoi ne pas imaginer que la simple similitude des sexes entre sa fille et elle lui permet de la recevoir, simplement comme elle se reçoit, à l'abri des variations d'amplitude de l'angoisse de mort, alors qu'elle référerait son fils à la personne des mâles de son entourage, père, frère, partenaire dont le comportement le plus banal traduit de façon flagrante ce type de préoccupation. On pourrait presque inférer de cette hypothèse que ce serait, somme toute, une manière comme une autre, et guère moins efficace qu'une autre, qu'aurait une mère de conférer à son enfant autant son identité sexuée qu'une part légitime de son histoire. Le problème que cela pose tient simplement à l'équilibre d'une telle transmission. Car, dans la logique issue de la statistique de morbidité, cela impliquerait qu'une mère tracterait sa fille du seul côté de sa propre histoire, l'enfermant dans un dilemme identitaire dont cette dernière aura le plus grand mal à se sortir, et ne pourrait transmettre à son garçon une part d'histoire autre que la sienne qu'en développant à son endroit une angoisse non anodine dans ses effets. Ce qui aurait pour conséquence indirecte de conférer à ce garçon les caractéristiques masculines de son rapport ultérieur à l'angoisse de mort.

Le paradoxe qui gît dans cette attitude n'est cependant pas plus simple à démonter qu'à comprendre.

Si, en effet, l'angoisse de mort et le vécu du temps sont intimement liés au point que l'une génère l'autre et inversement, l'attitude que je viens de décrire pourrait s'avérer presque salutaire. Si une mère, dans la relation à son fils, arrivait à vivre différemment le temps et à concevoir l'existence d'amples variations de pression de l'angoisse de mort, ou bien si, à l'inverse, percevant les variations de pression plus amples de cette angoisse, elle était conduite à repérer une autre manière de vivre le temps, on pourrait espérer d'un tel processus qu'il lui permette, à défaut d'y accéder, d'approcher au moins un vécu plus aigu du temps. Peut-être pourrait-il en être ainsi si le processus était laissé à lui-même et qu'il pouvait évoluer selon sa propre logique. Mais ce qui s'y passe aboutit en général à un résultat inverse puisque la mère va intervenir avec violence dans ce type de circonstances pour faire délibérément baisser la moindre variation de pression de l'angoisse, étouffant du même coup, immédiatement, dans l'œuf le vécu ou la plus grande conscience du temps qui aurait pu en advenir chez elle-même et dont l'enfant aurait pu tirer bénéfice. Il s'agit d'habitude d'une attitude réflexe, totalement insensée, encouragée aujourd'hui par le message environnemental et pas le moins du monde contrôlée par une mère soucieuse de préserver tout d'abord cet enfant réduit à un simple complément d'elle et n'ayant souvent en principe dans sa tête à elle aucune existence propre. C'est pour cette dernière raison que nombre de psychanalystes, à commencer par les plus grands, se sont évertués à tenter de faire entendre aux mères que les bébés, comme les enfants, ne sont pas de purs objets, mais des sujets dont la singularité comme la stature sont à respecter infiniment. Le message a donné lieu au plus parfait des malentendus, les mères ayant cru devoir comprendre qu'on louait avec elles le côté immensément précieux d'un enfant auquel elles se sont crues devoir être plus dévouées encore, entretenant vis-à-vis de lui un lien dont elles ne pouvaient pas plus se déprendre que lui permettre de le faire.

C'est dans ce contexte, qui ouvre la porte à toutes sortes d'événements qu'on a pu voir survenir ces dernières décennies, que la récusation de la dimension du temps par la mère, pour elle et pour son enfant, va faire des siennes.

Et pourquoi ?

Tout simplement parce que ce refus entre étroitement en phase avec ce qu'est devenue l'idéologie de notre monde occidental, séduit et gagné à toutes les qualités que j'ai définies comme étant celles du féminin. À commencer par l'immense et noble dimension de certitude conférée autant à la mère qu'à... la reine Science elle-même ! Pour se poursuivre par la dimension de sécurité dont le souci envahit à un point tel notre quotidien — circuler sans ceinture, boire ou fumer, confine désormais à l'inconséquence et constitue une insulte au fameux « principe de précaution » que nous avons récemment inventé ! — qu'on peut y repérer une injonction à organiser sa survie à défaut de savoir comment organiser sa vie. Après quoi vient la dimension de l'efficacité prônée comme valeur incontournable : tout doit être apprécié selon des critères prédéfinis, comme en témoigne côté mères l'obsession qu'elles ont du poids et de la taille de leurs enfants. Quant à l'économie enfin, il n'est plus utile, tant elle obnubile nos politiques, de montrer combien elle est devenue essentielle. Le tout doit se déployer, comme dans les seules préoccupations de l'instant, côté maternel, dans des objectifs temporels à très court terme, côté sociétal, et scandés par des échéances électorales qui ne laissent pas la moindre place à un projet plus lointain.

On pourra toujours jeter la suspicion sur les rapprochements que j'opère en faisant valoir que ce sont, après tout, encore et toujours les hommes qui dirigent et orientent les choix des sociétés. En conséquence, les femmes en général et les mères en particulier ne pouvaient pas être accusées d'avoir promu ces choix. L'argument est pertinent et recevable. Il ne s'agit pas ici de dédouaner le comportement des hommes, en général profondément empêtrés autant dans leur désir de séduire que dans la relation à leurs mères respectives, mais de révéler la collusion qui existe entre les choix qu'ils opèrent et les orientations générales dessinées par les comportements maternels. Comme s'ils veillaient, ces hommes, à ne jamais les décevoir, ces mères. Comme s'ils s'étaient mis à la traîne de leur manière de gérer la pression de l'angoisse de mort, parce qu'ils l'avaient jugée plus intelligente, plus efficace, certainement plus rentable et mieux adaptée à ce monde de plus en plus cruel.

En cela, ils commettent une erreur de calcul dont il importerait assez peu qu'ils soient les premières victimes s'ils n'y entraînaient fatalement leur progéniture. Car que fait donc une mère, livrée sans le secours du moindre contrôle à elle-même et à sa seule propension, face à l'angoisse de mort ?

Elle s'enferme dans une solitude aux bénéfices immédiats trompeurs. La voilà en effet à jouer, pendant l'attente de son enfant, de la puissance extraordinaire que lui confère cette expérience : pouvoir expulser le temps et expérimenter la cohérence de sa logique comportementale désormais estampillée par la trace de ce que j'appelle « le non-temps intra-utérin ». Dès lors que ce processus, placé sous le signe du « non-temps », a toujours fourni les preuves vérifiables de son efficacité, pourquoi le remettre en cause ? Pourquoi en changer et pourquoi *a contrario* ne pas le proroger indéfiniment ? Le résultat du débat aboutira, en toute fin de parcours, à la mise en place par la mère, autour de son enfant une fois né, d'un utérus virtuel, patiemment tissé, constamment entretenu, solide et extensible à l'infini, au sein duquel devront régner et régneront les mêmes lois que celles qui présidaient aux mécanismes de non-temps de l'utérus réel : tout né qu'il soit à sa réalité et à la vie aérienne, l'enfant ne devra jamais connaître les affres de l'attente et la torture du temps, il devra être toujours satisfait sur-le-champ et ne pas connaître la moindre restriction dans la satisfaction de ses exigences, quelles qu'en soient la nature ou l'étendue. Il ne devra, en un mot comme en mille, jamais, jamais manquer de rien.

L'affaire ! La superbe affaire ! Car c'en est une !

Une chalandise de cet ordre, ça ne se laisse pas passer. Mais oui, ma bonne dame, combien vous avez raison : votre enfant ne doit en effet jamais manquer de rien. Nous sommes d'accord avec vous sur toute la ligne ! Nous serions même prêts à vous engager à veiller à ce qu'il n'en vienne pas à manquer par inadvertance ou par défaut de prévision. Et pour vous aider, nous allons nous-mêmes veiller à baliser jalousement le champ de tous ses possibles besoins en n'en laissant aucun dans l'ombre. Nous irions même jusqu'à prévoir ceux que vous n'avez pas plus prévus que ceux qui n'auraient pas pu l'être sans notre détermination à les recenser. Voyez même combien nous allons dans votre sens : nous sommes prêts à fabriquer de toutes pièces à cet enfant des besoins qu'il n'aurait peut-être pas eus spontanément, histoire de vous permettre de vous adonner plus encore au bonheur de les satisfaire !

Quand le marché s'empare du manque, peut-il vouloir ne pas le combler ?

Et voilà donc de quoi satisfaire tout le monde ! Admirable et merveilleuse adéquation si ce n'était que la langue, encore une fois, vient y mettre son grain pour au moins dénoncer, à défaut de pouvoir la freiner, la dérive dans laquelle tout cela s'enfonce allégrement ! De celui qui « ne manque de rien », la langue latine parle en effet comme d'un *incestus*[1], d'un « incesté », pourrait-on dire, comme pour revenir à la manière dont se découvre, au détour de ce type de comportement, une contravention de plus à la fameuse Loi de l'espèce. Comme se découvre la différence ontologique que j'ai avancée en disant que l'être féminin que visait la Loi s'est toujours tenu à son écart, n'y a jamais adhéré, y a toujours été et y demeure résolument rétif.

Comment tout cela s'articule-t-il ?

Je rappellerai succinctement ce que j'en ai dit plus haut et beaucoup plus en détail — et on comprendra peut-être

---

1. Le mot français « inceste » dérive du latin *incestus*, lui-même forgé sur *incastus* que l'on peut décomposer en *in* et *castus*, autrement dit non *castus*. *Castus* signifie « pur », « chaste » ; nous nous trouvons donc dans le sens banal de « impur » ou de « non chaste ». Mais *castus* a vite été remplacé par *cassus* qui signifie « vide ». Or *cassus* servait déjà de supin (c'est un mode latin correspondant à peu près à notre participe passé) au verbe *careo* qui veut dire « je manque ». Si bien que *incestus* a la double signification de « non pur », « non chaste » en même temps que celle, qui a prévalu par la suite, de « non manquant ». Manière dont la vision du monde latine a fait du « manque » sexuel le paradigme du « manque ».

maintenant pourquoi je m'y suis tellement attardé. La Loi de l'interdit de l'inceste a donné indirectement à l'humain, par l'effet de la différence générationnelle à respecter, la conscience la plus claire possible de son inscription dans un temps qui s'écoule, ce qui doit lui permettre de s'accepter comme mortel et de se préoccuper dès lors de correctement organiser sa vie. Or que son enfant, tout humain qu'elle le veuille, soit mortel, c'est ce que, à l'instar de ses plus lointaines ancêtres, toute mère continue de refuser. C'est ce qu'elle refuse de toutes ses forces, avec tout son être, avec toute sa tête, avec toutes ses tripes. Il n'en est pas une, il n'en est pas une parcelle d'une, où et qui qu'elle soit, qui puisse spontanément vivre les choses autrement ou les juger non légitimes ou non raisonnables. Avec, comme je l'ai signalé, des dispositions différentes en fonction du sexe de son enfant : confiante en la facile adhésion de sa fille à ses vues, elle entreprendrait d'y convertir son fils en anticipant et en vivant pour lui, même à l'excès, les variations d'amplitude de l'angoisse de mort qu'il pourrait être amené à vivre. Ce qui donne au demeurant à son discours ou à son attitude une coloration bouleversante et presque convaincante : la vie, quelle qu'elle soit et à quelque prix qu'elle soit ! Rien en effet ne nous émeut autant, qui que nous soyons et quels que soient notre âge ou notre condition, que cette sollicitude maternelle. Qui peut prétendre y être indifférent, alors qu'elle est ce à quoi chacun se ressource répétitivement parce que, à l'instar de la beauté dont j'ai dit ce qu'elle irradiait, elle est capable de propulser chacun au plus haut de ses performances. Rien ne nous fait autant de bien que la dénégation de notre état de mortel par notre mère. Même si elle nous fait sourire et que nous savons à quoi nous en tenir par rapport à elle, elle nous réchauffe comme la plus émouvante des preuves d'amour. Ce n'est pas rien que quelqu'un nous veuille éternel, et, comme ce genre de souhait n'est pas courant, nous ne pouvons que nous féliciter de pouvoir en bénéficier. Ma carrière m'a permis de rencontrer quantité de telles figures maternelles. Et il me revient le souvenir de l'une d'entre elles qui m'a stupéfié par les résultats auxquels elle était parvenue.

Un sein… convaincant !

Elle m'a d'ailleurs d'emblée étonné. Parce qu'elle a refusé d'entrer dans la salle d'attente, me faisant valoir, quand je l'ai invitée à le faire parce qu'elle traînait dans l'entrée, qu'elle ne voulait pas exposer, même pour quelques minutes, son bébé aux miasmes que des petits malades auraient pu y semer. Quand l'hygiénisme confine à un tel souci, on ne peut pas ne pas se demander ce qu'il annonce. Je n'ai pas été déçu. Il m'a fallu subir une loi draconienne qui allait de la surveillance discrète mais suspicieuse de la propreté de ma blouse à celle du caractère soigneux du lavage de mes mains, de la désinfection préalable du pavillon de mon stéthoscope à la fraîcheur du linge posé sur le pèse-bébé. Comme elle était cultivée et qu'elle ne manquait pas d'intelligence, je me suis piqué au jeu : une phobique-obsessionnelle de cet acabit offerte par son bébé cothérapeute ne pouvait que m'intéresser, ne serait-ce qu'au plan purement technique, parce qu'elle me changeait de ma routine. J'attendais le moment où l'investissement authentique qu'elle s'était tout de même mis à opérer sur ma personne allait me permettre d'intervenir. Quelques réponses judicieuses à ses questions, la résolution de problèmes simples et mineurs mais qui lui empoisonnaient l'existence, le fait que je l'acceptais comme elle était — elle n'est jamais entrée dans la salle d'attente — avaient fini par détendre relativement l'atmosphère, et j'en arrivais même à la taquiner sans la fâcher sur ses marottes, dont la persistance aurait dû m'inquiéter davantage. Il n'était bien sûr pas question de faire tel ou tel autre vaccin sans en discuter auparavant, ni de prescrire quelque médicament que ce soit sans en évaluer les inconvénients et en justifier la pertinence et l'efficacité. Par minuscules touches, je me hasardais néanmoins à explorer sa vie, son histoire, la relation au père de son enfant, que je n'avais jamais rencontré. Tout était soigneusement répertorié, classé, méticuleusement rangé, mais vide ! Comme dans ces bibliothèques dont on se demande si les livres qu'elles contiennent, et qu'on est invité à ne pas ouvrir, sont de vrais livres ou des maquettes de bois ! Les mois passaient, et j'en vins un jour à lui suggérer que son bébé, qui avait près de dix ou onze mois, pouvait peut-être goûter à autre chose que son sein. Quelle ineptie ! Ce fut la litanie des statistiques, des modes de faire en fonction de l'histoire des peuples, des contrées et des civilisations, au milieu desquels étaient cités, parmi quantité d'avis autorisés, mes propres écrits ! Un puits de science ? Non, une forteresse ! Inexpugnable de surcroît, étais-je en train de convenir, prenant acte du coup que ma méthode avait piteusement échoué et que je m'étais probablement fait manipuler sans vouloir m'en rendre compte, pour sans doute me punir de mon inconvenance à avoir cru pouvoir relever le redoutable défi thérapeutique qu'elle constituait. J'étais prêt à jeter le gant quand elle s'est mise à me parler d'une éventuelle reprise de ses études. Alors même qu'elle dissertait sur les problèmes d'organisation qui se posaient à elle, je délirais, presque enthousiaste, sur la sorte de coin que ce projet allait enfin introduire entre son enfant et elle. Mais je me gardai bien d'en dire quoi que ce soit. Des semaines et des mois passèrent sans que nous ayons reparlé de tout cela. Jusqu'au moment où elle m'a confié son intention d'aller au secrétariat de la faculté demander qu'on lui permette de garder son bébé avec elle pendant les épreuves d'examen, qui duraient six heures chacune, quatre jours de suite. J'avoue, sincèrement et toute honte bue, que j'ai dû trépigner et presque me réjouir sur-le-champ. Je ne fis aucun commentaire, me disant que madame la Forteresse allait devoir enfin rendre les armes à une partie autrement plus neutre et plus distante que je ne l'avais été.

Elle a tellement multiplié les démarches et assailli tant d'employés administratifs qu'elle a fini par obtenir le droit d'être avertie sur son mobile, pendant la session d'examen, par sa mère qui se tenait dans la cour de la faculté, de l'heure à laquelle son bébé réclamait le sein et de quitter la salle pour aller le nourrir !

Elle est partie un jour pour la province. J'avoue n'en avoir pas été fâché. Mais je n'en ai pas été plus soulagé pour autant puisque, pendant encore de longs mois, elle m'a dit, par téléphone et par lettre, combien lui manquaient nos entretiens ! Sans doute avait-elle rencontré un praticien moins ambitieux et plus structurant — pour elle et surtout pour son fils ! — que je ne l'avais été et venait-elle auprès de moi tenter de raffermir ses folles dispositions. Puis un jour vint où elle n'a plus appelé. Je m'en suis senti soulagé non sans avoir gardé, de ma prétention, de ma maladresse et de mon dépit, quelques remords.

Je pourrais la laisser là en considérant comme suffisamment édifiant ce que j'en ai dit. Je resterai cependant un moment encore avec elle. En raison même de la stature que n'a pas manqué de lui conférer l'écriture de mon récit. Parée de son obstination, elle a en effet occupé l'essentiel d'un espace où son bébé n'a pas eu d'autre place que celle d'un pur objet, objet livré à une puissance qu'elle a eu tout loisir de dénier en la masquant derrière sa sollicitude et le soin qu'elle a mis à satisfaire intégralement et immédiatement ses besoins, qu'ils fussent reconnus ou supposés. Et ce n'est pas pour rien non plus que, de ce bébé, je n'ai pratiquement rien dit, hormis une existence qui semblait ne pas même lui appartenir. Ce dont on peut inférer un certain nombre de questions autour de la notion de besoin. Car, s'il s'agit de repérer ceux, à satisfaire, de l'enfant lui-même, il n'est pas question d'occulter le besoin manifesté par cette mère que son enfant ne soit que cela et rien d'autre.

Qu'est-ce donc qu'un besoin ? Et en quoi n'est-il pas naturellement exprimé pour être avant tout satisfait, surtout quand il émane d'un être immature ? En quoi sa satisfaction immédiate serait-elle éventuellement préjudiciable et différerait-elle de sa satisfaction différée ? Si tant est qu'une modalité de satisfaction puisse être meilleure que l'autre, de laquelle s'agirait-il ? De l'avis de qui le serait-elle, éventuellement ? En quoi le serait-elle ? Et pour quelle raison ?

En voilà des questions qui se posent autour d'un comportement maternel que, malgré le démontage que j'en ai fait, chacun serait sans doute prêt à recevoir non sans attendrissement ! Et pourtant chacune de ces questions le concerne et mérite une réponse claire et argumentée.

Un besoin, c'est quoi ? C'est une sensation ou une perception qui se manifestent dans le corps, ou dans la psyché, sous une forme reconnaissable du fait même que le combler le fait disparaître. J'ai besoin d'eau, je le sens, je le sais, je l'identifie en disant que j'ai soif et j'ai même la preuve du bien-fondé de ma perception puisque absorber de l'eau fait disparaître le besoin que j'en avais. Je peux remplacer l'eau par tout ce que je voudrais, cela ne change rien. Quelle que soit la nature de ce dont je perçois le besoin, c'est toujours de besoin qu'il s'agit. Et il n'est pas plus question de discuter de la survenue d'un besoin que de nier sa légitimité et la nécessité de sa satisfaction. J'ai soif, il me manque de l'eau, il y a de l'eau à ma portée, je m'en saisis, je la bois, j'étanche ma soif, mon besoin a disparu. Il n'y a rien de compliqué là-dedans. Les mécanismes biologiques de notre existence quotidienne, dans leur intégralité, ne cessent pas de faire appel à la satisfaction automatique de nos multiples besoins. Et, quand j'ai évoqué ce qui se passe au décours d'une gestation, je n'ai pas manqué de souligner combien le corps maternel était sans relâche à l'écoute du corps fœtal pour en satisfaire, avant même qu'il ne s'exprime, le moindre besoin. Le besoin et sa satisfaction s'inscrivent donc dans le maintien de la vie biologique, de la vie à l'état brut, dont il n'est bien entendu pas question de nier l'importance.

Il n'est pas non plus question de le nier : le bébé de ma patiente n'a sans le moindre doute jamais cessé d'éprouver des besoins — il n'y eut d'ailleurs aucun d'eux qui n'ait été satisfait sur-le-champ. Au point qu'on pourrait dire de lui qu'il n'a jamais été que cela : un être de besoins satisfaits sur-le-champ. Et, mieux encore, qu'il n'a jamais manqué de rien, car pour sa mère, quoi qu'elle aurait pu en dire, il n'était absolument pas question qu'il en fût autrement. Il était objet de son attention, objet qu'elle était capable de deviner, objet parfaitement adéquat à la seule mission qu'elle reconnaissait comme sienne et au pouvoir qu'elle se savait avoir pour y parvenir : le maintenir en vie et en faire un objet vivant dévolu à elle et à l'exercice de son pouvoir. Qu'il fût doté ou non d'autonomie ne l'a ni préoccupée ni inquiétée. Elle ne pouvait d'ailleurs pas imaginer qu'il eût pu ne pas l'être, ou ne pas l'être suffisamment, ladite autonomie ayant dû avoir dans son entendement un statut équivalent à celui des dents ou des cheveux qui finissent toujours par pousser !

On se situe, avec ce type de considération, à la frontière entre le biologique et l'éducation.

Car continuer de satisfaire les besoins devinés, avant même qu'ils ne se manifestent, relève justement de la pérennisation des mécanismes biologiques intra-utérins et s'explique par ce dont j'ai parlé comme d'un utérus virtuel extensible à l'infini, tissé autour de l'enfant. La venue à la vie aérienne se traduit par la rupture avec de tels mécanismes : si le bébé respire automatiquement avec ses poumons, il est aussi contraint de réclamer quand il se met à ressentir la faim. Il est sorti du non-temps utérin et il est en principe entré dans le temps.

Si la satisfaction de cette faim, ou de tout autre besoin du même ordre, est différée, ce bébé va réclamer encore plus fort — ce qui n'est pas toujours agréable, je le concède —, mais il percevra de façon encore plus aiguë ce qu'il ressent. Il sera alors « en manque », notion que j'ai glissée sans m'en expliquer. Or il s'avère que la perception du manque est fondamentale dans la constitution de la perception de soi. C'est en effet du repérage de ce manque, décliné en exemplaires multiples et variés, que ce bébé aurait pu enregistrer les caractéristiques de son corps propre, comme celles de son humeur, voire celles de l'environnement dans lequel il est inscrit. Il va ainsi peu à peu prendre conscience de ce qu'il est, lui, en tant que lui et non pas en tant qu'objet destiné à être gavé et choyé pour donner à la responsable de ces prévenances la conscience de son devoir bien accompli.

Si le besoin est une sensation, le manque est donc cette même sensation rendue plus perceptible encore du fait de n'avoir pas été satisfaite. Or c'est l'expérience du manque qui conduit à l'éprouvé du désir, lequel diffère radicalement du besoin.

Le désir ne se traduit pas, lui, par une sensation qui évoquerait le besoin. Le désir est un état de tension. C'est un moteur, dont le noyau est constitué par la conscience d'un besoin dont on perçoit la pertinence et dont on sait qu'il ne peut pas être satisfait immédiatement. On le sent naître en soi quand un besoin, parfaitement identifié comme tel, laisse seulement sourdre la possibilité de sa satisfaction différée, ponctuée par l'attente qu'on en a. Dans la mesure où la manière dont je supporte l'attente m'appartient en propre, mon désir me caractérisera plus que toute autre chose comme ce que je suis, singulier par définition et différent de tout autre, puisque moi seul vis ce que je vis et ai vécu ce que j'ai vécu.

Mais ce n'est pas tout. Parce que la notion d'attente fait appel justement à celle du temps, ce fameux temps, dont il n'a pas cessé d'être question de toutes les sortes de manières. Or j'ai beaucoup insisté sur les conditions de la prise de conscience de son existence et de ses lois quand j'ai évoqué le meurtre perpétré par l'ancêtre *Homo*. J'ai montré tout aussi clairement combien cette prise de conscience était associée à l'éclosion de l'angoisse de mort. Il me suffit donc maintenant, pour clore le chapitre des questions que j'avais posées plus haut, de montrer comment s'associent en différentes modalités toutes ces notions de besoin, de désir, de temps, d'angoisse de mort et de pulsion de mort.

Le besoin, dont la satisfaction n'est pas toujours automatique comme elle l'est dans les mécanismes biologiques, est donc la perception, généralement physique, d'un manque que la satisfaction efface aussitôt en engendrant un plaisir susceptible de créer un véritable état d'addiction : une mère qui satisfait sans relâche son enfant est sûre de l'aliéner totalement à elle et de le maintenir indéfiniment autant dans sa dépendance que dans la dépendance du plaisir. On peut dire de cette attitude séductrice qu'elle est tout simplement destructrice puisqu'elle s'emploie à pérenniser le non-temps. Elle n'est plus, hélas, de nos jours l'apanage des seules mères excessives, souvent en toute bonne conscience d'ailleurs. Combien de grands-parents, en effet ne croient-ils pas devoir « gâter » leurs petits-enfants en professant que « la grand-parentalité, c'est le plaisir sans la charge de la responsabilité » —, manière subtile de s'exonérer des dégâts qu'ils produisent ! Combien de pères aussi, surtout de pères séparés, parce qu'ils croient devoir le faire, n'entreprennent-ils pas d'acheter littéralement de cette manière l'amour de leurs enfants !

Le désir naît, lui, d'un besoin, physique ou autre, qui a été perçu mais dont la satisfaction a été différée au point que la trace du manque en a persisté. Sa satisfaction génère également un plaisir, souvent plus aigu que le précédent, mais dont le potentiel addictif est bien moindre en raison de la souffrance produite par le temps de l'attente et de l'accoutumance à cette attente. La trace du manque qui signe l'émergence du désir est donc à cet égard la meilleure parade qui soit à l'addiction au plaisir.

Le temps est donc bien l'ingrédient qui intervient pour différencier les catégories du besoin et du désir. Dans la mesure où il n'a pas la moindre prise sur lui, l'individu qui le vit en perçoit peu ou prou l'écoulement comme porteur d'une menace de mort. Mais la conscience qu'il en a le constitue, puisqu'il n'est pas mort, comme un être vivant et ayant infiniment plus encore conscience de l'être.

L'angoisse de mort naît automatiquement en chacun de la perception de l'écoulement du temps et lui confère, par touches plus ou moins longues, plus ou moins insistantes, plus ou moins marquantes, la conscience de son état de mortel. La conscience de cet état, effrayant, est bien entendu toujours violemment refusée. Et ce d'autant qu'elle n'a pas été préparée par un quelconque phénomène d'accoutumance. Si, du fait de la prorogation excessive de la satisfaction immédiate des besoins, on a longtemps été tenu à l'écart de la perception du temps qui s'écoule, la moindre fraction de ce temps qui s'écoule sans être occupée par la satisfaction d'un besoin, donc d'un plaisir, génère une pression de l'angoisse tellement intolérable qu'elle fait craindre un danger de mort immédiate. Cela explique la propension des enfants actuels, qu'on a veillé et qu'on veille à sursatisfaire, à tyranniser leur environnement en exigeant d'avoir tout — n'importe quoi, mais quelque chose ! — tout de suite.

J'avais expliqué que la pulsion de mort était ce mécanisme inconscient qui nous entraîne notre vie durant à regagner l'état minéral dont nous nous sommes extraits. Je l'avais métaphorisée sous la forme de cette pente glissante que nous passions notre vie à gravir. Et j'avais dit que la pulsion de vie s'érigeait sur elle. Or, quand du temps passe et que le besoin n'est pas satisfait, le manque qui se fait plus impérieux convoque plus ou moins vite et plus ou moins fort la mort, autant dans l'angoisse qui s'en perçoit que dans la pulsion qui s'en manifeste. Cette expérience, une fois dépassée par la satisfaction différée du besoin qui s'est inscrite sous la forme d'une trace, celle du manque, est perçue comme une victoire, et sur la mort, et sur l'angoisse de mort, et sur la pulsion de mort conférant au sujet plus encore qu'il ne l'avait eue la certitude de son statut de vivant.

Ce dont je peux conclure que, en œuvrant sur un mode pour elle irréprochable, ma patiente n'a pas cessé d'addicter son enfant au plaisir et de différer le moment où elle aurait pu lui permettre de se percevoir pleinement comme être vivant. Vivant en tant qu'ayant correctement et suffisamment tôt perçu l'existence d'un temps dont la simple perception de l'écoulement serait parvenue à réduire la pression de l'angoisse de mort. Sans préjuger de son avenir à plus long terme, il y a fort à parier que cet enfant sera plus tard un de ces petits tyrans dont le nombre ne fait que croître.

Puis-je pour autant en conclure que cette maman était en quelque sorte une mère animale ? Certainement pas, et bien au contraire ! Car les mères animales, programmées pour aguerrir leurs rejetons et leur permettre de vivre dans une nature foncièrement hostile où chacun risque d'être mangé, n'hésitent pas au besoin à les brutaliser pour les éloigner d'elles-mêmes quand, dans la majeure partie des espèces, elles ne refuseront pas de s'en laisser couvrir ultérieurement. Non, cette maman est une mère humaine, une mère humaine livrée à la jouissance inépuisable que lui confèrent la certitude de sa fonction et son statut dans une société qui a adopté, sans la moindre limite et sans le moindre contre-pouvoir, l'intégralité des valeurs dont elle serait porteuse. C'est une mère humaine en ce que son comportement s'inscrit dans la sourde lutte que se livrent les sexes depuis les temps les plus lointains, la sourde lutte, à armes différentes et inégales, que les femmes livrent depuis toujours à l'homme, cet homme qui les a contraintes par la Loi de l'espèce qui a instauré leur échange et dont elles n'ont pas plus admis les termes que les dispositions qui les auraient conduites à devoir admettre l'inéluctabilité de la mort, cet homme qui continue de les contraindre tant, et dont elles regrettent si souvent de devoir en passer par lui pour accéder à ce statut de mère qui les a faites depuis toujours si puissantes. Cet homme que... Cet homme qui...

D'où il ressort, plus clairement encore, que la lutte qui, quelque aspect qu'elle ait pris au cours des âges, dure depuis toujours peut être ramenée à un conflit entre deux dispositions égoïstes aussi excessives et déraisonnables l'une que l'autre. La mère défend son droit à récuser le temps, seule manière pour elle de pouvoir être et de continuer de procréer. Le père cherche, quant à lui, à imposer et sa personne, et son désir sexuel, et sa conscience de l'écoulement du temps. Cet affrontement semble avoir abouti, aujourd'hui et dans les sociétés occidentales, à une phase nouvelle à laquelle ni l'une ni l'autre n'ont été préparés et à laquelle ils vont devoir s'adapter en inventant peut-être de nouvelles formes de rapports. Ce qui n'est pas encore le cas, même si on verse au compte de telles tentatives d'invention les nouvelles formes de la parentalité. Car les femmes, ayant accédé à une plus grande autonomie, se révèlent capables de se soustraire au partenariat des hommes. Ces derniers, qui en sont impressionnés, essaieraient de leur emboîter le pas et de les imiter en tout point au risque de perdre jusqu'à leur identité et d'entraîner avec eux l'espèce tout entière. Le temps sera-t-il défait à voir son écoulement nié ? Et la mort sera-t-elle vaincue par ce stratagème ? Contre le vent de folie qui semble s'être levé, la parade n'est-elle pas encore de revenir aux définitions les plus simples pour s'en laisser enseigner et pour apprécier ce qu'il pourra en être du difficile combat qui se joue à chaque instant et dans presque chaque cellule familiale ?

LE MASCULIN ET LE PATERNEL

Il a déjà été plus qu'entr'aperçu, l'homme, ce mâle humain dont a été décrite la si longue, si complexe et presque pitoyable aventure. Il a même reçu, au passage, une quantité considérable de qualificatifs assez peu valorisants. Recherche d'effets d'écriture de ma part ? Ou manœuvre destinée à me gagner par la bande les faveurs de lectrices prises de plein fouet depuis quelques décennies dans les tourments de questions cruciales sur leur être et leur place ? À moins que cela ne ressortisse d'éléments de mon histoire propre et de mon rapport personnel aux femmes et aux hommes, aux mères et aux pères ? Je laisse à chacun la responsabilité de sa conclusion : on a tôt fait, aujourd'hui, de se découvrir un talent d'interprète pour se faire sourd et annuler tout ce qu'un propos risque de venir déranger — en termes techniques, cela s'appelle une résistance. Quoi qu'on doive ou qu'on puisse en penser, je maintiens en tout cas ma manière d'avancer et mes formulations. Le mode de dérision, ou parfois l'amertume dont elles procèdent, n'est là que pour mieux interroger encore les critères qui ont présidé aux choix de nos sociétés et dont nombre d'entre nous imaginent qu'ils constituent l'aboutissement d'une marche déterminée vers le progrès, alors même qu'ils me semblent traduire, pour l'instant, la plus dommageable des régressions.

Mais comment le montrer ou le mettre en évidence, quand le brouhaha qui en a résulté contraint chacun à se replier sur son malheur personnel et à se terrer dans un silence assourdissant en attendant le miracle qui ne viendra pas ? Nos sociétés, gagnées aux valeurs maternantes et engoncées dans la certitude de leurs perceptions, sont en effet devenues féroces et réfractaires à tout ce qui viendrait déranger leur ronron. Sacrifiant néanmoins — idéal démocratique oblige ! — au respect des formes, elles autorisent tous les avis, tout en exigeant que leur soit expliquée, rationnellement, la moindre analyse ou la moindre proposition destinée à infléchir un choix qu'elles ne mettront de toutes les façons pas en cause. On aura ainsi fait les choses comme il se doit : de la logique, encore de la logique et toujours de la logique avant toute chose ! Un mot d'ordre auquel on ne peut malheureusement que devoir souscrire. Étant entendu que du côté même de ladite logique il y a ce qui peut être entendu, ce qui ne peut pas l'être et ce qui, de toutes les façons, ne le sera pas. Là aussi, il s'agit de résistance. Ce qui est *a priori* décourageant tant il est notoire que toute confrontation avec la résistance revient à la renforcer et à construire avec elle l'échec qu'elle recherche. Je vais cependant essayer de ne pas tomber dans le piège.

Puisqu'il faut se déployer dans la seule rationalité et fournir à chaque proposition un argumentaire convaincant, je le ferai. Comme je l'ai fait au demeurant plus haut en m'attardant pour les faire parler sur ces éternelles évidences anatomophysiologiques qui ne sont jamais assez prises en considération. Puisque j'ai dit par exemple, du père, qu'il était flou, qu'il l'a longtemps été et qu'il était surtout bon qu'il l'eût été et qu'il puisse continuer de l'être, j'entreprendrai de le démontrer. Or, comme dans le long historique

que j'ai fait de son aventure d'homme, je n'ai pas cessé de montrer combien sa dimension de mâle a toujours été au premier plan de son entreprise et que je viens par ailleurs de conjoindre étroitement ce qu'il en est de la femme et de la mère, il va me falloir montrer combien ce père est père d'être justement d'abord et avant tout un homme. C'est probablement des effets de cette conjonction que se dégagera aussi bien le côté flou qui caractérise son statut que ce en quoi ce flou est raisonnable, nécessaire et surtout salutaire.

Dans le parallèle qui découle de cette option, la différence sexuelle anatomique révèle que l'asymétrie foncière qui caractérise les positions respectives de l'homme et de la femme est si grande qu'elle fait de leur éventuelle entente une forme de miracle. On peut se demander pourquoi le langage commun évoque comme mariage impossible celui de la carpe et du lapin, alors que, compte tenu de ce qui les différencie, celui de la femme et de l'homme s'avère plus problématique, sinon plus impossible encore.

Cela me conduit à devoir par exemple relever tout de suite l'étrange paradoxe qui les fait se confronter globalement aux notions de certitude et de flou. Alors que le côté secret, discret, mystérieux (flou ?) du sexe de la femme ne l'empêche pas pour autant de devenir une mère sûre, le côté concret, évident, repérable, flagrant quand ce n'est pas ostensible (tout le contraire du flou !) du sexe de l'homme ne lui confère à cet égard pas le moindre avantage, le condamnant, quand il devient père, à n'avoir pas la moindre certitude et à ne pouvoir assumer sa position qu'en errant justement dans l'indécidable, autrement dit dans ce fameux flou, autant pour ce qui concerne la perception qu'il peut avoir de lui-même que pour ce qui concerne la manière dont il est perçu aussi bien par ses rejetons que par la mère de ces derniers.

Cet étrange chassé-croisé est-il recevable ? Est-il de l'ordre de la rationalité ou de l'argumentaire opportun ? J'avoue ne pouvoir le dire, me contentant de le pointer comme un entrelacs, susceptible de parler à qui veut bien l'entendre, sans prétendre en imposer une quelconque lecture ou un quelconque usage. Encore qu'il soit tout de même possible de le prendre en considération en le branchant sur les éternelles réalités anatomiques : le sexe féminin ne serait, à la limite, qu'une voie, accessoire, par laquelle le corps féminin peut se pourvoir d'un enfant à porter et à mettre au monde ; le sexe masculin n'étant jamais, à rebours, lui, qu'un instrument conjoncturel, interchangeable et quasi anonyme[1] au service de cette opération.

Voilà qui renforce l'idée, déjà émise, que, si l'évolution de l'espèce lui a fabriqué et donné le père et que ce dernier a assumé cette fonction en cherchant sans relâche à la parfaire, ladite fonction n'a jamais été, loin s'en faut, comme elle l'est pour la mère, une fonction directement issue de son animalité. Elle ne lui est, autrement dit, en rien naturelle — ce qui fait dire qu'elle serait culturelle, dans une terminologie dont je ne veux pas débattre et qui cherche à opposer nature et culture. Elle est, en ce qui le concerne, une fonction dérivée, une fonction qui s'est littéralement greffée sur ce qu'il a toujours été par essence — par nature ? —, à savoir un être travaillé au plus haut point par une pulsion sexuelle qui ne lui a jamais laissé et qui ne lui laisse pas le moindre répit. Souvenons-nous que c'est seulement parce qu'il a décidé un jour de gérer du mieux possi-

1. Parfois réduit, comme on en a la preuve matérielle fournie par l'usage depuis quelques décennies à une seringue ou à une paillette de sperme congelé, quand ce n'est pas, dans le privé, à... une cuiller !

ble cette pulsion qu'en reconnaissant son implication dans la reproduction il a entrepris d'organiser ses échanges — y compris celui des femmes — et d'édicter la Loi de l'espèce. Mais il lui a sans doute peu importé alors de mesurer ce que cette Loi pouvait ou allait produire sur son environnement ou sur sa descendance. Il ne faut donc pas se gargariser d'illusions : jusque dans cette trouvaille déterminante pour l'avenir de son espèce, il n'a jamais eu de dessein, il n'a jamais pensé qu'à lui et à lui seul, imposant ses dispositions, fermement décidé qu'il était à satisfaire ses pulsions du mieux possible et aux moindres risques.

Il n'a donc jamais, jamais cessé d'être cela, cela et rien d'autre : un homme, rien qu'un homme, un mâle égoïste et fermé *a priori* à tout ce qui était étranger à sa préoccupation essentielle, n'hésitant pas à user de sa force physique pour parvenir à ses fins. Une brute ! Une brute qui a certes évolué — un tout petit peu ! — au fil du temps, une brute qui s'est un peu — très peu ! — dégrossie, une brute qui s'est certes revêtue des atours de la culture, de la pensée et de la bienséance, une brute qui a mis en jeu son intelligence, une brute qui s'est bien sûr intéressée à d'autres champs d'activité, mais non pas sous l'effet d'une générosité ou d'une oblativité qui lui ont toujours été foncièrement étrangères, non, seulement par calcul — ce qui porte le beau nom de sublimation —, histoire d'éventuellement accroître son pouvoir de séduction et de multiplier ainsi les occasions de satisfaire ses besoins.

D'emblée se dessinent, alors, les contours de son affrontement avec sa partenaire, objet de son désir. Pas question qu'elle lui échappe : il n'a cure de son avis, il fera tout pour la contraindre, quitte à ne jamais cesser de parfaire les stratégies de son oppression. À l'attachement viscéral qu'elle marque pour sa fonction animale de mère, il opposera l'attachement non moins animal de la pulsion sexuelle qui le taraude bien plus qu'elle. Et, comme il est physiquement le plus fort, il ne lui laissera évidemment pas le choix.

Ainsi en a-t-il toujours été. Tout dans les muscles, rien dans la tête, comme on continue au demeurant de le dire encore un peu vite, non sans parfois un brin d'attendrissement apitoyé. La formule me semble cependant trop restreinte. Car la tête d'un homme, celle d'il y a longtemps comme celle d'aujourd'hui, si urbain et policé soit-il devenu, n'est pas aussi vide qu'on veut bien la dire. Elle est au contraire pleine. Pleine à ras bord, même. Pleine d'un organe, le plus important à ses yeux, qu'il soit paysan, ouvrier, cadre, universitaire, savant, prêtre ou tout autre : son sexe ! Et quand on a pris la mesure de cela, on a pratiquement tout compris de la tragédie[1] qu'il vit.

Car c'est là, et seulement là, qu'il se tient, lui, doté d'une morphologie des plus simples, d'une physiologie dont on pourrait presque dire qu'elle a été bricolée à la va-vite par une nature qui semble avoir plus voulu en faire un vague outil, complément brouillon plutôt qu'instrument pensé et élaboré dans une perspective bien définie. Le voilà donc, encombré de ce sexe qui se rappelle sans cesse à lui sous l'impulsion d'un besoin impérieux auquel il conférera un jour le statut plus complexe de désir. Besoin qui affleure souvent à l'obsession, tant est bas le seuil d'excitabilité de l'organe dans lequel il se manifeste. Obsession au demeurant pas toujours facile à vivre tant elle se trouve parfois

---

1. Je dis bien « tragédie ». On ne sait certainement pas assez que ce mot vient du mot grec *tragôïdia* qui désigne la plainte du bouc... en mal de chèvre !

doublée d'effroi quand s'y mêlent plus que de raison, depuis que sont nées les cultures, la censure, les inhibitions propres ou les relents des discours normatifs environnants.

Le voilà encombré, ai-je dit, de ce sexe en relief dont l'existence, la permanence et les performances n'ont jamais cessé et ne cessent pas de le préoccuper. Il l'a depuis toujours dessiné également sur les parois de ses cavernes, comme il continue de le faire dans tous les lieux où il peut s'adonner à sa graphomanie, toujours érigé, bien sûr, comme pour conjurer l'échec de ce pouvoir essentiel, préoccupation qui se retrouve, en tous lieux et à toutes les époques, sous la forme de cultes ou de représentations ithyphalliques. Ah, l'orgueil qu'il en aura conçu et qui l'aura poussé autant à confisquer ses enfants à la mère au nom du potentiel d'engendrement qu'il se serait abusivement octroyé et dont il continuerait indûment à se prévaloir ! Ah, les abus qui n'ont pas manqué de ponctuer son histoire ! Ah, la violence dont il n'a pas cessé d'user pour donner crédit à la moindre de ses prérogatives, depuis le temps où, de manière arbitraire, il a cru pouvoir imposer à l'ensemble de son espèce une Loi contestée par la moitié de cette dernière ! Quelle arrogance dans tout cela, quelle cruauté délibérée, quelle indifférence manifeste aux effets de ses abus !

Effet de sa nature ? Animale et éventuellement cruelle de ce fait ? À qui pourrait-il être alors comparé dans l'échelle zoologique ? Au lion ? Aux plus grands et aux plus redoutables singes, ses si proches cousins ? Mais pourquoi aucun d'entre eux n'aura promu ce que lui a mis le temps de construire mais qu'il est tout de même parvenu à construire ?

Et si toutes ses attitudes n'étaient qu'autant de compensations destinées à combattre le doute ontologique profond qui le travaille en toute chose ? Lequel doute, où qu'il intervienne, n'étant jamais plus que le rejeton du doute fondamental qui le taraude au niveau de ce sexe sur lequel se fonde toute l'architecture de son identité. Ce en quoi on peut dire, de lui, qu'il serait construit sur et autour d'un noyau de doute.

Qu'il eût été encore tout proche de l'ancêtre *Homo* ou qu'il soit le play-boy ou le hardeur[1] d'aujourd'hui, sa préoccupation, angoissée, demeure en effet constante. La psychanalyse, qui en a longuement exploré le contenu, nous apprend qu'elle aurait depuis toujours relevé du même mécanisme. S'étant découvert, à l'aube de sa vie, dans sa réalité sexuée, il n'a pas pu s'empêcher de commettre une bévue. Cela s'est donc passé dans son tout petit âge, à ce moment où, ayant conçu pour la première fois le sentiment étrange et envahissant qu'il a eu pour sa mère, il a voulu se fondre à elle et devenir elle, comme cela se passe dans la violence de toute aventure amoureuse. Dans un élan irrépressible et imprudent, il a alors émis le souhait de voir disparaître le gênant appendice qui le faisait justement différent d'elle. Il s'est évidemment bien vite repris. Mais le fantasme, renforcé à peine plus tard par la certitude que sa sœur avait perdu le sien, a laissé à jamais en lui une trace si profonde qu'il ne cessera plus jamais d'en conjurer la menace. Étrange obsession, quasi inscrite dans son destin ! On ne sait pas assez, en effet, qu'elle prendrait source dans le séjour intra-utérin lui-même. Car le processus embryologique commence par fabriquer chez le fœtus une ébauche de gonade indifférenciée sur laquelle interviendra le chro-

1. J'ai lu un jour une interview dans laquelle une star du porno s'étonnait de la régularité avec laquelle, après les scènes que l'on sait, ses partenaires s'inquiétaient auprès d'elle de la qualité de leur organe !

mosome Y. Si cette intervention est correctement exécutée, la gonade devient un testicule qui se mettra à sécréter aussitôt l'hormone mâle, la testostérone. Et c'est cette sécrétion qui permettra le développement pénien. Mais si, pour quelque raison que ce soit, l'intervention se passe mal, c'en est fait du pénis, et l'appareil génital va évoluer sur le mode féminin ; comme si cet être mâle était, depuis ce temps-là, condamné à... l'effort ! Et qu'il devait toujours être dans l'action (branchement du chromosome Y, sécrétion de testostérone, puis, plus tard, érection et activisme) sous peine de perdre son statut. D'où l'importance des messages que lui délivre sa sexualité. Chacune de ses érections — et combien y est-il attentif ! — lui apporte en effet un brin de sécurité qui disparaît avec elle et qui le contraint à attendre, dans la même angoisse, la prochaine, puis la suivante, puis la suivante encore — *post coïtum animal triste*. Et ce, indéfiniment, dans un pitoyable état de dépendance à l'endroit de celle qui saura, ou de celles qui sauront, les susciter, les renforcer, les entretenir et à laquelle, auxquelles, il entretiendra une relation ambivalente. Son corps ne connaîtra plus jamais la sagesse, au point que c'est sur fond de cette activité entretenue jusqu'à sa mort qu'il ne cessera pas de se sentir au plus haut de ses performances. Si tant est qu'on trouve ce que j'avance exagéré, qu'on aille voir combien, parmi les individus les plus créatifs jusque dans leur âge le plus avancé, n'ont jamais fait mystère de leur goût appuyé pour la bagatelle, sinon de leur dépendance à son endroit. Le contraire existe aussi et est fort mal supporté. La médecine a en effet identifié il y a environ une dizaine d'années, surtout chez les hommes aux abords du troisième âge, une entité clinique d'aspect impressionnant, le DASA (acronyme de son appellation : déficit androgénique du sujet âgé), ressemblant en tout point à une profonde dépression nerveuse (lassitude, profonde fatigue physique, impuissance, idées noires, perte du goût pour la vie, obsession du suicide, etc.) à ceci près qu'elle résiste aux traitements antidépresseurs. Ce tableau clinique est dû à une panne définitive de fonctionnement du testicule endocrine qui ne fabrique plus de testostérone. Quand il est reconnu et correctement traité par la testostérone — traitement à vie, comme tous les traitements des déficits endocriniens —, on assiste en à peine quelques jours à une véritable résurrection du patient, et à peine un peu plus tard au retour de sa préoccupation sexuelle sinon à la reprise de son activité. Ce tableau clinique de plus en plus fréquent, associé à l'augmentation de la stérilité masculine, et à une nette diminution du nombre de spermatozoïdes de l'éjaculât dans l'ensemble de la population masculine, a été corrélé au constat de la régression des organes génitaux masculins chez nombre d'espèces animales et rapporté par certains auteurs à l'effet de substances volatiles œstrogène-like, agissant comme les hormones femelles, émises par diverses industries chimiques. Ce que je cherche à montrer par cette incise, c'est que, si la ménopause, une fois installée, n'affecte en général que passagèrement l'humeur de la femme et finirait par lui apporter même une certaine sérénité, son équivalent toujours d'origine pathologique — ce n'est pas produire de l'idéologie que d'affirmer que l'andropause n'existe en principe pas — chez l'homme produit un tableau clinique grave qui peut aboutir à la mort. On comprend dès lors le succès phénoménal du tout récent Viagra et de ses équivalents. Succès sur lequel s'est branché jusqu'à en exploser le marché des recettes promettant un accroissement de la taille pénienne et une plus longue durée des érections ! Tout cela n'est-il pas édifiant ?

Encombré, il l'a donc toujours été et il le reste, cet homme, résolvant sa problématique avec le moins d'état d'âme possible ou bien s'exposant en toute conscience en assumant la dépendance que lui crée sa relation à une partenaire pour laquelle il n'aura pas le moindre mystère et à qui il ne pourra pas se présenter autrement qu'avec le besoin qu'il a d'elle et à qui, l'éjaculation le trahissant, il ne pourra pas masquer la satisfaction qu'il aura tirée de leur rapport. Fragile tant il est prévisible, et pitoyable tant il est transparent et sans détour.

Mais pourquoi donc insister autant, pourrait-on se demander non sans un brin d'irritation, sur le démontage de cette angoisse liée chez l'homme à son activité sexuelle ? Et pourquoi ne parler que de sa pulsion sexuelle à lui, comme si cette pulsion n'existait pas chez sa partenaire, comme si cette dernière n'avait non seulement pas à la vivre, mais faisait de surcroît l'économie de l'angoisse qui lui en viendrait ?

Qu'on ne se méprenne pas ! Je ne dis pas et je n'ai jamais dit que la femme n'est pas concernée par la pulsion sexuelle — quel abominable malheur ce serait ! Elle l'est, bien évidemment, mais elle l'est sur un tout autre mode, auquel j'ai déjà fait allusion, guère moins complexe que celui de son compagnon mais en général moins problématique. Si tant est qu'elle ait eu, elle aussi, à se débattre jadis avec son désir de se fondre à sa mère, elle n'a jamais développé un fantasme de perte de son organe. Elle s'est tirée du mauvais pas, dans lequel elle était aussi coincée que son frère, en cultivant la nostalgie de la possession personnelle d'un pénis susceptible de lui conférer la certitude de la différence qu'elle cherchait à rétablir. Qu'elle ait entrepris ensuite de le demander à son père, ou d'espérer l'avoir de lui, n'a pas été simple et n'a pas manqué de lui créer des problèmes sérieux et durables avec sa mère. Mais cela, dont je ne minimise pas la gravité, est d'un autre ordre. Le fait d'avoir le pénis de son partenaire en elle, s'il la renvoie à son insu à cette lointaine époque, ne peut cependant être vécu par elle que sur un mode des plus satisfaisants, lui signifiant concrètement qu'elle est bien elle, différente de sa mère, vécu que l'orgasme viendra estampiller et valider. Serait-ce à cet effet que son potentiel orgastique aura été programmé pour être aussi élevé ? Rien d'angoissant en tout cas dans tout cela, bien au contraire. Et puis, ne l'a-t-on pas vue se déployer, cette femme, dans une logique comportementale où d'être l'agent de la satisfaction du besoin d'un tiers lui confère le sentiment de sa puissance et de la cohérence de son être : être celle grâce à laquelle son partenaire satisfait son besoin ne peut dès lors que la satisfaire et lui conférer un brin du sentiment de sa puissance. J'ai signalé plus haut que sa frigidité éventuelle posait moins de problèmes de stabilité à son couple que l'impuissance de son partenaire. N'oublions pas enfin combien les caractéristiques de son corps la conduisent à gérer efficacement ce pan de son activité : son seuil d'excitabilité plus élevé que celui de son partenaire ne la confronte pas à la même pression d'un besoin qu'elle seule a le luxe de pouvoir complémenter du plaisir spécifique qu'elle tire de la relation à son enfant. Que peut-il y avoir dans un tableau aux multiples bénéfices qui puisse susciter dans ce registre une quelconque angoisse ?

Le propos n'est pas clos pour autant. Car, tant qu'à faire, puisqu'on évoque le caractère insupportable de l'angoisse inhérente à l'exercice de sa sexualité que développe l'homme face à l'absence relative qu'en éprouverait sa partenaire, rien ne coûte d'aller voir ce qu'il en est de cette autre angoisse, l'angoisse de mort, dont il a déjà été établi que l'un et l'autre la vivent différemment. S'agit-il de deux formes d'angoisse, ou bien s'agit-il de la même angoisse avec des occasions et des modes d'expression différents ?

La réponse qui semble devoir s'imposer, c'est qu'il s'agit toujours et en toutes circonstances de la même angoisse, c'est-à-dire de l'angoisse de mort. Ce ne peut être en effet qu'elle, dont la pression est tellement peu présente chez la femme qu'elle ne revient pas en force au moment de l'exercice de la sexualité. Et c'est elle qui, engonçant sans relâche l'homme, rejaillit à nouveau sur et en lui dans l'exercice de cette même sexualité comme pour lui rappeler que, lorsque, bébé, il a caressé le fantasme de sa castration, il a proprement fantasmé sa disparition en tant qu'être différencié.

Articuler ainsi les choses me semble être la manière la plus rigoureuse de comprendre combien homme et femme d'une part, père et mère d'autre part, conjoignent d'une façon totalement différente le sexe et la mort. La femme, je le rappelle une fois de plus, n'ayant pas participé à la première sépulture, s'inscrit symboliquement dans la sexualité comme dans le moyen qui lui est fourni de propager la vie biologique (*zôê*) et de proroger sa vie propre par l'enfant qu'elle porte et met au monde. Combien souvent n'ai-je pas eu à constater l'émerveillement étonné des jeunes mères allaitantes quand, leur communiquant le poids de leur bébé, il m'arrivait de leur faire remarquer que c'étaient autant de kilos d'elles, et exclusivement d'elles, qu'était fait leur bébé. Il n'y a jamais rien, et il ne peut jamais rien y avoir de cela du côté masculin. Il y a seulement une tentative de ce qu'on pourrait assimiler à une opération personnelle continue de survie qui explique autant la focalisation sur le sexe que la compulsion à en satisfaire le besoin au service de laquelle serait le seuil bas d'excitabilité. À côté de cette opération et seulement après sa menée à bien, la relation à l'enfant se construira sur un mode intellectuel et affectif, mais jamais sur un mode instinctuel tracé sur le corps, puisque, à l'inverse de sa compagne, un homme ne sort rien, lui, de son corps. Ce qui ne le disqualifie pas pour autant dans le devenir de son enfant car, demeurant ce qu'il est foncièrement sans chercher à répondre au moindre modèle préétabli, il a le pouvoir d'œuvrer utilement pour son enfant par la capacité, qu'il est seul à avoir, d'inscrire correctement cet enfant dans le temps, de rendre cet enfant au temps, de lui rendre, autrement dit, l'essence de sa condition humaine.

C'est d'ailleurs ce qu'il a fait pendant des millions d'années, assumant l'égoïsme foncier et sans nuance qui a présidé à son activité essentielle qu'on pourrait trivialement figurer comme celle d'un « animal à queue, hanté par sa propre disparition » ! Pendant des millions d'années, il s'est situé à l'épicentre de tout système relationnel dans lequel il s'inscrivait, assumant le fait que, hors son désir et son vouloir, rien n'était possible. En cela, il était cohérent, là encore, avec les données brutes de son anatomie et de sa physiologie : son érection, indispensable à l'accomplissement du coït, peut en effet survenir ou ne pas survenir, faisant de lui, avant même d'en être l'exécutant, l'incontournable initiateur de l'opération. À rebours de sa partenaire toujours pénétrable, lui peut physiquement se soustraire, dire non, à la pénétration — on sait l'autre paradoxe qui en résulte dans la réalité puisque lui est toujours mentalement prêt pour la gaudriole à laquelle il ne dirait en quelque sorte jamais « non », alors que sa partenaire, qui ne peut en principe pas s'y soustraire, s'y refuse presque toujours, étant très chiche de son éventuel « oui ». Pendant des millions d'années, il a donc organisé son environnement pour que rien ne vienne faire obstacle à la satisfaction de sa pulsion. Et qu'importait alors que sa physiologie fût à ce point dispendieuse ! Qu'importait qu'il éjaculât, le plus souvent en pure perte, cinq millions de spermatozoïdes par millilitre d'un volume parfois de plusieurs millilitres qui peut être émis plusieurs fois par jour de la puberté jusqu'à la fin de la vie ! Qu'importait et qu'importe cette manière de semer à tout vent ! Le prix n'est jamais trop cher pour bâillonner l'angoisse récurrente — ah, le fameux repos du guerrier ! Le prix n'est jamais trop cher quand il puise ainsi dans un trésor renouvelable sa vie durant. Le prix n'est jamais trop cher quand il permet de combattre son doute et le statut d'incertitude lié à sa fonction. Le prix n'est jamais trop cher quand il fournit autant de plaisir, autant d'agrément, autant de sérénité, autant de paix avec l'image de soi et, en prime, l'éventuel attachement d'une femme investie qu'il consent à prendre matériellement en charge et d'enfants attachants et si souvent utiles. Il se dégage de cette ligne de conduite une cohérence, elle aussi sans défaut, qui m'a fait nommer la logique comportementale qui la sous-tend « logique du coït », laquelle trouve naturellement sa place de pendant à la logique comportementale féminine que j'avais nommée « logique de la grossesse ».

Poser ainsi clairement les choses n'est pas sans conséquence. Ne serait-ce que dans la manière dont chacun croit devoir se représenter, mentalement ou de manière figurée, la classique « triangulation » qui lie les parents à leur enfant. On la trace en général aujourd'hui en plaçant chacun des personnages au sommet du triangle et en figurant leurs relations sous forme d'une flèche à double sens les reliant : la mère échange d'une part avec le père et d'autre part avec l'enfant ; le père échange pour sa part avec la mère et avec l'enfant ; l'enfant échange enfin avec son père et sa mère. Cette représentation est tout simplement fausse parce qu'elle est totalement irréaliste. C'est une construction idéologique dont les conséquences sont graves.

Établir en effet ainsi une quelconque forme de symétrie relationnelle entre les deux parents et leur enfant ne peut que les amener à se fourvoyer dans leur manière de vivre leurs conditions respectives, fort différentes, et leur relation duelle.

Comment prétendre mettre sur le même pied et dans la même logique une relation forgée sur une expérience aussi marquante qu'a été pour la mère et l'enfant l'aventure de la grossesse et une relation dérivée de la seule relation sexuelle établie entre un homme et une femme, même si le désir d'enfant en avait fait partie intégrante ? La véritable représentation de la triangulation, si elle confère elle aussi une place à chacun des personnages aux trois sommets du triangle, ne les relie pas entre eux d'une manière univoque ; elle relie la mère d'une part au père et d'autre part à l'enfant, ces deux derniers n'étant en aucune façon reliés entre eux, puisque la communication qu'ils établissent passe toujours, comme nous serons appelés à le voir en détail, par la mère. Voilà qui répond exactement à ce qui passe par la réalité des corps et, à partir de cette réalité des corps, entre les protagonistes. La femme, devenue mère grâce à un homme auquel elle concède une place toujours récusable dans cette aventure, met au monde un enfant avec lequel elle a établi une intimité investie de neuf longs mois, intimité dont elle tentera d'entretenir indéfiniment la dimension. Elle est le pivot d'une relation qui pourra ou non s'établir par la suite entre père et enfant, et qu'on pourra toujours éventuellement écrire par exemple sous forme d'une flèche en pointillé. Or c'est l'écriture de ce pointillé qui permet de comprendre mieux encore, parce qu'il le signifie parfaitement, le qualificatif « flou » dont j'ai assorti le père. L'enfant ne peut accéder à la perception de son père qu'au travers du filtre constitué par sa mère. La mère ne peut elle-même percevoir ce père — et encore, dans les meilleurs cas ! — que dans la moitié de son champ visuel, l'autre moitié étant captivée par le fascinant spectacle de son enfant. Le père lui-même ne se percevant tout d'abord que comme homme inscrit dans la relation à sa partenaire, et seulement après dans une relation à son enfant, laquelle relation est toujours et nécessairement médiatisée par cette même et inévacuable partenaire qui le fait père.

Pourquoi s'attarder à ce type de détail ? Pour la simple et bonne raison qu'au cours de l'histoire de l'espèce et celle des cultures l'homme, le mâle, dont il a été montré qu'il a toujours été soucieux de gérer à son avantage sa pulsion sexuelle, a bien vite compris combien cette dernière pouvait être menacée par la survenue de l'enfant. Aussi a-t-il pris soin de forger des systèmes sociétaux et relationnels susceptibles de lui conférer un contrôle efficace, sinon rigoureux, de la relation de sa compagne à leur enfant commun. On peut revenir à cet égard une fois de plus au concept d'engendrement, à la confiscation relative des enfants, aux systèmes de parenté, au *paterfamilias* romain, à l'*abou* arabe, à la quantité de législations qui ont marqué le droit familial dans tous les pays, ou bien encore à l'histoire de la paternité, on verra ce soutien sociétal, contention autour du couple incluse, toujours à l'œuvre. Avec pour effet visé, sinon obtenu, que la mère se soumette à la Loi de l'espèce, résiste à sa pulsion incestueuse comme à la formidable pression de l'angoisse de mort qu'elle conçoit pour son enfant, surtout si c'est un garçon, et qu'elle ne s'engouffre jamais la tête la première avec lui dans l'utérus virtuel qu'elle a le plus naturellement du monde tendance à fabriquer à leur double usage.

Le débat, comme on peut donc le voir, est vieux comme le monde !

À ceci près que nos jeunes générations n'en savent rien et qu'elles se commettent dans l'aventure de la parentalité en prenant de plein fouet une idéologie douteuse qui, au motif de la mutation du statut de la femme dans le monde du travail, a cru pouvoir réinventer de toutes pièces un système relationnel qui demeure, quoi qu'on décide, soumis à ces lois et à ces règles inscrites dans l'inconscient de chacun. Cela donne deux dérives, opposées mais aussi dangereuses et pathogènes l'une que l'autre parce qu'elles s'écartent l'une comme l'autre du modèle du père flou : le père vindicatif qui, désireux de faire valoir ses droits, croit pouvoir s'installer utilement dans la certitude, et le père séducteur qui, entrant en concurrence ouverte avec la mère de son enfant, se modélise sur elle, disparaissant tout à fait ainsi sans même le savoir.

Le premier n'est pas une invention de notre temps. Il a toujours existé. C'est le père abusif, intervenant en toutes choses et sur un mode excessif dans la vie de sa partenaire, qu'il réduit à l'impuissance quand il ne la maltraite pas ou qu'il ne l'éjecte pas, mais surtout dans celle de l'enfant dont il fait son otage. Écrasant tout et chacun sur son passage, il se conduit comme le fameux père de la horde primitive qui a fini sous la roche de la première sépulture et semble déployer une si grande énergie sexuelle qu'il en éclabousse son enfant. On peut mesurer les méfaits de son action en prenant connaissance de ses écrits quand il a été le père de Daniel Paul Schreber[1] ou quand, comme dans l'excellent film *Shine*[2], il a entrepris de faire de son fils un pianiste virtuose. Ce sont les excès de ces pères qui ont contribué à discréditer une fonction qui a été dénoncée sur ce mode ces dernières décennies, et d'autant plus qu'elle avait été confisquée par quelques « petits pères du peuple » qui s'en sont prévalus et dont on sait ce qu'ils en ont fait.

Pourquoi revenir sur ce modèle ? Tout d'abord parce qu'il en existe toujours. Et autant ne pas applaudir ses prérogatives qui affleurent à un véritable assassinat psychique. Ensuite et surtout parce que cette revendication de certitude pollue considérablement l'environnement sociétal et nuit à la cause qu'elle prétend défendre. Elle a donné lieu et continue de donner lieu, par exemple, à de très regrettables décisions judiciaires. La machine politique, ayant récemment pris acte des dégâts générés par la désorganisation de la famille traditionnelle et par l'affaiblissement de son pôle paternel, a décidé — sans comprendre le fond sur lequel tout cela se joue — de restaurer la place du père. Outre les dispositions brouillonnes qu'elle a prises en la matière

1. Daniel Paul Schreber avait accédé aux plus hautes fonctions judiciaires du Land allemand dans lequel il vivait quand il a démissionné et demandé à être interné dans un hôpital psychiatrique. Au cours de ce séjour, il a écrit et fait publier un ouvrage dont Freud s'est servi pour décrire la psychose paranoïaque. On découvrira, des années plus tard, les écrits de son père qui a passé sa vie de pédiatre à inventer toutes sortes d'appareils de contention destinés à bien « dresser » les enfants, en leur apprenant à se tenir droit à table, à ne pas se masturber ou se toucher le sexe, etc. Édifiant !

2. Un film de S. Hicks (1996).

(carnet de paternité et congé de paternité, rabattant le traitement du modèle paternel sur celui du modèle maternel, c'est-à-dire sur le statut de certitude de ce dernier !), elle a engagé les instances judiciaires à prendre plus en considération les doléances paternelles. Cela a donné la décision que je rapporte dans le cas dont j'ai fait état plus haut. Mais il y a pire encore : ainsi a-t-on vu un enfant de quatre ans, confié en vue de son adoption à un couple par sa génitrice abandonnée, se voir être retiré à des personnes avec lesquelles il avait construit l'essentiel de ce que sera sa vie pour être confié à son géniteur ! Le comble étant atteint par les conséquences de la loi de mars 2002, laquelle permet à des pères séparés, de leur fait ou de celui de leur partenaire, d'obtenir de véritables gardes alternées de bébés d'à peine quelques mois dont on sait le formidable besoin qu'ils ont de leur mère.

Le second regrettable modèle existe, lui, depuis déjà plusieurs décennies. Sous la dénomination de « nouveau père », il a vu le jour au moment où le contexte sociétal, après Mai 1968, a décidé d'en finir avec la figure paternelle confondue avec une férule dont plus personne ne voulait. L'époque était à la louange et à la mise en application des vraies valeurs que sont la liberté, l'égalité, la fraternité, bien évidemment, mais aussi l'échange, la joie et la vraie démocratie qui devaient balayer le capitalisme inégalitaire et source de tous les maux. De chacun de ces idéaux, il y eut de vrais chantres qui se montrèrent convaincants et dont, par un de ces étranges tours que joue l'histoire, on retrouve un certain nombre à la direction de ces mêmes entreprises qu'ils vouaient alors aux gémonies. Les pères traditionnels ayant souvent abusé de leur pouvoir, il n'était pas très bon de se prévaloir de leur héritage. Il fallait inventer une nouvelle manière d'être père quand on avait envie de l'être. Celui qui en eut le courage se rua généreusement sur les revendications maternelles légitimes d'un partage des tâches domestiques. Il ne tarda d'ailleurs pas à occuper le terrain — notons qu'aujourd'hui bien de ses héritiers, tout en se prévalant de ses dispositions, ne les mettent que de moins en moins en pratique[1]. C'est pour lui, à moins qu'il n'en ait été l'auteur, qu'a été inventée la fameuse représentation de la triangulation contre laquelle je me suis élevé. Attentif et maternant, mieux que d'avoir applaudi à la fabrication par sa compagne de l'utérus virtuel destiné à leur enfant, il aura pris soin d'en vérifier l'étanchéité, voire d'en remettre une couche. L'enfant, mis à l'écart de toute expérience du temps, satisfait jusqu'à l'écœurement, deviendra le tyran que l'on sait. Le cas de figure est devenu si fréquent qu'on peut en inférer le type de père qui l'a promu. La configuration familiale n'y résiste d'ailleurs pas longtemps. Et quand le couple — qui, en bonne logique et dans un tel contexte, a cru devoir se construire sur fond du si toxique modèle de l'amour romantique — se défait, on voit ce même père venir réclamer ses droits sinon la garde exclusive de son enfant, certificats et témoignages d'excellence, de présence et de dévouement à l'appui.

On peut se demander pourquoi nous en sommes là.

Parce que, je le répète, on croit pouvoir ignorer ce qui nous meut et nous tirer d'affaire avec notre intelligence et notre raison, sans prendre garde que nous ne sommes rien d'autre que des individus d'une espèce dont les règles de

1. À croire qu'ils tiendraient instinctivement à leur vécu du temps au point de ne plus même pouvoir s'efforcer de soulager leurs compagnes !

fonctionnement, jusqu'à présent immuables, ne souffrent d'aucun accommodement. Toute transgression de ces règles opérée par les générations qui nous ont précédés parvient jusqu'à nous par l'effet d'une histoire qui nous a échu à notre naissance et qui nous travaille bien plus que nous ne sommes portés à le croire.

Quelques vignettes cliniques pêle-mêle donneront peut-être une idée des extrêmes dans lesquels tombent parfois les pères.

William a passé son temps à se proposer de soulager sa compagne en assumant une bonne part des soins requis par leur fils Franky. Dès que ce dernier eut acquis le langage, il en fit son confident et entreprit d'abord de lui montrer en toute occasion qu'il l'aimait plus que sa maman. Puis, quand le couple s'enfonça dans la crise qui couvait, il le fit témoin de son malheur, n'hésitant pas à aller le tirer du lit pour lui faire partager le canapé du salon où il passait ses nuits. C'était dramatique d'entendre cet enfant d'un peu moins de quatre ans, tenant la main de son père, le consoler en me prenant à témoin et en me disant que son « papou » était très malheureux.

À quelle impasse cet homme a-t-il été confronté pour ne pas prendre la mesure du dilemme dans lequel il enfermait son enfant ?

Quand il a appris la liaison de son épouse, Jacques a tout fait, en apparence tout au moins, pour être le meilleur homme du monde. Il est parti en laissant à sa femme aussi bien la garde des enfants qu'une très confortable pension alimentaire. Il a fait avaliser ces dispositions par le juge étonné de ne l'entendre poser qu'une exigence : avoir le droit d'appeler tous les soirs ses enfants, où qu'il fût. Sa femme elle-même n'en revenait pas, se demandant si l'affichage de cette grandeur d'âme n'était pas destinée à lui donner plus de remords encore. Jusqu'au jour où, décrochant l'autre poste de téléphone, elle entendit la conversation. Son mari expliquait la même chose dans les mêmes termes aux trois enfants qui se succédaient à l'appareil, leur disant qu'ils devaient se méfier de leur mère, laquelle était une putain qui l'avait trompé et qui risquait de leur faire à eux aussi bien du mal plus tard. On imagine ce que furent les difficultés d'intervention des acteurs sociaux pour tenter de préserver les enfants pris dans cette tourmente, chacun se demandant comment la blessure narcissique de cet homme si distingué avait pu lui faire oublier le statut de ses enfants.

Jacques, s'il ne semble pas relever de la catégorie des pères revendiquant la certitude de leur statut, n'en est pas très loin, occultant les dégâts qu'il produit sur ses enfants.

Il ne fallut pas longtemps à Romain pour trouver à redire à l'allaitement de sa fille. Après avoir insisté sur la frustration qu'il ressentait, il exigea de sa compagne qu'une fois par jour au moins elle tirât son lait et le mît dans un biberon qu'il pourrait donner. La maman ne fit tout d'abord pas de difficulté pour accéder à sa demande. Mais cela prit un tout autre tour quand elle tenta de lui faire renoncer au rituel qu'il avait mis en place à cet effet. Il avait choisi de donner le dernier repas de la journée. Qu'à cet effet il se mît en pyjama, elle ne trouvait rien à redire, mais ce qu'elle n'a pas supporté c'est que, par-dessus ce pyjama, il enfilât la chemise de nuit de feu sa vieille mère !

Tout homme a été un tout-petit dans les bras d'une mère. Et sa première identification s'est faite sur elle pour se compléter, ensuite, par une identification, sinon au père, du moins à un personnage masculin. Il est fréquent sinon banal qu'un bébé réveille chez son père cette identification primaire, mais pas qu'elle persiste à ce point !

Si je garde par exemple si nettement en mémoire l'histoire de Daniel, ce n'est pas seulement en raison de sa singularité ; c'est parce qu'à peine était-il entré dans mon cabinet qu'il se présentait sous son seul prénom et qu'en me tendant la main il me tutoyait. J'ai pensé en avoir été troublé plus que je ne l'aurais dû quand je l'ai vu quelques jours plus tard : je ne me souvenais ni de sa compagne ni de son bébé. Et il m'a fallu quelques minutes et le recours à ma secrétaire pour comprendre ce qui m'arrivait : sa compagne et le bébé qu'elle avait dans les bras n'étaient pas ceux que j'avais vus la fois d'avant. Le manège se renouvellera trois fois encore en cinq semaines. J'ai vu, autrement dit, dans ce laps de temps, Daniel avec quatre femmes différentes et quatre bébés portant certes des noms différents mais pratiquement tous du même âge. J'ai fini par m'y faire ! Et j'ai suivi ce « harem » pendant plusieurs mois avant d'en saisir le statut. Daniel n'était de fait le géniteur que d'un seul des bébés et le compagnon d'une seule des mères, laquelle, comme les autres au demeurant, se croyait être la seule qu'il accompagnait chez moi. Il avait tout simplement décidé, comme j'ai fini par le savoir plus tard, de venir en aide aux futures mères qu'il rencon-

trait seules en fin de grossesse et de remplacer auprès d'elles le géniteur absent. Comme d'autres collectionnent les tableaux ou les trophées de chasse, lui collectionnait ainsi des mères ; il les rendait dépendantes de lui du seul fait de son dévouement et de sa présence sans avoir vis-à-vis d'elles, ai-je appris, la moindre velléité ou le moindre projet de relation sexuelle. Dans les mois qui suivront, il m'en conduira encore trois autres. Daniel serait, pourrait-on dire, comme addicté à l'exercice de la paternité. Parce que je lui en demandais un jour la raison, il me dit : « Quand, à l'âge de huit ans, j'ai vu comment ma mère traitait mon père, je me suis juré de faire en sorte d'être plus tard mieux respecté. Dans le lot de ces mamans, il y en aura bien une qui comprendra mon importance et qui consentira à m'en créditer. »

Simon, lui aussi, me dira des choses identiques, après m'avoir amené, toujours seul, en quelques années, six enfants de mères différentes avec lesquelles il rompait dès la venue au monde du bébé qu'il leur avait fait. Quand je me suis étonné auprès de lui qu'il n'eût, malgré cette propension, transmis son nom à aucun des enfants, il me dit : « Quel nom ? Le nom de qui ? Lorsque j'ai eu dix ans, ma mère m'a appris que mon père n'était pas mon père. Et elle est morte, la salope, en ayant toujours refusé de me dire avec qui elle m'avait fait ! »

Ces deux-là se sont donné les moyens qu'ils ont trouvés de reprendre, pour la réparer — n'est-ce pas le moteur de toute procréation ? —, leur histoire.

Quand j'ai vu Gérard, avec Michèle sa mère et Frédéric son père, on en était justement au début de la révolution des

« nouveaux pères ». Ce qui m'a intéressé dans leur histoire, c'est que dans leur cellule familiale la configuration habituelle était inversée. Frédéric, espérant percer dans la peinture, s'occupait du bébé et de la maison, alors que Michèle, secrétaire de direction, partait le matin au travail et rentrait le soir pour mettre les pieds sous la table. J'ai cherché pendant deux ans à relever les éventuels effets de cette permutation des tâches traditionnelles. En vain. Un jour, ils sont arrivés avec un couffin rose et ils m'ont présenté… Chimène. Comme je me suis enquis de ce choix original du prénom, Frédéric me déclara : « Je m'appelle bien Rodrigue. » Devant mon étonnement et le fait que je lui aie répété le prénom par lequel j'ai souvent entendu son épouse le héler, il se lança dans un long discours pour m'expliquer que son père avait toujours voulu l'appeler Rodrigue mais que sa mère s'y était opposée. Il me dit connaître par cœur Le Cid *et ne jamais en rater une représentation, où qu'elle eût lieu, la dernière qu'il ait vue, jouée le mois d'avant par les élèves de terminale d'un lycée, ayant eu lieu à Châteauroux. Puis il ajouta : « La plus belle que j'aie vue est sans conteste celle du TNP. J'avais dix ans, et jamais je n'oublierai Gérard Philipe. » J'avais du coup la raison du choix du prénom de son aîné. Et j'en étais à me dire que, tout « homme d'intérieur » qu'il eût été, Frédéric n'avait jamais dû oublier qu'il était un homme et un père dans la lignée du sien, quand, soudain, Michèle, qui déshabillait Chimène, le tança en lui disant : « Je t'ai toujours dit de ne pas serrer autant les couches ! » Comme pour faire écho à mes pensées, je l'entendis lui rétorquer : « Eh, minute, minute, j'suis qu'un mec », et de poursuivre, en s'adressant à son fils : « Hein, Gérard, nous, on n'est que des mecs ! »*

On ne peut donc mieux être père qu'en étant dans la filiation du sien, ce qui nécessite qu'on soit passé par-dessus tous les conflits qu'on a pu avoir avec lui — ce qui, bien entendu, n'est pas toujours aussi simple que ça. On peut alors se substituer à la mère sans guigner sa place et laisser ainsi à l'enfant la possibilité d'avoir des repères fiables.

Cyprien vient, quant à lui, furieux, triste et déboussolé, me demander s'il doit gronder son fils de onze ans qui lui a volé un gros billet dans son portefeuille, ou bien faire comme s'il ne s'en était pas aperçu. Il serait naturellement porté à sévir, mais il craint le « qu'en-dira-t-on » et surtout la réaction de sa partenaire qui a déjà minimisé l'incident et décrété qu'il ne fallait pas y réagir.

Jérôme, disert, philosophe d'abondance, lui, sur les ruptures entre générations et sur les effets de mode. Il se demande ce que tout de même va devenir sa fille de quatorze ans, collectionneuse de petits amis qu'elle amène à la maison pour la nuit. Il avait cru jusque-là pouvoir jouer le copinage et se tirer d'affaire en souhaitant « bonne bourre ! » au couple juste avant que ne se referme à son nez la chambre de l'adolescente ! Mais ça lui coûte beaucoup et ça l'inquiète plus encore.

Difficile ! Difficile ! Comme souvent.

Je pourrais longtemps multiplier les exemples, sans les épuiser ni épuiser ce qu'ils nous enseignent, ni les questions qu'ils nous posent.

Que sont donc ces pères ? Qu'en dire ? Sinon que, sur fond d'une évolution qui a supprimé la vieille contention exercée autour du couple et la reconnaissance implicite de l'importance du père, ils paraissent paumés, déboussolés, furieux, perdus, errant à la recherche d'une solution qu'ils savent par avance introuvable. En d'autres temps, leur comportement ne leur aurait-il pas valu d'être qualifiés d'indignes ? La direction forcément inadaptée dans laquelle ils se sentent poussés à agir témoigne autant de leur maladresse que de la perte de leurs repères. Ils ne peuvent même plus être flous. Ils craignent d'être, s'ils ne se savent pas déjà, inexistants. Se sentant seul et menacé, chacun d'eux, faute de trouver le moindre soutien sociétal, invente sa solution face à une compagne devenue détestable et effrayante d'autant qu'elle se meut dans un décor dont le fond demeure hanté par l'ombre d'une autre mère, la sienne propre, et que résonne encore à ses oreilles le bruit du combat où il a vu son père défait.

Chaque parent, enfant des siens propres, retrouve toujours en effet dans l'aventure qu'il vit avec son enfant aussi bien celle qu'il a lui-même vécue que les distorsions qui en ont affecté le cours, faisant de lui un être unique, un peu comme s'il était hors norme. Un peu comme s'il était hors norme parce qu'il pense qu'il existerait des normes qu'il cherche à tâtons et avec ses seuls moyens. Un peu comme s'il existait des normes dont nul ne saurait en quelque sorte rien si ce n'est qu'il les reconnaîtrait s'il venait à les rencontrer.

Ces normes existent-elles, fondant cette forme d'harmonie dont chacun aurait une forme d'intuition ? Une forme d'harmonie qui serait telle qu'elle pourrait admettre aussi bien la résistance têtue que la mère oppose à la Loi que la pression que cette Loi se doit d'exercer ?

Et si de telles normes existent et que chacun entreprenait de les chercher, il faut croire qu'il a dû en avoir au moins une approche. Les aura-t-il perçues possibles à un âge où on croit que tout l'est ? Les aura-t-il frôlées puis perdues définitivement ?

Freud a eu bien sûr raison de dire qu'être parent est un des trois métiers impossibles. Il a eu également raison quand il a répondu, à Marie Bonaparte qui voulait savoir comment faire pour bien élever des enfants : « Comme vous voulez, de toutes les manières, ce sera mal. » Mais c'est ce « mal » qui, comme je l'ai déjà dit, constitue, aujourd'hui encore, le moteur de la procréation. Chacun est persuadé que ce dont il souffre est consécutif à une erreur que ses parents ont commise à son endroit. Sa vengeance tiendra donc dans une détermination : faire à son tour un enfant et surtout ne pas commettre avec lui l'erreur dont il a été victime... On sait la suite.

Que peut-il donc en être de ce mouvement obstiné ? Et si une forme quelconque d'harmonie existait ou pouvait être seulement envisageable, en quoi et comment aurait-elle à voir avec l'histoire de notre espèce et avec les conséquences de la manière dont les parents, même sur un mode plus policé, continuent de s'opposer violemment l'un à l'autre, au nom même de ce qui les régit en tant qu'êtres sexués ?

Si une quelconque forme d'harmonie pouvait exister, les mutations récentes survenues dans l'organisation de nos sociétés occidentales en annonceraient-elles la venue prochaine, nous incitant à voir les nouvelles figures de la parenté en être les prophètes ? Ou bien, *a contrario*, ces mêmes figures seraient-elles annonciatrices du chaos dans lequel chacun de nous court le risque de voir sombrer sa descendance comme son âme propre ? Et que faire, que tenter au moins de faire, pour ne pas rester dans cette affolante incertitude ?

V

L'ENFANT ENJEU

Forte de sa conviction et de son pouvoir, elle avait donc réussi à se faire accorder la permission de sortir allaiter son bébé en pleine session d'examen. Et rien, ni personne, n'a pu, ni n'aurait pu, entamer sa détermination. Comme si sa condition la fondait en toutes circonstances à ne tenir compte que de sa seule appréciation. J'ai reconnu mon échec. J'ai aussi dit mon dépit et mon impossibilité à prévoir le moment où elle accepterait d'ouvrir l'utérus virtuel extensible à l'infini qu'elle avait construit autour de son enfant et de le mettre — dans quelles conditions ? — enfin au monde.

Mais y est-elle elle-même parvenue, à venir au monde, elle qui rencontre la sollicitude complice de sa mère et l'approbation muette du père de son enfant ? Comment aurait-elle pu le faire sans se dégager de l'injonction à répéter qu'a dû lui adresser sa mère ? Comment aurait-elle pu le faire quand cette mère, l'invitant à mettre ses pas dans la trace des siens, lui a présenté cette démarche comme allant de soi et constituant le prolongement légitime et salutaire de sa propre histoire ? A-t-elle eu une autre petite enfance que celle qu'elle a mise en place pour son enfant ? A-t-elle eu un père autre que muet ? N'est-ce pas toujours par ce type de détails que les histoires se transmettent ? N'est-ce pas toujours de cette manière que, s'inscrivant profondément dans la mémoire des êtres, elles leur apparaissent comme indépassables, allant jusqu'à induire la direction de l'étape qu'ils mettront en place pour leur propre compte ? « Pourquoi changer une stratégie qui a fourni ses preuves puisque te voilà là ? », aurait pu tout aussi bien lui dire sa mère. Et qu'aurait-elle pu trouver à redire à cela ? N'était-il donc pas attendu qu'elle dût confondre reproduction et répétition, et qu'elle fasse de l'occasion que lui donnait la première la promotion de la seconde ?

Combien d'entre nous peuvent-ils comprendre que la répétition, derrière la paresse sur laquelle elle parie, ouvre la porte à la mort de l'invention, si ce n'est à la mort tout court ? Alors que la reproduction, parce qu'elle intègre un tiers étranger et nouveau dans l'aventure, ouvre la voie au changement, à l'innovation, à la vie ! N'est-ce pas, pour chaque génération, la mise en œuvre, à l'échelle des couples qui se forment, des effets du brassage des populations généralisé par la Loi de l'espèce ? Combien d'entre nous comprennent-ils que le passage générationnel est une chance à saisir pour faire rendre gorge à ce qui a pu mal se passer auparavant, quand, se laissant enfermer dans un passé qui n'a pas renoncé à son pouvoir sur eux, ils se terrent, effrayés par les risques qu'ils imaginent leur progéniture courir ?

Combien nombre d'entre nous, tout en sachant l'impasse dans laquelle ils s'engagent, acceptent-ils ainsi de ne jamais naître à une vie dont l'assomption les terrifie ? Combien nombre d'entre nous, profitant de la longévité et de la disponibilité, l'une et l'autre nouvelles, de leurs parents, ne se vautrent-ils pas indéfiniment dans le confort prolongé d'une enfance qui les a définitivement abrutis ? La simple survie ne vaut-elle pas, à elle seule, d'être investie ? Et pourquoi aller en mettre le statut en suspicion au motif qu'elle alimenterait la redoutable jouissance de la grand-parentèle ? Celle surtout des grand-mères maternelles, avec la complicité muette des grand-mères paternelles qui, demeurant souvent à l'écart du devenir de leurs petits-enfants, semblent fondées à savoir, elles-mêmes, ce qu'il peut y avoir de redoutable dans une détermination féminine mise au service de la jouissance. Les unes et les autres ont d'ailleurs réussi, depuis quelques générations déjà, à gagner leurs compagnons à leurs vues quand elles ne les ont pas tout simplement réduits au silence. Le père de cet enfant n'aura-t-il pas lui-même été converti par sa propre aventure de vie à la pertinence d'un dispositif qu'il approuve implicitement ? N'a-t-il pas dû avoir lui-même une mère aussi redoutablement déterminée que celle de son enfant et un père aussi muet qu'il l'est ? Comment expliquer, sinon, sa passivité ? Ne se trouve-t-il d'ailleurs pas, là, dans une situation qui fonctionne jour après jour sans heurt et sans anicroche ? Pourquoi aurait-il dû alors s'en inquiéter ? Au nom de quoi ? Au nom de quelle idée d'un après, d'un long terme, d'un plus tard, ou de conséquences auxquelles il a dû lui sembler qu'il sera toujours temps de penser, tant il a estimé simple et bon de prendre les choses comme elles venaient et de vivre au jour le jour ? Et puis, pourquoi aurait-il dû prêter l'oreille aux Cassandre de tout poil et mettre en doute le bonheur promis, quand toutes les précautions dont sont entourés cette mère et son enfant dégoulinent à l'évidence de bonté et d'amour ? Et qu'importe de surcroît une quelconque défiance quand elle s'avérerait en totale contradiction avec l'idéologie actuelle de nos sociétés à ce point satisfaites d'elles-mêmes et de ce à quoi elles sont parvenues ?

C'est là le point crucial. C'est en effet là que gît la signature du point de non-retour que nous avons, me semble-t-il, atteint.

Je ne vais pas m'étendre sur la carence de la dimension adulte qui frappe le comportement général de nos contemporains invités à se laisser indéfiniment abrutir. Je ne vais pas non plus insister sur les adolescences qui n'en finissent pas ni sur l'augmentation de l'âge de la première maternité, pas plus que je ne le ferai sur la désaffection du mariage, la précarité du couple ou, encore moins, l'augmentation considérable du nombre de divorces. Ce sont des choses que chacun sait parce qu'il les a plus ou moins mollement enregistrées sans savoir qu'elles pouvaient tôt ou tard le concerner. Ce sont en outre des données que les analystes de la grande presse ne cessent de rapporter et de commenter, comme ils le font, de temps à autre, de l'augmentation exponentielle qui caractérise le nombre de familles monoparentales[1]. Nous recevons tout cela comme autant de réalités objectives de notre époque, sans jamais nous demander comment elles ont pu survenir ni en quoi elles pourraient tôt ou tard nous toucher ou menacer la recherche d'équilibre dont notre humanité n'a pas cessé de se préoccuper. Pouvons-nous pour autant continuer de mettre paresseusement ces bouleversements au compte d'une nouvelle mais

1. La catégorie des familles dites « monoparentales », composées à 88 % de femmes, a explosé en deux décennies. De 79 000 en 1979, elles sont passées à 1 390 000 en 1993, à 1 750 000 en 1999 et ont dépassé les 2 000 000 en 2002. Soit une augmentation d'environ 2 531 % en vingt-trois ans, c'est-à-dire une moyenne globale d'environ 110 % par an.

banale mutation de notre espèce, sans chercher au moins à recenser, à défaut de les examiner, les multiples facteurs qui l'ont produite ?

À relever le triomphe de la dimension maternelle telle qu'elle se manifeste, en particulier avec son rapport au temps, aussi bien dans les modalités d'élevage des enfants que dans la dynamique de nos sociétés vouées à la consommation qui privilégient l'instant et l'éphémère (l'effet-mère) au détriment de la durée et du long terme, nous pourrions conclure à une sérieuse mise à l'épreuve de la Loi de l'espèce, sinon même à la promesse de son abandon. Si elles ne prônent pas encore la pratique de l'inceste, nos sociétés semblent en effet ne plus le condamner que mollement, quand elles ne se font pas aveugles à quantité de ses équivalents, comme si elles avaient pris leur parti de son irrépressible émergence ou d'une forme tout au moins statistique de son inéluctabilité. On peut, pour ne prendre que cet exemple, regretter le dévoiement auquel a abouti la diffusion du message psychanalytique quand les mères sont aussi nombreuses à manifester aussi ouvertement leur ravissement devant les propositions incestueuses de leurs fils et que certains pères déclarent, à qui veut bien les entendre, vouloir être les seuls hommes de la vie de leurs filles !

Pourquoi donc ne pas admettre que, si ce n'est déjà fait, nous serions sur le point d'avoir franchi une étape décisive dans le si long et si dur affrontement qui a opposé, depuis ces temps immémoriaux, les hommes et les femmes, que j'ai fini par assimiler à deux sous-espèces, foncièrement étrangères l'une à l'autre, de notre espèce commune ? Et pourquoi ne pas admettre que cette étape, qui signerait subreptícement l'affranchissement des femmes soumises jusque-là à une Loi qu'elles n'ont jamais ratifiée, atteste leur victoire ?

Pourquoi ne pas admettre, alors, que nous ne nous trouvons pas face à une mutation brutale et inexplicable de nos sociétés, mais face aux conséquences d'une évolution dont les générations précédentes, autant que les nôtres, ont dessiné les contours sans jamais se préoccuper de ce à quoi elles pouvaient éventuellement aboutir ? Il ne faut pas nous aveugler ou nous exonérer de notre responsabilité collective. Mieux vaut prendre la mesure de ce que nous avons cru pouvoir mettre sans risque en place et qui, sans que nous l'eussions ni voulu ni prévu, a profondément altéré l'équilibre relatif qui avait prévalu jusqu'à présent au point de nous avoir conduits là où nous en sommes. Bien que ce ne soit pas si simple ! Car tout cela est encore tellement à vif que tenter d'en dresser un semblant de bilan expose au risque de se voir accusé de nourrir une intolérable nostalgie du temps passé ; comme si tout questionnement de ce mouvement risquait de le faire passer pour une douteuse incitation à revenir en arrière. Enregistrer les progrès accomplis interdit-il d'en relever d'éventuels inconvénients ou effets pervers ? La Sécurité sociale est un grand progrès ; constater qu'elle coûte cher et qu'on doit réfléchir à son financement ne suppose cependant pas qu'on veuille la supprimer.

Sans remonter très loin, on peut noter, par exemple, que les problèmes économiques auxquels se sont trouvées confrontées nos sociétés industrielles — gérées par des hommes, ne manquera-t-on pas de faire remarquer —, comme l'appât du gain qu'elles ont suscité, les ont conduites à enrôler les femmes dans le monde du travail, sans se préoccuper du déséquilibre qu'elles allaient créer, tout au moins au niveau symbolique, dans le rapport des hommes à ces mêmes femmes. Il existait en effet depuis toujours un équilibre symbolique dans ces rapports : jusqu'alors, en effet, le travail fournissait aux hommes le point d'ancrage d'un potentiel créatif qui leur permettait de contrebalancer celui que leurs femmes détenaient depuis toujours par leur capacité procréative, avec comme corrélat de les maintenir dans leur dépendance et de gérer un tant soit peu le devenir de leur progéniture commune. Quand les femmes ont accédé à ce monde du travail, leur potentiel procréatif s'est trouvé du coup doublé d'un potentiel créatif, alors que le potentiel créatif des hommes n'a pas plus changé qu'augmenté. On peut d'ailleurs se demander si ce bouleversement, et le déficit créatif masculin qu'il a entraîné, n'est pas responsable du sort inique fait aux femmes qui continuent de ne pas pouvoir jouir des mêmes droits, des mêmes profils de carrière et des mêmes émoluments que leurs collègues masculins ! Victimes depuis toujours de cette discrimination, elles n'en ont pas moins acquis plus ou moins vite leur indépendance économique. Elles ont dès lors accédé à une forme progressive d'autarcie économique, laquelle leur a permis, qu'elles aient ou non des enfants, d'envisager sans effroi la rupture éventuelle de leur couple, comme en atteste le fait que dans toutes les classes sociales ce sont elles, aujourd'hui, qui demandent le plus souvent le divorce.

Le bien-être engendré par ces dispositions au niveau du travail n'a pas manqué de susciter, dans toutes les couches de la population — idéologie industrielle uniformisante oblige —, une véritable boulimie du même bien-être à tous les niveaux et dans tous les domaines. Ainsi en a-t-il été, pour prendre encore un autre exemple, de cette sexualité qui était censée ne travailler que les mâles de l'espèce. Quel rêve ces mêmes mâles n'ont-ils pas caressé depuis toujours de pouvoir s'y adonner sans limite et surtout sans avoir à continuellement devoir vaincre la crainte de la grossesse qui freinait l'enthousiasme des femmes et qui les a si longtemps dissuadées de céder à leurs sollicitations. Si les recherches sur la contraception ont d'abord été menées dans un souci démographique, elles n'en ont pas moins été espérées, attendues et soutenues pour le confort — et le plaisir sans remords ! — qu'elles allaient pouvoir procurer. Ne nous étonnons pas dès lors que les femmes, à la génitalité comme on l'a vu bien moins brouillonne que celle des hommes, aient revendiqué la même liberté que celle de leurs compagnons. Pouvaient-elles ne pas tirer parti de cette avancée ? La plupart d'entre elles ont allégrement franchi ce nouveau pas. Avec cependant une nuance. Car, même de nos jours, si les hommes se livrent à leur éternel papillonnage, bien des femmes encore, malgré les facilités apportées par la contraception et la libéralisation des mœurs, ne s'y adonnent pas avec la même légèreté. On ne peut comprendre cette différence qu'en postulant l'existence de ressorts inconscients qui demeurent encore à l'œuvre. En raison du fait qu'hommes et femmes gardent sur eux la trace de leur gestation dans le ventre de leur mère, la rencontre d'un homme avec le corps d'une femme se produit toujours sous le signe des retrouvailles, faisant de cette dernière, quel qu'en soit le rang, une deuxième ; en revanche, la rencontre d'une femme avec le corps d'un homme se produit toujours, elle, sous le signe de la découverte, faisant de ce dernier, quel qu'en soit le rang, un premier qui efface tous les précédents ; le risque encouru s'avère dès lors trop grand pour être pris à la légère.

Quant à ce qui se passe du côté des enfants, la mainmise des mères sur eux n'est pas plus à démontrer qu'à évaluer tant elle est flagrante et pratiquement totale dans toutes les configurations familiales sans exception. Loin de leur offrir confort, bonheur et sécurité comme on a cru pouvoir l'imaginer ou le soutenir, cela les enferme eux et leurs mères dans des problèmes parfois inquiétants. J'ai déjà dit, et sans doute le redirai-je encore, que l'aventure de l'espèce pouvait se résumer à la confrontation de deux égoïsmes hétérogènes qui se neutralisent mutuellement au bénéfice de l'enfant. Il en va cependant, aujourd'hui, comme si les mêmes voix qui s'élèvent pour stigmatiser l'égoïsme patent de l'homme, préoccupé de sa seule satisfaction, choisissaient en l'occurrence de s'attendrir sur la mainmise maternelle comme si elle était l'expression paradigmatique du désintéressement, alors même qu'elle relève d'un égoïsme plus condamnable encore que son équivalent masculin, parce que, livré à lui-même, il est non seulement destructeur des individus, mais risque d'obérer ce que l'espèce a accompli de progrès depuis des centaines de milliers d'années.

Cela n'a pas en effet que des conséquences conjoncturelles, individuelles, minimes ou négligeables. Cela semble nous dépasser au point peut-être de susciter des convulsions susceptibles de secouer l'ensemble de notre planète. Ce ne serait pas la première fois que nous aurions à rencontrer dans notre histoire des petites causes aux effets considérables.

DE L'ŒSOPHAGE DU NOUVEAU-NÉ À AL-QAIDA

L'appariement de termes que j'opère dans cet intertitre, aussi impertinent puisse-t-il paraître, m'est venu au terme d'une réflexion qui m'a occupé pendant de nombreuses années.

Au milieu de ma carrière de pédiatre, je me suis en effet trouvé confronté, chez les nouveau-nés que je prenais en charge, à l'éclosion d'un tableau clinique qui m'a d'abord paru émerger, avant de se faire insistant puis presque régulier. Que les bébés, surtout quand ils sont petits, régurgitent souvent et vomissent parfois, il n'y a là rien que de très banal, et le fait est mentionné dans les traités médicaux depuis la plus haute antiquité. Mais qu'ils se mettent à vomir sans arrêt et surtout à souffrir, au point de mal se nourrir et de se réveiller plusieurs fois par nuit, c'est moins banal. Ayant d'abord eu à constater le fait chez quelques-uns d'entre eux, j'ai été étonné de le retrouver de plus en plus souvent : d'abord chez un bébé sur cinq environ, puis chez un sur quatre, voire un sur trois, avant que cette proportion n'augmente encore pour atteindre, à la fin de ma carrière, le chiffre stupéfiant de pratiquement neuf bébés sur dix ! J'ai ainsi vécu moi aussi ce que certains d'entre nous ont appelé, par clin d'œil à une invention du langage politique qui lui était contemporaine et qui a eu beaucoup de succès : « la génération reflux ». Pour on ne sait quelle raison, la jonction entre l'estomac et l'œsophage s'est mise à ne plus remplir son office antireflux ; le liquide gastrique acide remonte alors dans l'œsophage qui n'est pas fait pour le recevoir et y produit des brûlures intolérables quand il n'y provoque pas des ulcères de différents degrés de gravité.

Le constat que j'avais dressé, surtout avec la curieuse augmentation de fréquence du tableau qu'il constituait, ne m'a laissé ni indifférent ni passif. Il m'a mystifié au point que non seulement je me suis lancé dans une revue exhaustive de la littérature, mais que j'ai cherché à en débattre avec mes collègues, lesquels partageaient mon étonnement et étaient aussi perplexes que moi. Je suis également allé interroger nombre de professeurs de médecine, vieux et moins vieux, pour tenter de comprendre ce à quoi nous nous trouvions confrontés. Ce fut peine perdue. Eux aussi avaient constaté le phénomène, mais ils ne voyaient pas comment l'expliquer. Puisque le tableau se rencontrait de plus en plus souvent, me permettant d'avoir un recrutement personnel suffisant, j'ai alors décidé de mettre en place ma propre enquête et d'essayer de mesurer, par moi-même, si le mode d'allaitement — artificiel *versus* maternel, anciens laits à peine demi-écrémés *versus* nouveaux laits avec leurs différentes formules plus modifiées les unes que les autres —, le sexe, les conditions et le rang de naissance ou bien la configuration de la cellule familiale, etc., intervenaient dans sa production. On imagine le temps que m'a pris une telle collecte d'informations dont l'analyse s'est trouvée d'autant plus difficile que j'avais défini une certaine quantité de paramètres et que nombre d'entre eux se recoupaient. Comme, dans le même temps, le marché s'enrichissait rapidement de traitements efficaces et du côté de la diététique, et du côté de la pharmacopée, l'espoir de conclusions rapides devenait plus problématique encore. Cela a d'ailleurs concordé avec la mise en orbite de la sous-spécialité, discrète jusqu'alors, qu'était la gastro-entérologie infantile, laquelle a commencé à imposer des avis qu'on ne pouvait se permettre d'ignorer, mais qui semblaient ne pouvoir m'être d'aucune utilité puisqu'ils ne concernaient que les moyens d'affiner les diagnostics et d'obtenir les meilleurs résultats thérapeutiques possibles. Je me souviens d'avoir tenté, au cours d'un colloque national, de faire état de ma longue expérience clinique pour justifier mon étonnement, et mes interrogations autour de l'éclosion de cette nouvelle pathologie, auprès des jeunes agrégés qui étaient à la tribune. Ils me répondirent qu'il a dû toujours en être ainsi chez les tout-petits, à ceci près, ajoutèrent-ils, que nous ne savions certainement pas, dans le temps, porter ce type de diagnostic. Les collègues de ma génération et moi-même avons été dépités, et révoltés plus encore, de cette réponse qui méconnaissait délibérément nos aptitudes de cliniciens. Nous avons alors éprouvé une certaine amertume à constater la régression qu'avait produite l'évolution d'une médecine qui, affichant une prétention scientifique, s'était désormais aliénée à la seule technique instrumentale.

Le temps passant, j'ai donc repris ma propre statistique. J'ai dû d'abord en conclure que le mode d'allaitement n'était pour rien dans le phénomène. Le rang dans la fratrie n'était pas lui non plus déterminant, pas plus que ne l'étaient la structure ou la configuration familiale, le terme, le poids de naissance ou les conditions de l'accouchement. J'ai bien sûr relevé une nette prédominance masculine chez les enfants atteints, mais cette proportion, congruente avec la plus grande morbidité générale masculine (70 à 75 % de garçons malades, toutes causes confondues, pour 25 à 30 % de filles), ne revêtait pas de signification particulière. Au fil du temps, j'ai été amené à prêter attention à un facteur que j'étais bien loin d'avoir repéré et que je n'avais bien sûr pas pris de ce fait en considération. J'ai en effet remarqué que le symptôme était inexistant chez les bébés de parents récemment émigrés — Africains, Maghrébins, Cingalais, Cambodgiens, Malgaches, Indiens, Chinois, etc. —, mais qu'il survenait dans la proportion pratiquement habituelle chez les bébés de parents issus de l'émigration et en bonne voie d'intégration. Je n'allais tout de même pas en conclure que c'était notre pays, ou son climat, qui rendait les enfants malades ! Je me suis d'abord contenté de noter le fait. Mais j'ai pensé devoir lui trouver une signification lorsque je me suis aperçu que je n'avais pas non plus rencontré de cas de reflux dans ma clientèle juive Loubavitch[1] implantée en France depuis souvent plusieurs générations.

En faisant le lien entre ces derniers constats, il m'a fallu convenir que ces populations, au sein desquelles le tableau clinique ne se rencontrait jamais, pour différentes qu'elles eussent été les unes des autres, avaient cependant en commun, en raison de leurs cultures d'origine encore présentes, un solide système symbolique et une structure familiale suffisamment hiérarchisée pour que le père y eût une place reconnue et bien définie. Ces données, le travail d'intégration aidant, ne se retrouvaient déjà plus à la génération suivante et expliquaient alors l'éclosion du symptôme.

Bouleversé par cette trouvaille et reprenant à distance tout mon parcours en tentant d'y réfléchir de manière synoptique, j'ai dû relever un autre détail d'importance. J'ai en effet constaté que l'éclosion du symptôme et sa fréquence croissante dataient de la fin des années 1970, et plus précisément encore des années 1975 à 1980.

Cette datation était-elle le fait du hasard ou bien devait-elle, elle aussi, être prise en considération ? Je suis resté quelque temps dans l'hésitation, jusqu'au moment où j'ai dû convenir que quelque chose qu'on ne peut qualifier d'anodin s'est effectivement passé dans notre pays en 1975 : la légalisation de l'IVG (interruption volontaire de grossesse), autrement dit le parachèvement des techniques de contraception.

Je ne voyais cependant pas comment intégrer ce facteur. Et je suis resté quelque temps à me demander ce que cela

1. Les juifs Loubavitch sont des juifs extrêmement pratiquants, attachés au respect méticuleux de toutes les coutumes.

pouvait avoir à faire avec mes interrogations. Jusqu'au moment où j'ai eu à convenir que la maîtrise de la contraception n'avait pas pu ne pas affecter le statut de l'enfant. Jusqu'à son avènement, y compris du temps de la méthode Ogino et même de la pilule, les procédés contraceptifs comportaient tous en effet un certain taux d'échec. L'enfant conçu, voulu ou non, programmé ou non, gardait encore le statut qu'il a toujours eu : fruit d'un désir (inconscient) qui pouvait l'imposer à la volonté (consciente), il pouvait être défini comme le sous-produit, venu avec l'aide partielle du hasard, de l'activité sexuelle de ses parents. Lesquels parents, de ce fait même, quelque amour ou quelque passion eussent-ils pu concevoir à son endroit, assumaient en toute simplicité la hiérarchie de leur rapport à lui et l'accueillaient dans un effet de surprise qui laissait la porte ouverte à toutes les réactions qu'il allait avoir. Ils constituaient pour lui, comme les parents l'ont été de tout temps, un environnement relativement serein sur fond duquel il pouvait développer, lui, son sentiment de sécurité. À partir de la légalisation de l'IVG, le désir n'a plus du tout mené le jeu. Il s'est en effet trouvé soumis à la seule volonté, laquelle pouvait le censurer en toutes circonstances puisque l'IVG rendue possible était susceptible d'effacer les effets de son intervention. L'enfant, programmé et voulu, même s'il n'en était pas encore au point d'être calibré et prédéfini, ne revêtait plus le statut de sous-produit, mais celui d'un pur produit de l'activité sexuelle parentale. Les rapports qui se sont dès lors instaurés à lui ont été du type des rapports qu'on instaure en général aux produits de nos sociétés : on le savait rare et donc précieux, on l'a donc voulu parfait, c'est-à-dire fonctionnant bien, ne décevant jamais, procurant sans relâche le plaisir qu'on attend de lui et destiné bien sûr à ne jamais décevoir ; enfermé, autrement dit, dans un destin préconçu au service duquel les parents ne rechignent d'ailleurs pas à se mettre en inversant la classique hiérarchie des rapports et en le hissant, lui, au sommet de l'édifice familial. Ce n'était pas fait pour lui conférer le moindre sentiment de sécurité.

À regarder cette évolution avec les critères évoqués en maintes occasions, force est de constater que le passage du sous-produit au produit évacue le temps. Dans le premier cas en effet, la hiérarchie générationnelle est maintenue, l'enfant demeure l'enfant, et ses parents sont ses parents ; dans le second, elle est pratiquement abolie quand elle n'est pas inversée, l'enfant est en effet hissé au même degré générationnel que ses parents, quand ces derniers, se mettant à son service, ne le hissent pas à la place de la génération du dessus vis-à-vis de laquelle ils sont censés avoir une dette symbolique — ce qui ressort de leur manière de défendre leur attitude en faisant remarquer que l'enfant n'a pas demandé, lui, à venir au monde.

Une telle programmation, introduite par la maîtrise de la contraception, ne va pas sans générer de surcroît chez toute mère une singulière anxiété. Car, sans pouvoir le formuler, elle en arrive à se demander, si, enfermé qu'il est dans la prédéfinition qui lui a échu, cet enfant va ou non pouvoir assumer la tâche qui l'attend et dont, qu'elle le veuille ou non, elle se sent en grande partie responsable sinon garante, quand elle ne se sent pas singulièrement seule pour l'aider même si son partenaire est présent auprès d'elle et qu'il excelle dans le partage des tâches. Quand on prend acte, par ailleurs, du fait qu'une telle prédéfinition traduit une attente et une volonté d'invention, l'une et l'autre coupées de toute notion d'héritage et de l'effet de transmission des histoires parentales, on conçoit l'étendue de l'ambition du projet qui la contient. On peut, là encore, relever une véritable rupture. Alors que la prééminence du désir sur la volonté faisait automatiquement de l'enfant le chaînon d'une histoire qui allait se poursuivre par son entremise, la prééminence de la volonté sur le désir laisse croire aux parents qu'ils peuvent délibérément rompre avec cette histoire. Alors que toute naissance était jusqu'alors placée sous le signe de la reproduction et donnait l'occasion à chacun des parents de mettre un peu plus d'ordre dans la relation à ses propres parents et de se préserver ainsi du danger de répétition, la nouvelle donne leur laisse croire qu'ils peuvent tirer un trait sur tout ce qu'ils ont vécu et qu'ils vont pouvoir inventer et innover dans une entreprise au sein de laquelle ils sont déterminés à être d'excellents parents, attentifs et aimants, meilleurs que ne l'ont été les leurs pour eux. Pour ce faire, ils se mettent à l'entier service de leur enfant, n'hésitant pas à se lancer dans une véritable opération de séduction à son endroit. Une répression aussi forte de ce qui ne demande qu'à revenir naturellement à la surface à cette occasion va entraîner un plus violent retour encore de ce qu'on a cherché à refouler. Le rêve, dont l'accomplissement devait être merveilleux, va tourner au cauchemar. La tension parentale, et surtout la tension maternelle beaucoup plus perceptible par le bébé, va à elle seule non seulement participer à l'éclosion du trouble, mais en entraîner la persistance quand ce n'est pas l'aggravation.

Mais comment articuler de telles considérations avec un symptôme aussi physique que le reflux ?

C'est bien plus simple qu'on ne le pense.

On doit savoir, tout d'abord, que, même chez le rat, le stress est susceptible de créer des ulcères gastriques pour la simple raison que le réseau neurologique de la région gastrique, en particulier le plexus nerveux périœsophagien (le plexus solaire des auteurs anciens), est particulièrement sensible aux variations d'humeur. Les auteurs américains n'ont d'ailleurs pas hésité à dire qu'il était un second cerveau. Il faut également savoir qu'en raison de son séjour intra-utérin le tout-petit perçoit avec une extraordinaire acuité la variation d'humeur et même les pensées non formulées de sa mère. Ce qui confère à cette dernière la capacité de transmettre par exemple, sans le moindre mot ni le moindre discours et par sa seule gestuelle, son histoire et tout ce qui a pu s'y passer — un formidable avantage qu'elle garde sa vie durant sur le père, lequel, pour arriver au même résultat, est contraint d'en passer par une parole qui peut ne pas parvenir jusqu'à l'enfant si la mère y fait obstacle. Les choix d'invention et de rupture plus ou moins radicale opérés en conscience par son compagnon et elle-même vont donc entrer en conflit, comme je l'ai dit, avec le vieux fonds de processus de transmission. Cela ne viendra évidemment pas la torturer au point qu'elle s'en aperçoive. Mais cela ne cessera pas de la travailler comme une sourde antienne, têtue et obsédante, dont elle ne pourra se débarrasser. Ses gestes en seront nécessairement affectés — comme si elle était plus « tendue ». Le tout-petit, dont le câblage neurologique n'a pas d'isolant[1], y verra le moindre courant circulant dans une fibre diffuser, au-dessus d'une certaine intensité, à toutes les autres. Ce qui le rend extraordinairement sensible à la plus petite modification du tonus musculaire de la

1. Cet isolant, la myéline, ne pousse pour isoler les fibres nerveuses qu'à partir de la naissance et à raison de seulement 0,3 millimètre par jour.

personne qui le tient, *a fortiori* quand cette personne est sa mère. C'est d'ailleurs ce mécanisme d'action qui produit les effets, aux apparences miraculeuses, de la parole que lui adressent certains psychanalystes. Lui, il ne comprend bien entendu rien à leurs propos, mais il perçoit et enregistre parfaitement les variations involontaires du tonus musculaire qu'entraîne chez la mère l'émotion suscitée par le même propos. C'est pour avoir analysé comme je le fais cette cascade de réactions que je n'ai d'ailleurs jamais adhéré à la manière de faire des psychanalystes qui s'adressent aux tout-petits. Je la trouve de surcroît mystificatrice — il est si simple d'adresser directement le message qu'on croit devoir délivrer aux parents — et non dénuée de danger car elle m'a paru produire chez les parents qui en ont fait l'expérience un état persistant et regrettable de sidération : impressionnés en effet par la parole adressée en l'occasion à leur enfant, ils n'osent plus rien lui dire par eux-mêmes, comme si, faute de détenir l'art du brillant praticien qui a su produire le miracle, ils craignaient de commettre une bêtise. J'avoue préférer des parents vivants qui communiquent avec leurs enfants, quelle que soit la qualité des messages qu'ils leur transmettent, que des parents convertis à cette occasion à la stupide et néfaste religion de la bébolâtrie !

On comprend, à partir du démontage que je viens d'opérer, que, lorsque sa mère est sereine, le bébé l'est tout autant, et que, lorsqu'elle est stressée, il ne l'en est pas moins. Au point de réagir avec ses… tripes, pour ne pas dire avec son plexus nerveux périœsophagien et altérer la dynamique physiologique de son système antireflux.

Dès que j'ai pu me les formuler, mes déductions personnelles m'ont en tout cas conduit à encore plus associer aux thérapeutiques médicamenteuses un travail d'écoute des parents, travail dont les résultats ont toujours été probants. Ce en quoi je suis demeuré fidèle — je le signale au passage — à la manière de faire qui a toujours été la mienne puisque, quels qu'eussent été les problèmes des enfants pour lesquels on venait me consulter, je n'ai jamais travaillé qu'avec les parents et avec eux seuls. Il m'est d'ailleurs arrivé parfois, avec ceux d'entre eux qui s'avéraient faciles à mobiliser, de n'utiliser aucun traitement médicamenteux du reflux et d'en obtenir cependant la guérison dans les délais habituels.

Mais, en imaginant même, me dira-t-on, que toute cette réflexion ait une quelconque pertinence, quel rapport avec Al-Qaida ? Directement aucun, bien entendu. Mais, à revenir à tout ce dont j'ai fait état, on ne peut pas ne pas relever que, depuis au moins quelques décennies, l'idéologie individualiste a entraîné, en altérant profondément leur structure, un bouleversement définitif des rapports interindividuels au sein de nos familles. Faute du moindre soutien sociétal, les familles d'autrefois, ont été amenées à éjecter de plus en plus radicalement le père de sa fonction et à installer, au bénéfice direct de l'option consumériste à la réussite impertinente, la mère aux commandes, quitte à ce qu'elle s'y sente bien seule et responsable sinon coupable de tout ce qui arrive. C'est l'ensemble de notre environnement et de tous les échanges qui s'y instaurent qui s'est trouvé ainsi modifié par le bouleversement profond de la hiérarchie des valeurs comme des places et des prérogatives respectives de chacun des deux parents. L'extension du pouvoir de nos réseaux de communication (satellites et Internet inclus), au sein de notre planète désormais rétrécie, a conduit nos sociétés à tenter d'exporter, histoire de récupérer un peu plus de parts de marché par son entreprise, le modèle nouveau qu'elles ont mis au point. Et comme ce modèle s'avère terriblement séduisant — comment pourrait-il ne pas l'être, alors qu'il prône le primat de ce plaisir dont rêve chacun ? —, il n'a pas manqué de séduire les foules et d'entraîner leur adhésion massive aux valeurs qu'il prônait. Il s'est trouvé des individus dans le monde arabo-musulman pour en avoir été profondément choqués. Comment ces derniers pouvaient-ils accepter de souscrire à des options susceptibles de mettre en question leur statut d'*abou*, de père propriétaire de ses enfants, et de s'en laisser éventuellement dépouiller[1] ? Attachés à la hiérarchie marquée et instaurée depuis toujours autant entre les parents qu'entre les sexes, ils ont dû vivre cette exportation, subtilement persuasive, comme une tentative de conversion d'autant plus insupportable et méprisable qu'elle semblerait mue par un vil souci mercantile et capitaliste. Or comme le seul prosélytisme qu'ils admettent est le prosélytisme religieux islamique qui est le leur, et que ce qui est prôné en Occident leur semble attenter à ses valeurs, ils sont parvenus à s'organiser, à nourrir leur ressentiment, à coordonner leurs forces et à recruter suffisamment de fanatiques candidats au suicide pour entreprendre la nouvelle forme de guerre qu'ils ont inaugurée.

Il s'agirait somme toute, chez les descendants d'*Homo* que nous sommes, d'une confrontation de plus, opposant d'une nouvelle manière et avec de nouveaux moyens les tenants de la primauté de l'espace, les sédentaires, et ceux obstinés de la primauté du temps, les nomades. Ce qui

---

1. Une illustration admirable et quasi prophétique de ce débat se retrouve dans le très beau film turc, *Le Troupeau*, de Yilmaz Güney, 1978.

semble, de nos jours, ni simple à concevoir ni facile à admettre en raison du fait que, aveuglés que nous sommes par les prouesses de la technique, nous croyons avoir définitivement dépassé ce type de débat. Lequel revêt cependant une singulière intensité quand il se produit non pas entre cultures différentes, mais au sein même d'une société dont il se met à interroger avec insistance les choix.

LE CASSE-TÊTE NIPPON

J'ai été invité un jour à prononcer, au Japon, une série de conférences sur l'évolution du statut de la parentalité en France au cours du dernier demi-siècle. Je m'étais beaucoup documenté et j'avais soigneusement préparé mes interventions. J'avais l'intention de montrer, preuves à l'appui, que, si la pédiatrie était parvenue en cinquante ans à éradiquer la plupart des fléaux qui menaçaient l'enfance, elle avait échoué à conférer à ces mêmes enfants l'épanouissement qu'aurait laissé espérer leur bonne santé physique. Nous avons en effet vu s'installer chez les enfants, depuis environ vingt ans, une quantité de troubles nouveaux et préoccupants qui vont des problèmes de sommeil aux problèmes de développement affectif, en passant par les retards de langage et autres troubles du comportement. J'avais préparé un argumentaire destiné à montrer, statistiques et cas cliniques à l'appui, la manière dont cet ensemble de troubles est directement lié à la modification considérable des relations intrafamiliales et, en particulier, à l'éjection du père, désormais privé de tout soutien sociétal et subrepticement invité par son environnement à devenir une seconde mère pour son enfant. J'avais l'intention, à titre d'illustration, d'utiliser et de commenter en particulier la progression exponentielle des familles monoparentales dont on sait que dans leur écrasante majorité elles comportent des mères seules avec leurs enfants.

Or, à l'occasion de la première de mes prestations à Tokyo, j'ai été stupéfait d'entendre le pédopsychiatre chargé de me présenter saisir l'occasion pour vanter, avant que je ne sois intervenu, le tournant intelligent et opportun qu'avaient pris les sociétés occidentales, en particulier la société française, et déplorer, en contrepoint, le nombre ridiculement insuffisant au Japon... des familles monoparentales ! Pour appuyer son argumentation et donner plus de poids à son cri d'alarme, il s'est mis à produire une projection démographique prévoyant que, si la situation ne se débloquait pas rapidement, les 138 millions de Japonais actuels ne seraient plus en 2100 que 58 millions. Ne se consolant en aucune façon qu'un tel vide puisse être comblé, comme il commence déjà à l'être, par les Philippins, les Coréens et autres ressortissants des peuples de la région, il réclamait haut et fort une réforme de ce qu'il ne cessait pas de nommer l'« état civil ». Entendant revenir à plusieurs reprises cette énigmatique désignation dans mes écouteurs et croyant qu'il pouvait s'agir d'une éventuelle approximation sémantique, sinon d'une erreur de traduction, j'en ai demandé la signification précise. J'ai alors appris que tout enfant japonais continue de recevoir à la naissance un document sur lequel est portée sa généalogie sur plusieurs générations, les femmes décidant de mettre seules des enfants au monde les exposant du coup à un statut de bâtardise susceptible de leur nuire leur vie durant.

Il n'est d'ailleurs pas interdit d'imaginer que nos démocraties occidentales aient depuis longtemps procédé à la même analyse que mon confrère japonais et qu'elles n'aient pris les dispositions qu'elles ont prises en la matière que pour combattre le déficit démographique dans lequel elles sentaient qu'elles s'enfonçaient. Toutes choses qui ont pu se passer sans que nous le sachions, parce que le fait ne nous sera pas resté en mémoire ou que ses motivations ne nous auront pas été explicitées. Après tout, il n'est pas si loin le temps où, chez nous aussi, comme chez nos voisins, on stigmatisait sans pitié les bâtards et les filles mères ! Ce qui nous renseigne au demeurant, pour nos propres sociétés, à la fois sur la datation et sur le motif de la fin de la contention que l'environnement a exercée sur les couples depuis bien longtemps — l'institution du mariage en étant, par exemple, la plus courante. Il en aura donc été comme si l'obsession démographique avait visé à préserver contre son délitement une identité nationale supposée porteuse d'une vision du monde à laquelle on tenait tant qu'on acceptait de tout lui sacrifier, y compris ce qui avait participé jusque-là à créer l'équilibre relatif chèrement gagné au cours de l'évolution de l'espèce entre les partenaires du couple. Ainsi en a-t-il été, pour ne prendre qu'un exemple récent, quand on a procédé, chez nous, en 1972, au dernier remaniement du droit matrimonial. À la suite de nombre de réformes survenues dans les dispositions de ce droit, il ne restait plus alors au père qu'un seul avantage formel susceptible, au moins symboliquement, de contrebalancer l'avantage que la traversée de la grossesse confère naturellement à la mère : c'est à lui en effet que revenait encore le droit de fixer le lieu de résidence de la famille. La suppression de ce droit, quand elle est survenue, n'a pas été motivée par un souci électoral en direction des voix féminines ou par la prise en compte des conséquences de l'accès des femmes au monde du travail, mais seulement en raison du fait qu'une mesure gouvernementale qui venait d'être prise et qui était destinée à réduire le chômage en incitant, à coups de primes, les ouvriers algériens à retourner chez eux risquait de leur permettre d'emmener légalement avec eux au moins leurs enfants. Pour tenter de garder au pays un peu moins de six mille enfants — dont sans doute une partie seulement demandait à rester —, on a réformé le Code de manière à pouvoir plaider les dossiers des mères refusant de suivre leur époux. On a cru pouvoir masquer la grossièreté de l'erreur en se prévalant d'avoir instauré pour le couple une forme définitive de démocratie à deux. Ce qui a été un coup d'épée dans l'eau puisque cette démocratie s'avère strictement impossible à faire fonctionner, aucune majorité ne pouvant s'y dégager en cas de dissension. Voilà comment naissent des situations regrettables avec lesquelles chacun est censé se débrouiller sans que jamais ne soit envisagé leur amendement et sans que jamais ne soient retrouvés ou inquiétés les responsables de la bévue.

Or, si on jette un regard rapide sur le maintien ou la disparition de la contention exercée sur le couple à la surface du globe, on s'aperçoit qu'elle est étroitement liée à ces deux facteurs conjoints que sont la démographie d'une part et la logique consumériste d'autre part. Cette dernière, dont j'ai montré combien elle était d'essence maternante et dévolue à la satisfaction immédiate du besoin, viserait en quelque sorte la qualité plus que la quantité, l'instant présent, sous la forme d'un *hic et nunc* — encore l'éphémère (l'effet-mère) —, plutôt que le long terme qui a toujours été au cœur du souci de la perpétuation de l'espèce — souci qui semble relayé dans le cas du Japon par des préoccupations de type nationaliste. Il devient entendu chez nous, et on le dit un peu partout, qu'il vaut mieux faire peu d'enfants auxquels apporter un maximum plutôt que beaucoup qu'on ne pourra pas suffisamment satisfaire. On sait que, dans les pays pauvres ou à peine en voie de développement, la démographie demeure galopante. Dans les pays riches, en revanche, sous l'effet de la richesse et de la promotion de la logique de la consommation, la démographie s'est toujours effondrée. Lorsque les pays s'enrichissent, la démographie finit en général tôt ou tard par régresser, ce qui conduit à des mesures qui auraient paru inconvenantes sinon impossibles avant leur adoption. Il en va dans ce registre comme si une plus grande consommation, ramenant en force et au premier plan la dimension maternante, finissait par l'imposer comme la plus intelligente et la mieux adaptée aux aspirations de chacun. Mais on sait aussi les méfaits de la consommation débridée et du capitalisme sauvage, l'un et l'autre proprement destructeurs et auxquels il semble indispensable d'adjoindre un élément régulateur. On sait par ailleurs le long sommeil qui a affecté les pays dont les modes de vie avaient été hérités des anciennes options nomades privilégiant le seul investissement du temps au détriment de celui, totalement rejeté, de l'espace. Il tombe sous le sens qu'il ne peut y avoir de solution que dans un compromis — le mérite de l'opposition des altermondialistes à la mondialisation aura certainement pour effet de réguler les dispositions de cette dernière. On en reviendrait alors, curieusement, au modèle classique de la famille mettant en opposition la dynamique de deux égoïsmes opposés au bénéfice de l'enfant. Les mutations intervenues dans nos sociétés auraient alors le mérite de faire éclore non pas des rapports nouveaux, mais de nouvelles conditions et un nouveau style de ces rapports. C'est de cette interrogation encore à vif que témoignerait le malaise nippon.

Car ce qui est singulier dans le cas du Japon, c'est que, alors qu'il était figé dans un modèle civilisationnel multiséculaire, il a choisi au milieu du XIXe siècle d'importer activement le mode de vie occidental. Or la logique de la consommation, qui a gagné l'ensemble des couches de la société, se heurte aujourd'hui au poids de cette tradition qui refuse obstinément d'y sacrifier ses options ancestrales d'essence paternelle, en particulier l'étroite contention mise en place autour du couple. L'analyse minutieuse des raisons de cette résistance ramène au premier plan la difficulté de composer avec la mythologie nationale qui, en faisant de lui l'héritier du dieu Soleil, a instauré l'empereur à la fois comme mère et père de chacun de ses sujets. Or ce qui frappe dans la mutation récente de cette société dont la démographie s'effondre donc, mais qui témoigne des effets d'un surmoi extraordinairement actif perceptible dans le respect de la différence des sexes, la politesse, la discipline, la propreté, l'honnêteté, le sens de l'autre, c'est que ce sont les femmes, là aussi, que l'on trouve à la pointe du mouvement contestataire. Quand on les interroge sur ce qui les motive, certaines d'entre elles, les plus audacieuses, disent ne plus pouvoir ni vouloir obéir à une tradition d'essence masculine qui les contraindrait en particulier, au cas où elles épouseraient un fils unique ou l'aîné d'une famille, d'avoir à recueillir leurs beaux-parents vieillissants. On peut néanmoins s'interroger sur la validité de l'excuse qu'elles avancent ainsi et qui affecterait sans doute un nombre bien moindre d'entre elles, compte tenu de la distribution statistique des fils aînés dans les familles. Il semble qu'au stade où elles en sont elles ne parviennent pas encore à voir combien elles ont été influencées par les valeurs maternelles promues et mises en exergue par la société consumériste qui les entoure. Mais n'est-on pas, avec ce modèle de crise, en train d'assister à une phase originale de l'éternel combat que les sexes n'ont jamais cessé de se livrer, qu'ils fussent ou non unis par une contention convenue pour eux et peut-être malgré eux ?

RETOUR AU MODÈLE RÉVOLU DES ÉCHANGES

À la lumière de ce qui a été dit de la mère sûre et du père flou, on se doit de convenir que, pour durer, le couple ne peut pratiquement pas se passer d'un minimum de contention. On ne voit pas en effet comment il lui serait possible autrement de vivre indéfiniment une relation portée par deux logiques non seulement hétérogènes, mais pratiquement impossibles à faire cohabiter. Et ce, encore moins dans la mesure où il attendrait de cette expérience un bonheur et une félicité, l'une et l'autre impossibles à voir surgir d'un quotidien pollué par la perpétuelle confrontation de ces deux logiques.

La question qu'amène du coup une telle affirmation revient à se demander sérieusement si la vie de couple présente un quelconque intérêt, et, si oui, lequel.

Nous savons que nos contemporains, du moins pour une bonne part d'entre eux, ont déjà répondu depuis quelques décennies par la négative, pratiquant aussi bien la polygamie que la polyandrie — qui reviennent souvent à la mise en place d'un service sexuel commode, pratique et précaire — en les étalant néanmoins dans le temps, histoire de prétendre ne pas tomber dans les aberrations de ces cultures qui ont l'audace, elles, de pratiquer simultanément au moins la polygamie !

Mais la réponse de nos contemporains est-elle raisonnable et fondée, ou bien est-elle conjoncturelle et produite comme effet indirect par la logique de la consommation ? Après tout, à l'ère de la contraception, du préservatif et de la sexualité facile et démystifiée, pourquoi diable aller s'encombrer d'un partenaire unique et omniprésent en formant un couple durable avec lui ? Et qu'on ne vienne pas dénoncer l'impertinence de la question en convoquant l'amour ! Il faudrait alors se lancer dans une dissertation d'un autre type sur la nature de cet amour et expliquer en particulier pourquoi il survient un jour et pourquoi il s'essouffle si souvent avant de non moins souvent disparaître. Il vaut donc mieux revenir à la question initiale en la formulant sur un autre mode : si tant est qu'elle ne doive pas être réduite à un service sexuel commode et nécessairement placé de ce fait sous le signe de la précarité, que peut apporter à ceux qui s'y risquent une vie de couple placée sous la férule d'un minimum de contention ?

Je prétends, pour ma part et en me fondant sur ma pratique, que ce qu'apporte une telle expérience est de l'ordre d'un progrès ontologique dont chacun des partenaires, qu'il le sache ou non, qu'il le veuille ou non, tire un bénéficie incontestable.

Il suffit, pour le vérifier, d'écouter les histoires que chacun ne demande qu'à raconter, seul ou en présence de son conjoint. On se rend compte alors qu'une telle aventure est toujours, toujours, placée sous le signe du progrès, dans la mesure où chacun des partenaires y occupe, quoi qu'il fasse ou ne fasse pas, quoi qu'il veuille ou ne veuille pas, une position qui favorise un véritable transfert inconscient, avec tous les bénéfices que peut apporter le travail, souterrain, insidieux mais toujours positif, d'un tel transfert. Comme si chacun, ayant ainsi la faculté de projeter sur son partenaire la part non résolue jusqu'alors de la problématique qui n'a jamais cessé de l'assaillir et qui l'assaille toujours, entreprenait d'y trouver une solution. On pourrait imaginer tout cela comme un jeu de colin-maillard dans lequel les deux partenaires évolueraient dans un espace commun en ayant chacun un bandeau sur les yeux. Chaque rencontre de son partenaire ne le lui fait pas immédiatement reconnaître, mais elle lui permet, le temps qu'il y parvienne, de repérer sur lui quantité d'éléments dont il avait perdu le souvenir, dont il ne sait plus quel statut leur donner pour les reconnaître et éventuellement se débarrasser de leur obsession. C'est exactement au demeurant ce qui se passe, dans un seul sens cependant, avec le transfert qui s'opère sur le psychanalyste dans l'espace de la cure : le dispositif permet à l'analysant de projeter sur cet être, derrière lui, les affects développés au cours de son existence à l'endroit des nombreux individus avec lesquels il a entretenu des rapports problématiques. Si l'espace conféré à la possible rencontre des partenaires n'a pas de limite, qu'il n'a aucun cadre et qu'il est convenu entre eux que les contacts y seront passagers et à peine épidermiques, ils ont peu de chance de vraiment se rencontrer et de tirer parti de leurs rencontres. Si, en revanche, l'espace dans lequel ils se meuvent est circonscrit par le cadre que constitue un minimum de contention et qu'aucune convention préalable n'a été posée entre eux, ils se heurteront nécessairement — souvent violemment — plus d'une fois l'un à l'autre, mais ils ne manqueront pas de tirer de ces contacts une foule de renseignements concernant aussi bien l'autre qu'eux-mêmes. Dans la mesure où le procédé est interactif, chacun des deux, qu'il le veuille ou non, qu'il le sache ou non, qu'il en convienne ou non, qu'il consente ou non à en payer le prix, en retire toujours, toujours, des bénéfices substantiels.

Mais qui acceptera de reconnaître l'existence d'une dynamique de cet ordre quand nul n'est prêt à convenir que le choix le plus fondamental qu'il ait eu à faire de toute son existence, c'est-à-dire son choix amoureux, n'a jamais été un effet de hasard, mais a répondu, avec une rigueur insoupçonnable, à un déterminisme auquel il ne pouvait en aucun cas avoir accès ? À l'heure où les options démocratiques de nos sociétés ont versé dans la démagogie et où toutes les opinions se valent, quelles qu'elles soient et dans tous les domaines — l'ignorance, fût-elle crasse, ne devant jamais empêcher de s'exprimer ! —, comment lui faire admettre que la connaissance qu'il croit avoir de sa personne est aussi prétentieuse que celle que croit avoir de lui tout adolescent et qu'elle est absolument nulle à côté de l'insu qui le travaille et qui ne lui laisse pas la moindre marge de manœuvre ? Et, s'il y a bien un lieu et des circonstances, certes impossibles à clairement repérer, où tout cela se joue sur ce mode et de cette manière, c'est dans l'aventure amoureuse et dans ce qu'elle va produire.

Pourquoi ?

Pour la simple et bonne raison que cela concerne la pierre de touche de l'expérience de la vie, laquelle a commencé exactement sur cette tonalité par les premiers échanges que chacun a produits avec sa mère. On pourrait avancer en quelque sorte que chacun de nous saurait être venu au monde né d'elle et que, explorant sans relâche les liens qu'il a tissés avec elle, il entreprendrait, sa vie durant, de parachever la distance prise à elle, autrement dit sa naissance, pour être sûr d'être enfin né — un tel parachèvement s'avérant concorder souvent avec la fin de l'existence elle-même.

De telles formules, pour subtiles ou complexes qu'elles puissent paraître, ne peuvent cependant rien apprendre, rien enseigner, ni rien fonder, surtout si elles ne sont assorties d'aucune preuve.

Ces preuves existent-elles ?

Certainement ! Et il suffit, pour s'en convaincre, de revenir à la logique soumettant tout individu aux effets des premiers liens qui, avant même d'en avoir constitué les jalons, ont fondé son histoire.

J'ai, par exemple, toujours choqué le public qu'il m'arrive de rencontrer, comme mes patients que j'invitais à réfléchir, en avançant que, comme je l'ai déjà laissé entendre dans ces dernières lignes, homme ou femme, nul n'épouse jamais que sa mère, et toujours sa mère. Que ce n'est pas pour rien qu'il en est ainsi et que le choix ainsi opéré s'avère, tôt ou tard mais toujours, le choix le plus utile et le plus fécond qu'il pouvait faire.

Pourquoi ces deux propositions m'ont-elles paru importantes à être ainsi communiquées et pourquoi m'ont-elles toujours paru devoir être conjointes même si elles ne peuvent être examinées que l'une après l'autre ?

On épouse sa mère parce qu'on n'a absolument pas d'autre choix.

Et ce, pour la bonne raison que c'est sur elle, et sur elle seule, qu'on a fabriqué la matrice toute première de ce qu'on nommera un jour, bien plus tard, l'amour. Or c'est sur cette matrice que s'inscriront toutes les rencontres amoureuses ultérieures, jusqu'à ce que l'une d'entre elles paraisse s'y ajuster suffisamment pour être enfin investie et mériter d'être prolongée.

Cela n'a donc pas été un effet de hasard ou de choix conscient et éclairé. Cela s'est imposé comme la conséquence directe de ce que la traversée de neuf mois de séjour intra-utérin a concrètement et définitivement mis en place, aussi bien pour les garçons que pour les filles, au niveau du cerveau.

CE QU'ENSEIGNE LE TOUT PREMIER ÂGE

C'est ce que démontrent les travaux de fœtologie et de psychophysiologie néonatale de ces trois dernières décennies, confortant non seulement le discours psychanalytique, mais apportant enfin, à ce qu'il a avancé depuis toujours en la matière, des bases scientifiques concrètes et irrécusables. Pour une fois que la biologie et le discours sur l'inconscient semblent conduire à des conclusions similaires, il y aurait plutôt de quoi se réjouir si ne venait s'y mêler, comme j'en ai déjà exprimé le regret, un discours sociétal aux moyens considérables et mû par des visées d'un ordre pas toujours avouable.

On a par exemple toujours cru, et surtout professé, que l'expérience universelle de la grossesse était neutre et dénuée de conséquences pour son fruit. Jusqu'au début des années 1970, le nouveau-né était en effet assimilé à un pur tube digestif et répondait à la seule définition qu'avaient forgée pour lui les obstétriciens du XIXe siècle, comme étant « le produit nécessaire et inévitable de la salle de travail ». Or, en moins de trente ans, il s'est trouvé paré de potentiels tellement nombreux et étonnants qu'il a ouvert une voie féconde, celle de la science consacrée à son étude, et fait sombrer nos semblables dans une religion nouvelle et imbécile, destinée à laisser croire qu'il était doté d'un génie tel qu'il suffisait de lui faire confiance pour lui permettre de trouver seul la meilleure voie de son développement.

Il est tout de même ressorti de cette aventure des certitudes sur lesquelles peut enfin prendre appui une réflexion saine et à l'abri de toute dérive idéologique. Ainsi est-il définitivement acquis que, loin d'être ce désert, obscur, abyssal et effrayant de silence qu'on l'a toujours cru être, l'utérus maternel est un milieu riche, complexe et stimulant dans lequel le fœtus se comporte très tôt comme un formidable collecteur de sensations.

Les aires sensorielles de son cerveau en édification (aire tactile, auditive, visuelle, olfactive, aire du goût) collectent et emmagasinent en effet sans relâche une quantité considérable d'afférences — ce qu'on pourrait assimiler, en langage informatique, à des informations stockables, et d'ailleurs stockées, dans une banque de données. La particularité de ces afférences réside dans le fait qu'elles proviennent pratiquement toutes du corps maternel. Dès la septième ou huitième semaine de gestation, le fœtus est déjà doué d'une sensibilité tactile, d'une sensibilité thermique et d'une sensibilité profonde — celle qui lui permet de sentir les positions de son corps dans l'espace — déjà passablement élaborées. Dès la dixième semaine, il est capable de discriminer les quatre saveurs fondamentales que sont le sucré, l'amer, le salé et l'acide. À la douzième semaine, son oreille est déjà hautement performante. Dès la vingtième semaine, grâce à un organe présent déjà à la huitième semaine et qui disparaîtra à la naissance, l'organe voméronasal, il parvient à discriminer l'odeur de l'intégralité des substances dissoutes pour un temps plus ou moins long dans le liquide amniotique. Les aires sensorielles ne se contentent pas de collecter les sensations que leurs fournissent les organes des sens, elles échangent sans relâche entre elles — aire visuelle comprise même si, en raison de l'obscurité, elle n'a pas encore été jusque-là sollicitée — des informations, en préparant ainsi une véritable intégration que parachèvera, dès la venue au monde, la vue. Ce qui explique qu'un nouveau-né puisse reconnaître dès les premières heures l'odeur de sa mère et discriminer sa voix[1] au milieu d'autres voix féminines en se montrant capable de fournir un véritable travail pour avoir le bonheur de l'entendre dans les écouteurs que les expérimentateurs lui mettent autour des oreilles ; tout comme le fait qu'il puisse, pour peu qu'il ait été pris dans ses bras, la reconnaître sur photo à huit heures d'âge à peine.

Ce lien transnatal confère donc à tout individu une forme d'« acquis » d'origine strictement maternelle que j'ai désigné ailleurs comme un « alphabet sensoriel élémentaire », lequel laissera sur lui une trace indélébile et qui, comme le ferait le plus précis des étalonnages, réfractera pour lui, sa vie durant, son recueil sensoriel ultérieur et contribuera à la construction de la vision du monde qu'il se fabriquera. C'est le même lien qui permet de comprendre la mise en place facile et repérable de la relation qui s'instaure, dès la naissance et au fil des jours, avec la mère. S'il

---

1. La voix maternelle parlée à un niveau de 60 décibels est perçue par le fœtus à 24 décibels, alors que les autres voix, féminine ou masculine, parlées au même niveau ne sont perçues qu'à 8 à 12 décibels. Ce qui permet, par ailleurs, une meilleure reconnaissance de la voix de la mère, ce sont les basses fréquences de cette voix parce qu'elles sont porteuses de la mélodie : un bébé ne reconnaît pas la voix de sa mère si on fait lire à cette dernière une phrase à l'envers.

n'existait pas, ce lien, on ne pourrait pas comprendre par exemple qu'un tout-petit, laissé douze heures par jour à la crèche ou chez la nourrice et n'en passant avec sa mère qu'une ou deux sur vingt-quatre, puisse continuer de la reconnaître et de l'investir comme telle.

On peut également imaginer ce lien initial se renforçant avec le temps, après la naissance, en raison de l'accumulation de plaisir apporté par la satisfaction immédiate des besoins élémentaires.

Cette forme d'acquis premier va former chez le tout-petit le socle d'une sécurité de base si forte qu'elle lui fera percevoir sa mère comme la source, unique et inépuisable, de la vie. Et c'est cette conviction, conférée par la sécurité de base, qui lui fera forger à son endroit cet amour premier, dont j'ai dit qu'il était la matrice de tout amour ultérieur. Elle-même, la mère, loin d'être passive, distraite ou neutre dans cet échange, s'évertuera, comme je l'ai longuement montré, à privilégier le lien, à l'entretenir sans cesse et à le renforcer encore plus. Il résultera de tout cela une forme d'équation qui, traduisant la conviction, se mettrait en place dans la tête du tout-petit et pourrait s'écrire sous la forme de : « Maman = ma vie ».

Une source aussi parfaite de satisfactions mutuelles n'aurait en principe aucune raison de s'épuiser ou de changer de cap si ne venaient y interférer les événements quotidiens d'une part et le développement neuromoteur du bébé d'autre part. Un ou plusieurs incidents banals et pratiquement inévitables vont se produire, dès le second semestre de la vie, pour aboutir à une tragédie dont la suite des événements va montrer combien elle aura été salutaire. Une chose épouvantable, une chose horrible, une chose inadmissible est en effet arrivée une première fois, quelques jours ou quelques semaines auparavant : « Maman a disparu ! » Elle n'a en effet soudainement plus été là — et peu importe, on l'aura compris, la raison de cette absence qui peut être due à n'importe quelle sorte d'empêchement. « Elle a disparu, oui, disparu ! » Elle n'a en tout cas pas répondu à l'attente qu'on en avait ! La mère s'est donc avérée à un moment tout autant indispensable qu'indisponible ; et elle n'a pas pu répondre sur-le-champ à un besoin ou à une demande de soins. La satisfaction du besoin s'en est du coup trouvée différée. Et, dans la mesure où le développement neuromoteur aura quelque peu rendu le besoin à la fois plus rare et plus pressant, le temps, le temps chronologique, qui se sera du coup glissé entre la survenue du besoin et sa satisfaction, sera soudain perçu même s'il n'a été qu'obscurément repéré Pour anodin que puisse paraître le fait, il va cependant subvertir toute la suite de l'aventure. La récurrence des incidents conduira en effet le bébé à sentir poindre en lui son statut de sujet coupé de sa mère, séparé d'elle et capable de subodorer la logique vectorisée d'un temps qui s'écoule. Une logique dont on peut, pour le plaisir, pratiquement reconstruire l'ébauche sur fond de la récurrence des séquences, toujours marquantes. L'esquisse chancelante et nouvelle de la notion de l'instant va en effet poindre au cours des premières expériences. Et cet « instant » se vivra, au fil des mêmes expériences, comme un « maintenant » nécessairement inquiétant pour avoir succédé à ce qui a paru être le « siècle-d'avant » de l'attente et pour ouvrir la voie à un « futur » de l'espoir, « futur » néanmoins amputé de sa promesse de sérénité puisque le « futur » précédemment vécu, le « futur antérieur », a tout de même produit le « passé » récent qu'on n'aurait jamais voulu vivre. Il en va comme si cette perception de l'écoulement du temps prenait d'abord appui sur une mémoire, si peu précise fût-elle, avant de s'essayer à une anticipation guère moins trouble.

Le sentiment de détresse qui envahit ainsi de façon récurrente le tout-petit lui fera tôt ou tard percevoir la précarité de son existence et lui fera conférer à sa mère aussi bien la capacité d'entretenir sa vie que le pouvoir d'en suspendre le cours à son gré. La source de vie qu'elle avait été jusque-là se révèle alors comme potentiellement dispensatrice de mort. Une seconde forme d'équation va alors se mettre en place ; elle sera du type : « Ma mère = ma vie = ma mort ». La simple puissance dont la mère avait été parée jusque-là va se muer en redoutable toute-puissance et la rendre suffisamment effrayante pour altérer l'amour tranquille dont elle avait été l'objet.

On pourrait, sans trop forcer, en réexaminant la succession de ces deux étapes, dire de la première, la phase de la satisfaction sans délai des besoins, qu'elle aura été du registre purement animal — registre assimilable au demeurant à celui de la simple survie — et de la seconde qu'elle signerait l'accès de l'enfant à son statut humain puisque l'intuition du temps et celle de l'angoisse de mort s'y trouveraient aussi intimement liées qu'elles l'ont été dans l'espèce au moment de la première sépulture.

Le tout-petit saisira, en tout cas quant à lui, la moindre occasion de vérifier la validité de ses conclusions. C'est l'âge où il entreprendra de mettre en échec la toute-puissance conférée à sa mère par l'exercice de sa propre toute-puissance — ce qu'on peut repérer comme au principe des caprices de la phase dite d'opposition. La confrontation, consommatrice d'énergie et épuisante pour les deux partenaires, devrait signer la ruine du projet ambitieux restreint à la logique animale du tête-à-tête. La mère perçue jusqu'alors comme hautement vivifiante devrait être intégrée comme détentrice d'un pouvoir mortifère certain. Les conditionnels utilisés dans ces dernières phrases signalent que ce processus, naturel, est malheureusement souvent compromis à l'heure actuelle par la sollicitude excessive de la plupart des mères, des parents d'aujourd'hui qui ne se déplacent plus qu'armés de leur talkie-walkie et qui se précipitent vers leur bambin au moindre bruit qu'elles entendent.

La mutation brutale de la perception qu'il avait eue de sa mère n'est pas plus simple à vivre par le nourrisson que par cette dernière qui, toujours soucieuse du bonheur de leurs échanges, viendra parfois se plaindre aussi bien de ses caprices que de la relative indifférence qu'il marquerait à son endroit, le dénonçant même parfois d'avoir l'outrecuidance de lui préférer le père. Cela témoigne, de la part de cet extraordinaire métaphysicien qu'est le tout-petit, de la recherche qu'il a entreprise dès qu'il a eu à enregistrer le bouleversement survenu dans l'organisation de ses échanges. Et ce qu'il cherche, lui, c'est à retrouver une harmonie susceptible de régler ces échanges et de lui permettre de recouvrer peu ou prou la sérénité dont il a gardé le souvenir et qui avait présidé à la première phase de son expérience de vie. Et, pour ce faire, il entreprendra de conférer aux personnages en présence des rôles parfaitement différenciés.

Il va rendre cet homme, que sa mère semble investir à ce point en le lui désignant ainsi comme père, responsable de la non-disponibilité totale que sa mère est censée nourrir à son endroit et de la distraction qui est survenue ou qui survient dans la satisfaction de ses besoins. Il va le rendre responsable de la perception qu'il a eue du temps et de l'angoisse de mort qui a surgi en lui. Il va en conséquence lui vouer une haine solide et inexprimable qui ira jusqu'à lui faire souhaiter, à un moment ou à un autre de sa vie encore courte, sa disparition[1]. Ce qui présente pour lui un avantage certain puisqu'il lui permet de continuer de vivre sa mère comme principale source de vie — et de vivre peu ou prou son père comme dispensateur de mort. Vie et mort précipitant ainsi sur des personnages disjoints, la frayeur et le désarroi suscités par la toute-puissance maternelle dans la relation duelle n'existeraient alors plus, et l'avenir serait ouvert sur un mode plus clairement conflictualisé. Point n'est besoin d'ailleurs d'aller plus loin pour reconsidérer d'un autre œil l'aventure œdipienne de chacun, si tant est qu'on puisse marquer quelque réticence à admettre son habituelle coloration sexuelle. Nous avons tous été ainsi. Nous avons tous avancé comme à reculons dans la vie en gardant les yeux rivés sur le lieu de notre origine et en répugnant, comme nous y inciterait notre père, à lui tourner le dos ou à regarder par-dessus notre épaule, tant nous sommes révulsés par ce que nous serions invités à y voir sous la forme de notre destin de mortels.

LE TRIO FONDAMENTAL : PÈRE, MÈRE ET ENFANT

C'est donc en ce point précis, et essentiellement en ce point, qu'on peut enfin repérer ce qu'il en est du père, c'est-

1. C'est ce vœu inconscient qui explique pourquoi la mort d'un père est l'événement le plus pénible — parce que traversé par une inexprimable culpabilité — que puissent traverser les individus des deux sexes.

à-dire de ce fameux père fonctionnel dont il a été si souvent question, et de l'importance qu'il peut avoir dans la vie ultérieure de l'enfant.

Il suffit, pour le comprendre, de revenir à ce que j'ai désigné plus haut comme la manière correcte d'envisager la triangulation. Dans la mesure où l'impériosité du désir sexuel du père-homme le conduit à confisquer sa partenaire pour s'unir sexuellement à elle, cette partenaire, ainsi tractée vers son pôle exclusivement féminin, entame sa propension naturelle à être totalement disponible à son enfant. Elle devient ainsi moins « mère-toute-puissante ». Et, pour peu qu'elle retire assez de satisfaction de ce qu'elle vit et qu'elle semble marquer quelque attachement au responsable de sa propre satisfaction, le père apparaît alors à l'enfant, dès cette phase précoce de son développement, dès cette phase dite archaïque parce que précédant l'éclosion du langage, comme cet individu dont la seule existence est telle que la mère lui apparaît comme bien moins toute-puissante qu'il était porté à spontanément le croire. Ce sera encore lui qui, le propulsant dans le langage[1], le mettra en demeure d'assumer son destin et de construire sa vie. Toutes choses qui font de ce personnage, intégré à jamais, dès le tout petit âge, comme mortifère, un artisan et un authentique promoteur de vie.

Une telle définition ne préjuge en rien la nature des liens qu'un père tisse à son enfant, pas plus que leur consistance. Que le bébé, ou l'enfant plus grand, puisse à son

---

1. Le langage n'est-il pas destiné à se jouer, pour la franchir, de la distance à la mère ? Quand une mère et un enfant demeurent « trop près » l'un de l'autre, il se crée entre eux un langage qu'on dit sympraxique, seulement compréhensible par l'enfant et sa mère et qui obère l'accès de ce dernier à la parole articulée.

insu conférer de telles caractéristiques à son père, qu'il puisse lui avoir voué la haine dont je parle, voire avoir souhaité ou continué de souhaiter sa disparition n'empêche absolument pas ce bébé ou cet enfant d'avoir à lui une relation forte, aimante et investie, pas plus que cela n'empêche le père de l'investir, de le chérir et d'en faire l'être qui donne sens à sa vie. Les choses se déroulent de la manière que j'ai décrite seulement dans l'inconscient, elles ne parviennent pas automatiquement à la conscience. Il en est de l'inconscient comme du négatif d'une photo que serait le conscient ; s'il permet de l'obtenir, il ne la résume pas et ne donne en général qu'assez confusément une idée de ce qu'elle représente.

Ce que cette description apporte néanmoins, et sur quoi j'aimerais revenir avec quelque insistance même si je l'ai évoqué plus haut, c'est l'importance de la place pivot occupée par la mère dans un tel processus. Pour que l'enfant puisse la percevoir bien moins toute-puissante face à son père, il faut qu'elle y soit un tant soit peu « aliénée », à ce père. Il faut qu'elle ait peu ou prou intériorisé son importance. C'est par exemple ce à quoi elle se sentait engagée et contre quoi il ne lui venait pas l'idée de se révolter ouvertement dans les sociétés qui donnaient une place prépondérante au père en soutenant son statut. C'est encore ce qu'elle parvenait tout au moins à admettre dans les sociétés qui donnaient à ce père une place implicite en mettant une forme de contention autour du couple dans lequel elle s'était engagée. C'est encore ce qu'elle peut vivre, voire vivre intensément quand elle éprouve pour ce père un amour suffisamment fort pour en éprouver une forte satisfaction sexuelle. Ce qui dit bien les choses. Car il ne s'agit pas d'un échange de procédés dans lequel elle concéderait l'usage de son corps contre la possibilité pour elle de s'adonner sans limite à la sursatisfaction de son enfant. Il faut qu'elle investisse la relation à son homme autant, sinon plus, que celle qu'elle a à son enfant. Voilà pourquoi je parle de « forte satisfaction sexuelle » et que j'ai toujours mis l'accent sur la nécessité d'une reprise précoce des relations sexuelles après l'accouchement de manière à ne pas laisser à la sexualité l'occasion de « s'endormir » et d'être ainsi désinvestie. Dans tous ces cas, la pérennisation de l'« aliénation » de la mère — ou de l'engagement qu'elle prend, si le mot « aliénation » peut paraître choquant à d'aucunes — a de beaux jours devant elle. Le père peut alors se mouvoir dans sa seule dimension d'homme de sa femme, de sa femme-mère, demeurer « flou », comme il serait souhaitable, et ne sombrer ni dans des revendications de certitude néfastes à chacun ni dans une vaine et stupide concurrence du statut de la mère.

L'exploration et la liquidation des liens à leurs mères respectives, quelques frictions conjoncturelles qu'elles puissent entraîner, sont alors possibles pour chacun des partenaires qui auront toujours le loisir d'effacer leurs dissensions dans une relation sexuelle investie et entretenue. Ce lent travail interactif les fera tôt ou tard avancer l'un et l'autre, et l'un vers l'autre. Cette possibilité semble en revanche devenir infiniment plus délicate dans le cas où l'union est placée sous le signe de la précarité et qu'elle ne bénéficie d'aucun soutien environnemental. Car, si ce n'est pas à la première friction, ce n'est pas longtemps après que le lien commence à se distendre. Les partenaires, assurés de vivre seulement ce qu'ils vivent et à la manière dont ils le vivent, dans l'ignorance qu'ils sont de ce qui vient parasiter malgré eux leurs relations, depuis un passé qu'ils croient avoir liquidé, prennent de plein fouet les effets de chaque confrontation. Il leur faut assez peu de temps pour ne plus croire dans les sentiments qui les ont conduits, pour distendre leurs liens, voire les liquider en disant s'être trompés. « Il n'était pas comme ça, elle n'était pas comme ça », les entend-on souvent dire, comme pour expliquer ou donner sens à leurs revirements, alors même que non seulement « il, ou elle, était comme ça », mais que c'est pour ces « comme ça » qu'ils se sont choisis, pour ces « comme ça » qui auraient pu être digérés, dépassés et convertis en profits, s'ils n'étaient pas apparus aussi menaçants en raison de tout ce qu'ils ont charrié d'effrayant venu d'une histoire autre. Le piège se ferme alors. Le couple se met à aller mal. Souvent, il répugne à prendre l'avis de ces professionnels sous-utilisés et pourtant efficaces, tout autant qu'il refuse d'entendre que les crises se traversent et aboutissent parfois à d'appréciables effets. Il réagit dans une rage proportionnée à son investissement. Quand il se défait, les enfants restent le plus souvent avec leurs mères, retournant à la hantise de sa toute-puissance. Et les pères, même soutenus tardivement par les instances judiciaires, perdent une bonne partie, sinon l'essentiel de leur fonction, avec les conséquences qu'on ne sait que trop. Ce dont la société se débrouille, et pourrait même prendre son parti, s'il n'était prouvé que la succession des générations n'est douée d'aucun effet réparateur, radicalisant et renforçant les dispositifs qui ont été en jeu. Combien souvent divorcent les enfants de divorcés, et combien souvent les comportements, même les pires, se reproduisent-ils pratiquement à l'identique d'une génération à l'autre ! Il est vrai, mais c'est difficile à faire admettre que, lorsque les choses se passent bien, elles vont en s'améliorant au fil de la succession des générations. Le message — j'y ai fait allusion — est en train de nous revenir des États-Unis qui continuent encore, malgré l'antiaméricanisme ambiant, de constituer une référence sérieuse. Malgré le marketing pratiqué par des avocats qui, pour fidéliser leurs clientèles, leur promettent la gratuité de leur troisième divorce, quantité de travaux nous en arrivent qui insistent sur le fait qu'il vaut encore mieux, pour le devenir des enfants, que des parents qui ne s'entendent pas restent tout de même ensemble plutôt que de se séparer. Un peu comme s'il revenait désormais à ces enfants de constituer, eux, autour de leurs parents la contention à laquelle a renoncé l'environnement sociétal. Il faut dire que la mesure, pour singulière qu'elle semble, pourrait ne pas être sans effet. Car combien entend-on de vieux couples conter leur mésentente de jadis pour finir par dire que, n'ayant jamais attenté à leur dignité respective — c'est la valeur qui doit être la plus respectée en quelque circonstance que ce soit —, ils ont pu se retrouver alors qu'ils ne s'y attendaient pas et avoir le plaisir de voir leurs enfants grandis les conduire à une grand-parentalité unie !

Serions-nous, à l'instar des femmes de la société nippone séduites par la vague consumériste, en train de vivre, nous aussi, les conséquences de notre hâte à tout obtenir tout de suite ? Ou bien, oublieux de la longue et problématique aventure des ancêtres de notre espèce, aurions-nous cédé à la pression de l'impatience dont Kafka faisait le péché originel ?

Ce qui nous conduit à devoir conclure, compte tenu du pivot que constitue la mère dans l'ensemble des échanges intrafamiliaux, que la manière dont elle traitera le père de ses enfants conduira autant sa fille à l'imiter avec le père des siens que son fils à l'induire chez la mère des enfants qu'il fera un jour.

RETOUR AU PÈRE

La définition que je viens d'élaborer du père fonctionnel permet de comprendre encore mieux le caractère négligeable du géniteur et du père social face à lui. Elle permet aussi de comprendre comment et combien les « beaux-pères » — auxquels il est regrettable que notre droit ne confère en général aucun statut — peuvent parfois apporter aux enfants de leur compagne le complément de paternité qui leur a manqué du fait de la dissension du couple qui leur a donné naissance. Un cas clinique, particulièrement édifiant, permet de le comprendre.

De quel côté situer la délinquance ?

Je soignais depuis quelques années déjà la dernière enfant d'une mère psychanalyste qui avait déjà des jumeaux d'une précédente union quand elle m'a parlé d'eux justement. Ils avaient une quinzaine d'années, ils étaient en troisième, et elle se faisait du souci parce que leurs résultats scolaires avaient chuté et qu'ils avaient été repérés comme dealers de haschich. Elle s'en était ouverte à son analyste contrôleur qui avait conseillé un confrère dont les enfants n'avaient tout simplement pas voulu entendre parler en déclarant que « la psychanalyse, ras-le-bol, on en a assez comme ça à la maison ». Elle me proposait de me les conduire au motif de rappels de vaccins à pratiquer. Il y avait en effet des rappels à faire. Mais, compte tenu de la manière dont les choses avaient été présentées, j'ai accepté de les recevoir pour les vaccins sans m'engager plus loin. Je ne m'attendais pas à la fascination que j'allais éprouver pour eux. Ils ont dû la percevoir parce qu'ils m'ont investi autant que je l'avais fait d'eux. La séance de vaccination a d'ailleurs été déterminante à cet égard, et les adolescents ont accepté de se prêter au jeu d'échanges informels que nous avons dès lors instauré, en présence de leur mère, à raison d'une fois tous les quinze jours. L'expérience me plaisait d'autant plus que je prenais un réel plaisir à voir ces vrais jumeaux, difficiles à distinguer l'un de l'autre, se renvoyer la balle à leur guise en profitant de leur incomparable complicité et de la fiabilité peu ordinaire de leur communication. Ils se réjouissaient de déjouer ma stratégie, que je rendais à dessein plus grossière et plus repérable encore. Ils ont fini par m'avoir à la bonne et par manifester un réel plaisir à nos rencontres tout en déniant aussi bien la délinquance dont les accusait leur mère que le caractère préoccupant de leurs performances scolaires. C'était toujours la mère qui ouvrait la séance par une plainte dont nous analysions aussi bien le bien-fondé que la pertinence. Un jour, environ trois mois après le début de notre travail, ce fut un avertissement du conseil de discipline qui vint sur le tapis. La mère, soucieuse de montrer combien elle était consciente de ses devoirs, me déclara avoir aussitôt averti leur père de la gravité de la situation. J'entendis alors l'un des deux, que j'avais repéré comme le plus audacieux, lui rétorquer que ce n'était pas la première fois qu'ils tentaient de lui faire entendre qu'ils n'avaient que faire de l'opinion ou des réactions de leur père. Et il ajouta : « Qu'est-ce que tu crois, qu'il nous fait peur, papa ? Nous, on adore le voir, et lui aussi d'ailleurs ! On se régale avec lui, on prend notre pied ! Il n'est pas comme toi, lui. C'est pas à la piz-

zeria du coin qu'il nous emmène. Il connaît plein de restaus chouettes et il nous apprend à apprécier le bon vin. On s'en met plein la panse ! Bon, à un moment, il place bien le couplet que tu lui as soufflé. Mais, lui comme nous, on sait à quoi s'en tenir. Tu comprends pas, Huguette (ils appelaient toujours leur mère par son prénom, ce qui donnait parfois à leurs propos un curieux ton protecteur), nous, ce que peut nous dire papa, on s'en fiche ! Ce qui compte pour nous, c'est ce que pourrait dire Gabriel ! » (C'était le prénom du nouveau compagnon de la mère.) J'ai alors vu bondir et hurler cette femme comme je n'aurais jamais imaginé qu'elle aurait pu le faire. Elle ne cessait pas de marteler : « Votre père est votre père, Gabriel n'est pas votre père ! » Puis, des sanglots ont vite entrecoupé ses propos avant qu'elle ne s'effondre alors que le second jumeau, qui n'avait pas encore ouvert la bouche, lui répétait d'une voix douce et presque mot à mot ce que lui avait dit son frère. J'intervins à mon tour pour lui demander d'entendre ce qui lui était dit. C'est alors à moi qu'elle s'en prit. Au point que je dus moi-même hausser le ton et lui déclarer que je la prenais en flagrant délit de refus de la solution au problème qui avait motivé sa démarche. Ce furent de longues minutes d'un débat violent et houleux dont je ne voyais pas l'issue. Elle a quand même fini par se calmer. Elle accepta alors ma proposition de rapporter à Gabriel le contenu de la consultation et de me dire la réponse qu'il entendait donner à la demande de ses beaux-enfants. À la séance suivante, ils furent quatre à venir. Gabriel posa les conditions de son entrée en jeu dans la vie des jumeaux, conditions que ces derniers acceptèrent sans la moindre difficulté. Les troubles disparurent assez vite. Les garçons devinrent brillants. Ils firent de belles études, et j'eus le bonheur de les voir l'un et l'autre me conduire leurs propres enfants. Je n'ai jamais cherché à approfondir le motif qui avait valu à la mère de se faire sourde à la demande de ses jumeaux. Était-ce en raison d'une confusion d'origine sémantique, dont elle était avertie mieux que quiconque, sur la place et le rôle dévolus au géniteur de ses jumeaux, ou bien avait-elle cherché, en laissant Gabriel de côté, à rester seule maîtresse d'un jeu pour lequel ses jumeaux pensaient qu'elle n'avait pas la stature ? Auraient-ils « délinqué », eux, pour dénoncer son comportement lui-même guère éloigné de la délinquance ?

Ce que je viens de décrire et d'illustrer permet de comprendre pourquoi nos semblables sont moins fous qu'on ne pourrait le craindre. Il peut, en effet, « y avoir du père » même en l'absence totale du personnage : la fonction paternelle s'avérant atomisable et pouvant être exercée simultanément ou à des moments différents par quantité d'instances ou de personnages. Est en effet de l'ordre de la fonction paternelle — et en produit l'effet — tout ce qui, de quelque manière que ce soit, est perçu par l'enfant comme limitant le pouvoir qu'il est porté spontanément à attribuer à sa mère. Combien fréquemment n'ai-je pas vu, dans les familles recomposées, l'excellent effet sur les enfants d'une entente sur leur éducation entre le père et le nouveau compagnon de la mère — ce qui implique que soient dépassées les susceptibilités narcissiques.

On peut vérifier au demeurant ce type de préoccupation en faisant retour aux systèmes de parenté. Un tel détour permet de comprendre la manière dont les différentes sociétés, à la surface du globe, se sont évertuées à trouver des règles de gestion pour ces différents pouvoirs. Il suffirait, pour n'en reprendre qu'un ou deux exemples, de mentionner le système hawaïen qui, dans le souci de préserver l'enfant de la confrontation interparentale, l'invite à nommer « mère » toutes les femmes des lignées de sa génitrice et de son géniteur, et « père » tous les hommes des mêmes lignées, ou bien le système iroquois qui l'invite à nommer « mère » toutes les femmes de la lignée de sa génitrice, et « père » tous les hommes de la lignée de son géniteur.

Ce dont il est toujours question revient somme toute à tenter d'aider l'enfant dans la recherche de l'harmonie qu'il s'évertue lui-même à essayer de trouver : un équilibre repérable entre ses instances parentales qui le pourvoirait d'une mère dispensatrice de suffisamment de bien-être et d'un père suffisamment présent pour tempérer la propension naturelle de cette dernière et en faire ce qu'elle devrait toujours être, cette mère dont la formule de Winnicott dessine si parfaitement la stature : « Une mère bonne suffisamment. »

Or c'est cet équilibre qui pose problème à chaque génération, dans la mesure où, outre les erreurs dans lesquelles peuvent faire sombrer des mots d'ordre imbéciles, chacun des deux parents, pris dans la logique de sa propre histoire, ne peut jamais spontanément occuper la position qu'attend de lui son conjoint ou son enfant. C'est là que l'inconscient, auquel nul ne peut prétendre pouvoir échapper ou avoir le moindre accès, montre le bout de son nez. Et, comme la manière dont il a transmis ses conclusions date de quantité de générations précédentes, l'harmonie recherchée est nécessairement problématique et ressemble toujours à une dysharmonie plus ou moins grave dont l'enfant pâtit nécessairement et qu'il passera sa vie à tenter à son tour de traiter. Après s'être frotté plus ou moins longuement à ses semblables, avec lesquels il confrontera les conclusions que lui a données l'histoire qui lui a échu à la naissance, il se lancera un jour dans une union au sein de laquelle il attendra de son conjoint, aimé comme le fut sa mère, qu'il lui apporte aussi bien ce qu'il a eu que ce qui lui a manqué, procédant sans relâche avec lui à une inépuisable série de bilans forcément douloureux. Au bout d'un temps plus ou moins long, ils décideront un jour de procréer à leur tour, mettant au monde un enfant face auquel ils se retrouveront dans la position de leurs propres parents et ramenés à devoir soit les imiter en tout point, soit prendre l'exact contre-pied de ce qu'ils ont vécu avec eux.

Cette analyse, bien que ce n'en soit pas le but, ne peut cependant manquer d'inciter à dénoncer vigoureusement tout ce qui s'écrit un peu partout sur le rôle et les prérogatives du père. On en fait le détenteur de la Loi — de l'espèce, bien entendu, parce qu'on a de la culture ! —, celui de la sévérité, de l'autorité, l'agent censeur et punitif... Et on lui désigne toutes les situations dans lesquelles il doit intervenir comme parfois la manière dont il doit intervenir. D'où tire-t-on tout cela ? Sinon de ce qui se laisserait entendre sur les divans et qu'on serait aller glaner dans tel ou tel autre écrit de professionnel, croyant pouvoir impunément mettre ainsi à l'œuvre et plaquer dans la réalité ce qui sourd de l'inconscient et qui n'a strictement rien à voir avec ladite réalité. Le résultat de ce type d'erreur — probablement bien moins innocente qu'on ne serait porté à le croire — ne se fait pas attendre puisqu'en voulant soumettre le père à de telles normes on sape et on ruine tout simplement sa fonction en le tirant du flou dans lequel il doit se tenir pour le propulser dans le certain qui lui a déjà passablement nui et qui le rend, comme je l'ai signalé, singulièrement dangereux. L'expérience, validée par ce qui peut en être lu dans la psyché de l'enfant, montre de surcroît que, du recours direct au père dans la réalité, il convient d'être économe jusqu'à la parcimonie.

En règle générale, on ne peut, du père, que soutenir sans nuance la place et les prérogatives — ce que sont loin de permettre les lois du droit de la famille dans nos sociétés occidentales. Le reste n'étant qu'inutile bavardage. Car seule une telle attitude est respectueuse de ce qui se déroule dans la relation entre parents d'une part, entre parents et enfants d'autre part, à l'insu de chacun des protagonistes. Si bien que, si, dans un processus thérapeutique, on tient à repérer ce qu'il en est de la place du père d'un enfant, c'est toujours dans le discours de la mère, et là seulement, qu'on doit mener sa recherche. C'est là qu'on pourra juger la qualité de l'investissement dont il a été l'objet, comme ce qu'il en est advenu sous la pression de la répétition et de la reprise des histoires. Une vie de couple n'étant, je le répète, rien d'autre que la gestion d'un transfert double et interactif.

VI

RENDRE L'ENFANT AU TEMPS

Il est là, le dilemme : quel que soit le modèle de père que l'on choisisse — si variés qu'ils semblent être actuellement, ils reviennent de fait toujours aux deux que j'ai évoqués —, le résultat s'avère toujours plus ou moins décevant.

Opter pour la certitude que fonde l'engendrement, pour le bon droit que fonde le sens de l'engagement et des responsabilités, pour l'intervention éventuelle que fonde une saine idée de ses devoirs, conduit paradoxalement à rencontrer au mieux une relative surdité ou à générer au pire d'intolérables souffrances. Opter pour un profil bas inspiré de la trace encore vive de vieilles frustrations, se projeter dans la promesse d'un futur amendable, satisfaire patiemment les demandes autant que les exigences, négocier en cherchant la voie du dialogue rationnel dont on a toujours rêvé conduit à devoir rapidement se heurter à un tyran qui ne laissera plus le moindre repos.

Pourquoi en va-t-il ainsi ? Ou, plutôt, pourquoi ne peut-il en être qu'ainsi ?

Sans doute, indépendamment de ce qui a été dit plus haut à ce propos, en raison du fait que le premier modèle renvoie, peu ou prou dans l'inconscient, au père de la horde primitive que les fils finirent par tuer alors que le second, redoublant l'action du modèle maternel, n'en diffère pas assez pour donner suffisamment à l'enfant la conscience d'être enfin sorti de l'espace utérin.

Les progrès de nos sociétés les ont conduites, du moins une grande partie d'entre elles en Occident, à désavouer et à évacuer les modèles inspirés du père autoritaire. L'Histoire n'a pas manqué de leur donner raison, puisque, chaque fois, par exemple, que ce modèle s'est installé à la tête d'une des nations qui les constituent, il l'a détruite. Est-il nécessaire d'adjoindre en vrac à cette affirmation les noms de Hitler, Staline, Fidel Castro ou autres Pol Pot et Mollah Omar ? Encore faudrait-il se demander ce qui a pu amener ces fameux petits pères des peuples au pouvoir. À se poser la question, on trouve régulièrement, entre autres facteurs du moins dans les pays occidentaux, une réaction sourde, diffuse mais certainement déterminante, à la prévalence environnante du second modèle paternel. Le petit père qui s'empare alors du commandement le confisquerait à la fois pour dominer tous les autres et pour faire paradoxalement lui-même allégeance à la méga-mère dont rêverait chacun. Derrière sa propre fascination pour l'usage de la férule, le discours qu'il développe n'est-il pas toujours plein de ces promesses de bien-être et d'équité ? L'hypothèse est en tout cas vérifiable pour l'Allemagne prénazie qui, sous l'influence de l'auteur suisse Bachofen, et de son livre *Le Matriarcat,* avait accordé une grande place au début du XXe siècle à un cercle, devenu rapidement influent, qui militait pour le retour au matriarcat et auquel, entre autres célébrités, Hitler adhéra à Munich en 1920.

Il en irait donc comme si la direction idéale d'un État ne devait jamais se prévaloir d'un rapport trop marqué à l'autorité.

On comprend alors pourquoi les démocraties, nées parfois dans la violence du rejet de ce modèle autoritaire, ont instauré un modèle de direction qu'elles ont voulu duelle et dont elles ont minutieusement organisé le fonctionnement. Elles ont installé à leur tête un président — un ou une monarque pour certaines d'entre elles — qui nomme un chef du gouvernement. Le président, auquel le titre de chef d'État confère une indéniable aura, demeure en principe toujours en retrait, donnant les orientations générales de la politique que devra suivre et mettre en œuvre le chef du gouvernement. Les prérogatives de ces deux personnages varient bien entendu d'un pays à l'autre. La reine d'Angleterre, par exemple, a moins de pouvoir que le président allemand, lequel en a infiniment moins que le président français. Mais, quel que soit le pays, on trouve toujours les deux instances en place[1]. Pour varié et nuancé qu'il soit, ce modèle ne se réfère-t-il pas singulièrement à la direction hiérarchisée du modèle familial le plus classique ? Et cela va même parfois plus loin que la seule direction de l'État puisque par exemple, chez nous, la structure bicéphale infiltre suffisamment l'organisation sociétale pour formater la machine administrative elle-même, laquelle installe préfets et sous-préfets aux côtés des maires.

Il n'est en tout cas pas de pays qui puisse prétendre se passer d'une direction, car, lorsque cela arrive, l'État, quand

1. Que je sache, d'ailleurs, on n'a jamais essayé d'étudier ou de mettre en relation la distribution des rôles respectifs de ces deux instances par rapport aux règles de droit et d'usage qui ont cours dans les différents pays. C'est bien regrettable, mais ce n'est pas plus étonnant que ça, puisque à l'heure même où se fait l'Europe il n'existe aucune étude qui recense, en tentant de les harmoniser, les dispositions respectives du droit de la famille des pays qui s'unissent.

il ne sombre pas dans le marasme, disparaît purement et simplement. Il n'en manque d'ailleurs pas d'exemple dans l'Histoire et dans l'actualité. Au point qu'on est amené à convenir que les mêmes défauts affectent les pays écrasés sous une autorité dictatoriale que ceux qui ont rejeté toute forme d'autorité. Ce n'est donc pas étonnant que, ayant le souci de ces choses sérieuses que sont le capital et l'argent, les entreprises elles-mêmes, quelle que soit leur taille et dans quelque partie du monde qu'elles soient, se sont toujours organisées sur ce même modèle hiérarchisé : un président-directeur général (P-DG) y oriente et chapeaute des actions concrètes qu'il confie au directeur général (DG) qu'il se choisit. C'est toujours lui qui, en toutes circonstances, fixe les objectifs, arbitre et décide en dernier recours.

Quoi qu'on puisse en dire, toutes ces formules, qu'elles interviennent dans un contexte sociopolitique ou dans celui de l'entreprise, fonctionnent de manière assez satisfaisante et dérogent rarement aux règles qui y ont été mises en place. S'il arrive à un président de « monter au créneau » trop fréquemment, comme le dit la presse, on ne manque pas de le lui rappeler et de lui signaler que, ce faisant, il « entame sa crédibilité ». Même maladivement démagogue ou narcissique, on ne le verra jamais, en principe, se mêler des conflits qui peuvent surgir entre membres du gouvernement ou du détail des problèmes des différents ministères. Quant au P-DG, on ne le verra jamais se laisser interpeller par un employé ou se mêler de régler les conflits ou les questions épineuses qui peuvent surgir dans le fonctionnement des différents secteurs de son entreprise et si, peu scrupuleux, il en vient à détourner à son profit les deniers mis sous sa responsabilité, son sort est rapidement scellé.

Tout cela n'est-il pas sans rappeler les rapports que j'ai décrits comme possibles et opératoires entre le père flou et la mère sûre ? Par les preuves de son efficience, un tel modèle démontre en tout cas l'importance et l'efficacité de l'appel au tiers symbolique, lequel, à condition de rester à cette place, garantit de par sa seule existence la gestion la meilleure d'un univers complexe au sein duquel les envies, les avis, les enjeux et les problèmes sont aussi divergents que nombreux et complexes.

Il faudrait alors se demander pourquoi huit millions d'années écoulées depuis la différenciation de l'espèce, cent mille années depuis la première sépulture avec le surgissement de l'angoisse de mort et de la conscience du temps, trente mille années depuis l'invention des cultures et encore dix mille années depuis la stabilisation du modèle dit classique de la famille, ne nous ont pas encore permis de trouver de solution univoque et satisfaisante aux questions posées par la survenue de l'enfant, aussi bien aux parents qui ont à inventer leur rôle et leur place qu'à l'enfant lui-même dont le devenir s'avère directement lié au résultat de cette invention.

On peut aussi se demander pourquoi l'univers politique des démocraties ou celui des entreprises peuvent faire un profit durable de cette structure calquée sur celle du modèle familial traditionnel, alors que les familles n'y parviennent pas ou du moins n'y parviennent plus. Et pourquoi pourrait-il sembler naïf, utopique, indécent, voire malséant et rétrograde, d'inciter ces mêmes familles, faute de mieux, à continuer de s'inspirer de ce modèle dont l'efficacité assure le fonctionnement de machines aussi formidablement complexes ?

Pour la simple raison que c'est difficile ! Car, s'il existe un préalable constitutionnel pour ce qui concerne la plupart des États, comme un mode organisationnel pour ce qui concerne les entreprises, il n'a plus rien existé de cet ordre pour le modèle familial lui-même à partir du moment où les protagonistes se sont trouvés libérés de la contention qui a longtemps été érigée autour d'eux. Livrés alors au seul registre de leurs propensions respectives, ils n'ont pas cessé de s'affronter en usant de ce que leur dictaient leurs logiques comportementales hétérogènes. Il en a du coup été comme si le président, selon son goût, sa personnalité ou son tempérament, avait déserté sa place symbolique et s'était octroyé le droit de verser dans la plus féroce dictature ou que, à rebours et au motif d'être agréable à son Premier ministre ployant sous la tâche, il avait décidé de se commettre dans chaque détail de la vie politique. Il en aura également été comme si un Premier ministre, rejetant délibérément la hiérarchie des pouvoirs et la nécessité de ce même tiers symbolique, décidait de ne plus en faire qu'à sa tête. Si de tels cas de figure sont toujours condamnés, c'est parce qu'ils bafouent la référence constitutionnelle qui, en démocratie, impose aux dirigeants le respect scrupuleux des règles et leur commande, en cas de dissension, de recourir à l'électorat. C'est peut-être ce qu'on a cru devoir faire parfois dans certains modèles familiaux où, les parents ne disposant plus de la moindre contention-constitution, en viennent à appeler sans relâche à l'assentiment de leurs enfants. Ce qui a pour conséquence de mettre chacun d'eux en campagne électorale permanente et de le condamner à devoir se gagner, par le déploiement de manœuvres de séduction, les suffrages de ces enfants en leur conférant ainsi, sans le savoir, un pouvoir que non seulement ils ne demandent pas, mais qui de plus altère leur sentiment de sécurité.

La description de l'impasse qui se dessine ainsi n'a rien à voir avec un quelconque plaidoyer pour le retour à une non moins quelconque contention. Loin s'en faut ! Ce qui a été fait a été fait. Une fois pour toutes. Et il serait aussi vain que déraisonnable de ne pas en prendre son parti.

Il n'est donc pas dans mes intentions de m'écarter de ce que je considère comme une vision réaliste des choses. Que ce soit clair : je n'ai pas l'intention de prôner de quelque manière que ce soit le retour en arrière ou la remise à la mode de la moindre des dispositions qui ont été abandonnées. Quelle opinion se ferait-on de mon simple bon sens à m'imaginer militer pour la suppression de la contraception, la surveillance des modes de conjugalité, la limitation des divorces ou la remise en selle formalisée d'un père qui ne dispose plus d'aucun soutien environnemental ? Mais que nous ayons à ne pas revenir sur ce qui a été acquis doit-il pour autant nous entraîner à abandonner les pères et les mères qui cherchent une solution aux problèmes qu'ils rencontrent, ou les générations futures au sort qui se dessine pour elles ? Devons-nous du coup nous préparer à ne pouvoir que réparer d'inéluctables dégâts quand nous ne cessons pas de développer, dans quantité de registres, un discours vantant les mérites de la prévention ?

Mais de quel côté tenter alors une action ?

Devrons-nous multiplier encore plus qu'on ne l'a déjà fait les recherches sur l'éducation ? Devrons-nous accroître encore plus le nombre de psychologues, psychanalystes, pédopsychiatres, orthophonistes, psychomotriciens et autres rééducateurs ? Faudra-t-il faire de même pour les consultations préventives et contraindre tous les parents à les fréquenter ? Devrons-nous multiplier et implanter sur tout le territoire des centres de guidance ou des établissements chargés de former les parents à leurs tâches ? Ou bien encore pourvoir tous les établissements accueillant des enfants (crèches, écoles, collèges, etc.) de psychologues en y multipliant les bilans et les synthèses lors de rencontres avec le personnel ou les enseignants ? Devrons-nous nous résoudre à promouvoir des émissions de télévision informatives assorties, comme le fait la Sécurité routière ou la Sécurité sociale, d'un zeste de publicité pour la bonne voie à emprunter et nous évertuer à diffuser par toutes sortes de moyens les informations de qualité ?

On ne va tout de même pas aller jusqu'à contraindre les parents à obtenir un permis d'avoir des enfants !

Alors, que pourrions-nous inventer encore ? Car toutes les actions que je viens de passer en revue ont déjà été amorcées sinon plus ou moins tentées depuis des années. Sous la pression de l'audimat, les émissions interactives de radio et de télévision autour des enfants n'ont pas cessé de se multiplier. Tout comme n'a fait qu'augmenter l'abondante littérature (livres, cassettes et revues) qui y est consacrée. Il ne semble pas que des résultats probants en aient été enregistrés. Quant aux centres médico-psychologiques et médico-psychopédagogiques, sans compter les centres privés qui en imitent la structure, ils ne désemplissent pas, et ils en sont arrivés à devoir pratiquer le système de la liste d'attente. Les psychologues ne font-ils pas désormais partie de l'univers de la petite enfance comme de l'univers scolaire ? Il est de surcroît indispensable de relever — j'en témoigne à partir des quarante années de ma pratique — que les actions qui se sont inventées et multipliées ces dernières décennies, bien que jugées encore insuffisantes par les usagers, l'ont été à un rythme soutenu et avec l'appui attentionné des instances officielles.

Cela a-t-il réussi à permettre à des parents mettant leur enfant au monde d'espérer pouvoir s'en passer ? Cela leur a-t-il permis d'être mieux préparés à affronter l'aventure dans laquelle ils se sont lancés et de ne pas se décourager à la première difficulté ?

Le visage des pathologies nouvelles, qui mettent singulièrement, d'ailleurs, les pédiatres dans l'embarras, ne fournit aucun indice en ce sens. Et pour cause ! On se retrouve à assister en effet à la mise en œuvre de la métaphore de la toile de Pénélope. Elle en tricotait, à longueur de journée, des rangs de mailles ! Il est vrai qu'elle les défaisait le soir venu. Et cela a duré des années et des années, lui permettant d'attendre le retour de son Ulysse. Les psys de toutes les catégories semblent logés malgré eux à la même enseigne. Ils déploient tout leur art à tenter d'aider les enfants pendant leur séance hebdomadaire ou bihebdomadaire. Mais, dès que ces derniers regagnent leurs pénates, ils se retrouvent immanquablement soumis aux effets mêmes qui, dans la relation à leur environnement parental, ont participé à l'éclosion de leur malaise. Il faut dire que le créneau n'est pas resté longtemps vide ; les thérapies familiales l'ont occupé, non sans succès au demeurant, le fait étant à relever comme l'indice de l'enrichissement des panoplies d'intervention. Il se vérifie, en tout état de cause, que, quelle qu'en soit l'intention ou la qualité, toute action qui cherche à remédier à des conséquences au lieu de s'attaquer à des causes n'a pas grande chance d'aboutir à des résultats satisfaisants. Or les symptômes des enfants n'éclosent pas par hasard. Ils sont leur expression, leur langage, le seul qu'ils se permettent face à un monde parental dont ils dépendent et dont ils exigent un minimum de sécurité, sinon de sérénité. Comment ce monde parental peut-il leur répondre et les rassurer quand, pourtant soucieux de faire du mieux possible et ayant eu le mérite de s'informer — comme il a appris à le faire en lisant la documentation livrée avec le lave-linge, l'ordinateur ou l'appareil de photo numérique —, il sort plus désemparé encore qu'il ne l'était par ce qu'il aura cru pouvoir apprendre et dont il est rapidement conduit à convenir que ça ne lui sert pas à grand-chose. Car, face à un enfant, la raison souvent défaille, et c'est alors l'émotion qui déborde et qui envahit ! On se sent soudainement écrasé par tout ce qui déboule, dont on n'a jamais été averti, qui sidère plus qu'on ne l'aurait cru et qui paraît devoir dépasser les compétences qu'on croyait avoir. On a vite fait de perdre pied.

Le blues des mères ! Les accidents de la paternité ! Le sentiment de solitude ! Les interrogations sans fin ! La fracture plus ou moins rapide des couples ! Tout cela se dessine confusément, même si on ne veut pas le voir en face, même si on en chasse l'obsession avec quelque rage et qu'on essaie de la combattre ! Parce qu'on sent bien que, s'il y a quelque chose qu'on ne peut pas faire avec un enfant, c'est tricher, l'embobiner. Et on sent en même temps que, tout comme on ne peut pas l'embobiner, on ne peut pas s'embobiner soi-même ! On est pourtant sûr d'avoir commis, là, l'acte le plus important et le plus positif de son existence. Et que ramène-t-il ? Soi ! Soi-même, avec sa propre aventure, tordue nécessairement ! Sa propre aventure et la douleur qu'on en a conçue parce que, au-dessus de soi, les parents, justement les parents, n'ont pas été à la hauteur. Alors ? Faire comme eux ? Quelle horreur ! Le contraire ? Peut-être ! Différemment ? Ouais ! Mais comment ? Et, un jour, sinon demain, voilà les symptômes des enfants ! On commence d'abord par ne pas vouloir les voir. Après quoi, on va les dénier, avant de les attribuer à l'âge en espérant qu'ils rentreront spontanément dans l'ordre tôt ou tard. Et puis, on finit un jour par aller s'en inquiéter et demander de l'aide sans parvenir pour autant à amender l'énorme culpabilité qui accompagne la démarche. C'est alors la prise en charge thérapeutique qui soulage et redonne espoir. À ceci près qu'elle méconnaît souvent, quand elle ne le met pas délibérément à l'écart, tout ce qui a conduit là et qui, qu'on le veuille ou non, devrait être interrogé au bénéfice de chacun. Mais elle a sa logique à elle, qui tricote patiemment ses rangs de mailles en espérant que quelques-unes d'entre elles résisteront tout de même, le soir venu, à l'attitude, au soupir, au geste, au mot assassin qui va immanquablement les défaire.

Et on recommence. Au suivant ! Du reflueur qui a parfois altéré sa muqueuse œsophagienne *in utero* et qui naît vomissant du sang — on appelle cela « syndrome de Mallory-Weiss » — au zozoteur qui est conduit vers les quatre à cinq ans encore accroché au biberon dont l'usage est rapidement justifié par le fait qu'« il ne peut pas s'en passer » et que « c'est tellement pratique pour lui faire boire les 300 millilitres recommandés au petit déjeuner ». Du premier au suivant, puis au suivant encore, c'est encore, encore et toujours du langage. Un langage qui ne cesse pas de tenter de dire, de dire à qui veut bien entendre et qu'il est impossible de dire en d'autres termes, comme si seuls ces termes étaient capables de traduire ce dont on se sent encombré et qui vous habite et vous dévore comme un intolérable *alien*.

J'ai dit « à qui veut bien entendre ». Je n'ai pas dit « comprendre ». Car ce n'est pas pareil, et il n'est pas toujours nécessaire de comprendre.

Je me souviens d'avoir reçu un jour une mère et sa fillette de dix mois, à l'aspect cadavérique parce que n'avalant quasiment rien depuis toujours. Elle ne pouvait pratiquement pas déglutir, ni en suçant un biberon ni en recevant dans la bouche le contenu d'une cuiller. Alors même qu'à l'exposé que la mère me faisait de l'état de son enfant je déroulais déjà les hypothèses diagnostiques préoccupantes qui me venaient en tête, j'ai appris que quelques hospitalisations dans des services de qualité les avaient une à une éliminées et qu'aucun diagnostic organique n'avait encore pu être établi. Je n'ai rien pu faire que de proposer à cette maman, manifestement venue dans cette intention, de nous revoir. Elle a accepté aussitôt. Je l'ai vue une fois par semaine, avec sa fillette les deux ou trois premières fois, puis seule par la suite pendant environ trois mois. Et, si je garde un si extraordinaire souvenir de cette histoire, c'est parce que je n'ai jamais rien compris à ce que me disait, une demi-heure durant, cette maman. Je n'ai jamais réussi à coordonner, de façon cohérente, les brins d'histoire qu'elle me narrait, ou les conversations qu'elle me rapportait avec un quelconque scénario qui m'aurait permis d'y raccrocher un tant soit peu le symptôme de la fillette. Mais aurais-je dû m'en plaindre après avoir appris que la féroce anorexie de la fillette avait été levée dès le troisième entretien ? Pourquoi le troisième ? Je n'en sais rien. J'ai demandé à la réexaminer au terme du travail que nous avions effectué : elle avait doublé son poids !

Pourquoi ai-je glissé ici cette histoire ?

Pour signaler tout d'abord, même si je n'ai pas l'intention de me lancer dans cette direction, que, sur le plan purement technique et théorique, il y aurait quantité de choses à en dire. Pour illustrer surtout, depuis ma position de pédiatre passé par l'expérience psychanalytique, qu'il arrive à chacun de ne rien comprendre à une situation sans que cela ne doive, de quelque façon que ce soit, le disqualifier. Combien souvent les pédiatres, soumis ces dernières décennies à des discours insistant sur l'entrelacs de la psyché et du soma, se sont-ils retranchés dans l'exercice vétérinaire de leur spécialité en assumant leur incompétence du côté de la psyché et en adressant à des spécialistes — lesquels déclarent, au demeurant, que c'est la seule façon de faire — ceux des parents de leurs patients dont la demande se faisait insistante. Je salue cette probité en même temps que je regrette le retranchement auquel elle a abouti parce que les pédiatres sont des praticiens extraordinairement investis et que c'est à eux que s'adressent la plupart des parents en difficulté. Ils auraient pu, plus encore qu'ils ne l'ont fait, intervenir positivement depuis déjà de nombreuses années dans le désarroi qui a gagné nos sociétés. En veillant à ne pas se prendre pour ce qu'ils ne sont pas ni à se lancer dans des psychothérapies sauvages, il leur aurait seulement fallu accepter, sans crainte, de laisser dire sans nécessairement comprendre et d'écouter à défaut d'entendre celles et/ou ceux qui ne demandaient qu'à dire. Les professionnels de l'écoute insistent eux-mêmes sur le fait qu'entendre prime sur comprendre et que le « comprendre » obère l'« entendre » dans la mesure où l'entendre ne touche pas et ne dénature pas le message dit, alors que le comprendre, comme le dit si bien l'étymologie du mot lui-même, s'empare de ce message émis et le fait passer par la moulinette de sa propre perception. Or le locuteur n'avance jamais aussi bien dans sa démarche que lorsqu'il a la possibilité de s'entendre lui-même par le biais de quelqu'un qui accepte d'être le réceptacle non déformant de son dire, parce qu'il assume justement de parfois ne rien y comprendre.

Pour cela, encore eût-il fallu que la formation des pédiatres fût modifiée à temps et que les praticiens en place eussent pu recevoir une information minimale à défaut d'une formation adéquate pour répondre à la demande nouvelle que les parents de leurs patients se sont mis à leur adresser. Il n'en a rien été. À ce jour encore, on voit des pédiatres avec bac + quatorze, ayant fréquenté les services les plus performants, achever leur cursus sans jamais avoir entendu parler des parents ou de la relation de ces parents à leurs enfants. Ils savent bien sûr diagnostiquer brillamment même les « moutons à cinq pattes ». Mais sont-ils si fréquents, ces « moutons » ? Je ne suis pas en train de dire qu'une telle formation soit inutile ou à revoir. Je dis seulement que le tour qu'elle prend illustre une fois de plus les réflexes sécuritaires et le principe de précaution de notre idéologie de la survie. Ce n'est donc pas étonnant que la spécialité soit en train de disparaître. Les gestionnaires de la santé ne voient pas en effet ce qu'elle apporte de plus au suivi des enfants par rapport à un suivi assuré à un moindre coût par les généralistes. Ces derniers pouvant aussi bien assurer les prescriptions diététiques que la pratique des vaccinations sur des enfants auxquels les progrès de l'hygiène et de la médecine préventive ont conféré une santé physique infiniment meilleure qu'elle ne l'était il y a seulement cinquante ans.

Si je prends la précaution à la fois de déplorer l'absence du tournant qui aurait pu être pris et d'insister sur l'incontestable impact de la parole médicale, et surtout pédiatrique, sur les parents, c'est en raison du fait que je compte prendre appui sur cet impact pour convaincre de la pertinence de la solution qu'à la suite de l'analyse que j'ai produite jusque-là je propose aux problèmes actuels des enfants.

Car c'est pour en arriver là que j'ai décortiqué dans l'essentiel de leur étendue aussi bien l'aventure de l'espèce que la dynamique de la relation interparentale.

Qu'y avons-nous appris que je puisse rapidement rappeler ?

Que l'évolution de l'espèce lui a fait don d'une instance qui s'est mise en place de façon très progressive, sans que le moindre dessein en ait été conçu, et uniquement en raison de réflexes adaptatifs. Les mâles, soumis à la violence de leurs pulsions sexuelles, ont cherché à résoudre les problèmes intriqués de leur égoïsme, de leur concurrence et du risque de mourir en tentant de satisfaire ces pulsions. Sur un mode longtemps brouillon et probablement jusqu'à ce jour encore inadapté, ils ont essayé de régler leurs conflits en édictant une Loi, celle de l'espèce, centrée sur l'échange des femmes. Ces dernières, dont l'avis n'a jamais été sollicité et qui furent longtemps soumises — si tant est qu'elles ne le demeurent pas encore jusqu'à un certain point, même en des contrées qui prétendent avoir promu leur égalité —, n'ont pas pour autant renoncé à la logique intrinsèque de leur comportement : mues par leur haine de la mort, elles ont gardé à leurs enfants une relation déterminante susceptible de les rassurer aussi bien sur leur statut que sur la puissance qu'elle leur permet d'exercer. Elles ont toujours éprouvé de grandes difficultés à laisser leur enfant s'éloigner d'elles et, dans un mouvement réflexe, elles ont entrepris de tisser autour de lui un utérus virtuel extensible à l'infini, au sein duquel prévalent le non-temps et l'éradication de toute idée de manque — l'exact contre-pied, autrement dit, de ce qu'était censée mettre en place la Loi de l'espèce.

Confrontés, sans doute indirectement, à cette situation, les mâles se sont évertués à barder la Loi de toutes sortes de dispositifs complémentaires qui sont allés des cultures aux religions en passant par les systèmes de parenté et la contention exercée autour des couples. La famille dite traditionnelle a ainsi conféré au personnage paternel, sans qu'il l'ait nécessairement voulu, une fonction qui a permis à l'enfant — pas toujours heureux de le faire — de s'extraire de l'univers utérin, mais qui lui a en même temps imposé de remplacer le non-temps utérin par l'intégration de la conscience du temps. Conscience pénible en ce qu'elle le contraint à devoir se reconnaître et s'assumer comme mortel, mais qui l'aguerrira et le conduira plus aisément à s'intégrer au corps social et à entreprendre d'organiser une vie d'échanges.

On pourrait donc dire que, si l'évolution a fait à l'espèce le don du père, ce père a été conduit lui-même — et, encore une fois, sans qu'il l'ait voulu ou qu'il en ait eu conscience — à faire don à l'enfant de cet ingrédient qu'est le temps, dans la conscience qu'il en prend et qui le lui fait vivre.

Cet état de fait, qui n'a jamais cessé de poser problème dans la mesure où il mettait en jeu deux logiques comportementales suffisamment inconciliables pour pratiquement faire des hommes et des femmes deux sous-espèces de la même espèce, s'est trouvé bouleversé par un certain nombre de facteurs qui se sont avérés récemment déterminants et au nombre desquels peuvent se compter le développement de la société industrielle, avec ses conséquences économiques et l'infléchissement qui en a résulté dans les mentalités, la mutation du statut des femmes, dans nos sociétés occidentales à tout le moins, la disparition de la contention autour des couples, la maîtrise de la contraception, la libéralisation des mœurs et l'affaiblissement considérable du pôle paternel de la parentalité, dont le maintien au même niveau eût été incompatible avec la mise en place et l'adoption de ces mesures.

Dans l'état actuel des choses, le projet que je préconise consiste à essayer, par d'autres moyens que ceux qui se sont exercés jusqu'à présent, de redonner à l'ensemble des protagonistes, y compris et surtout aux générations futures, l'ingrédient majeur dont ils ont été privés, à savoir la conscience du temps, apurée de frayeur.

C'est un projet dont on n'imagine pas, à première vue, qu'il puisse être autre que naïf, voire utopique, puisqu'il viserait à rétablir ce qui a été au centre des luttes qui ont sans cesse opposé les mères et les pères. À la manière dont je le construis, sans crainte de le voir entraîner des drames ou rencontrer d'insurmontables difficultés, il ne peut susciter que scepticisme ou défiance quand ce ne serait pas un amusement surpris. L'œuf de Colomb, en quelque sorte ! Ou bien alors une supercherie ! S'il existe, pourquoi n'y aurait-on pas pensé plus tôt ? À cette remarque, je répondrai qu'il a déjà existé. À ceci près qu'on n'avait jamais pris conscience de son potentiel au point où je le fais jouer. On pourrait également se demander si ce procédé n'a que des vertus préventives ou si, à condition d'être correctement adapté, il pourrait intervenir dans d'autres circonstances. Parce qu'on imagine mal son action sur des processus ayant déjà pris une tournure préoccupante. À cette réserve, je répondrai encore par une vignette clinique dont je m'aperçois, non sans en être amusé, qu'au moment même où je me propose de l'écrire je ne sais vraiment pas par quel côté du temps la prendre, tant elle implique justement… le temps !

Se renvoyer la balle ?

Magnifique. Splendide. Superbe. Irradiant. Il m'a paru tout cela à la fois et bien plus encore, Ludo, dans la fraction de seconde où je l'ai vu franchissant le cadre de la porte d'entrée de mon cabinet et l'occupant pratiquement en entier. Mon regard n'a pas perdu la moindre parcelle de sa personne. Dieu, qu'il était beau ! Cette silhouette athlétique dans un élégant costume gris perle ! Était-ce bien lui ? Je reconnaissais ses grands yeux bleus, mais je n'aurais jamais imaginé qu'il pourrait être un jour si beau. J'avais en effet gardé de lui le souvenir d'un visage assez disgracieux que les yeux, à l'expression fuyante et inquiète, mangeaient certes, mais dans lequel la bouche, aux grosses lèvres toujours ouvertes et molles démasquant des dents trop larges et surmontant un menton petit et fuyant, me désespérait par la faiblesse qu'elle semblait traduire. Il n'y avait plus rien de tout cela : le regard était droit, lumineux, joyeux en l'occurrence, et la bouche ferme et bien dessinée conférait à l'ensemble de la physionomie une expression de force et d'équilibre peu commune.

J'étais allé vivement à sa rencontre à peine était-il entré. Nous nous sommes précipités dans les bras l'un de l'autre et nous nous sommes serrés fort, fort, et longuement, comme pour rattraper tout ce que nous n'avions pas pu nous dire au long de ces si longues années passées. C'est moi qui me suis séparé de lui, par égard pour son épouse, que je savais derrière lui, encore dans le couloir avec dans ses bras leur petit garçon. Il avait les yeux embués. Et, comme s'il avait compris mon intention, il s'est tourné lui aussi vers elle pour me la présenter. Elle

souriait, attendrie. Elle était délicieuse et fort belle, elle aussi.
J'ai eu, en raison de la longueur de ma carrière, le bonheur indescriptible de recevoir les bébés de mes anciens bébés, filles ou garçons, parfois longuement suivis et devenus parents à leur tour. La relation ne s'engage jamais comme elle le fait habituellement. La familiarité qui s'instaure n'entame en rien le respect ou la déférence des échanges, et cela m'a permis, pour ma part, de donner à mes observations et à mes recherches personnelles la densité et l'épaisseur que confère un suivi longitudinal aussi riche.
Mais l'émotion avec laquelle j'ai accueilli Ludo avait une autre intensité. Elle était d'une autre nature. Je ne pouvais pas me contenter de me dire que je me retrouvais en présence d'un de « mes » enfants longtemps perdu de vue. Ça, c'est ce que je savais pouvoir exister ou retrouver avec tous ces anciens enfants qui avaient été un peu les miens aussi. Mais là, c'était comme si je soufflais enfin. Comme si je m'étais trouvé confirmé dans un espoir déraisonnable ou dans une folle croyance. Il y avait, dans ce que je ressentais avec cet excès, comme la résignation ravie d'avoir à vivre l'incroyable, comme le parfum, subtil et inconnu jusque-là, d'une résurrection.
C'est ça. C'était ça ! Ludo, là, comme il était, par rapport au souvenir que j'avais gardé de lui, était un ressuscité. Il avait accompli un parcours — un destin ? — de ressuscité. J'avais connu sa mère, à mes tout débuts. Avec son premier enfant, une fillette de quelques mois qu'elle mettait en nourrice, en l'y laissant parfois la nuit, chez une voisine de son immeuble et qu'elle élevait seule, ayant divorcé à peine enceinte. Elle exploitait un magasin de fleurs à l'autre bout de Paris. Elle m'a expliqué qu'en raison de sa situation elle

avait accepté sans hésiter l'appartement HLM qui lui avait été attribué dans notre quartier, quitte à avoir dû se résigner à compenser par des heures de transport le loyer raisonnable qui lui était ainsi offert. Je l'ai vue de temps à autre, moins souvent cependant que sa fillette que j'allais donc visiter chez sa nourrice quand elle était malade. Notre relation, cordiale, n'est jamais allée très loin. J'ai à peine eu le temps de saisir quelques informations sur le père de la fillette et sur les raisons, tellement banales, de leur divorce : il avait rencontré quelqu'un d'autre. Mais notre relation a dû lui plaire puisqu'elle m'a adressé, pour leurs enfants, ses frères et sa sœur qui demeuraient pourtant, tous, loin de chez moi.

Je ne crois pas l'avoir vue enceinte quand elle m'a conduit son nouveau-né avec le père de ce dernier. Et ce sera alors le début d'un cauchemar qui a duré de nombreuses années, pratiquement jusqu'au moment où j'ai cessé de voir Ludo. Et ce, malgré l'appel à toutes les compétences que j'avais cru bon de faire intervenir toutes les fois que la nécessité s'en présentait.

Longtemps, les consultations ont été lourdes de silence. Elle, elle ne desserrait presque pas les dents, guère plus au demeurant que son mari — ils étaient mariés, elle avait changé de nom —, un homme bien plus âgé qu'elle, un peu épais, au regard gris suspicieux, dont c'était le second ménage et qui avait déjà un grand garçon. Une famille recomposée, comme il avait commencé à y en avoir de plus en plus. Moi, j'attendais que les choses viennent au fil des rencontres. Or Ludo fut rapidement atteint d'une maladie de peau spécifique au premier trimestre de la vie, la maladie de Leiner-Moussous, qui nécessitait l'affinement constant et fréquent d'un traitement méticuleux. Ce qui m'a amené à les voir fréquemment tous les trois, car le père ne ratait jamais une consultation. J'ai ainsi vécu les consultations les plus organicistes qui aient été de ma carrière. Et quand il m'arrivait de m'armer de mon regard le plus ouvert et de risquer sur un ton engageant un : « Et à part ça, ça va ? », l'un ou l'autre me répondait « ça va », sur un ton un peu las qui m'indiquait qu'il valait mieux ne pas insister.

Il s'en est passé des choses dans ces premières années ! La maladie de peau a vite laissé place à un eczéma étendu qui a nécessité des doses croissantes de crèmes corticoïdes pour au moins calmer les féroces démangeaisons. Je me souviens de m'être demandé si Ludo n'y trouvait pas son profit ; parce qu'à peine était-il déshabillé et assis sur la table d'examen qu'il entreprenait de gratter méthodiquement les zones habituellement couvertes tout en me défiant de son grand regard bleu auquel de longs cils noirs donnaient un air triste. Puis ce fut l'éclosion de l'asthme au début de la troisième année, avec des crises devenues suffisamment fréquentes pour me conduire à instaurer un traitement corticoïde minimal continu — on ne disposait pas encore à cette époque des corticoïdes inhalés. Le sommeil n'était guère plus fameux, et le langage rudimentaire voyait son développement gêné par la sucette toujours en bouche, qu'on lui laissait au motif que, dès qu'on la lui enlevait, non seulement il hurlait, mais il était rapidement inondé par les flots de salive qui lui coulaient de la bouche. Quant au comportement lui-même, il était tout simplement déplorable : les caprices et la tyrannie ne cédaient en rien à la féroce jalousie développée à l'endroit de la grande sœur.

Puis un jour, vers la fin de la troisième année, j'appris du couple son divorce, ce qui n'empêchera pas le père de marquer par la suite la même assiduité aux consultations. Je passe rapidement sur les difficultés scolaires qui débutèrent dès la maternelle par une agressivité féroce de Ludo envers les autres enfants pour laisser place aux difficultés d'apprentissage qui me conduisirent à recourir à la psychomotricité, à l'orthophonie — la sucette ne dut disparaître que vers la septième année ! —, puis à la psychanalyse. On aura compris que mes tentatives d'intervention régulièrement réitérées autour du couple se sont toujours heurtées à une fin de non-recevoir, comme si les symptômes de l'enfant lui étaient une nécessité.

J'avoue ne plus me souvenir pour quelle raison le père, un jour, ne se fit plus aussi présent. Je suppose que cela a dû concorder avec le début du nouveau couple qu'il avait formé. Sans doute lassé ou ayant pris mon parti de ce long silence, je mis le temps de quelques rencontres à m'habituer à la nouvelle configuration des consultations. Mais, quand je me suis enfin décidé à inviter la maman de Ludo à faire le point de cette longue et pénible aventure, elle ne se fit pas prier et elle accepta de revenir seule pour me raconter cette histoire qui m'était demeurée opaque.

Elle revint au tout début de son parcours. Un soir, se sentant fatiguée à la fermeture de sa boutique, elle décida de prendre un taxi pour revenir chez elle. Or, quelques jours plus tard, elle eut la surprise de retrouver ce même taxi qui l'attendait. Elle en fut amusée, ne se doutant pas alors que le chauffeur allait faire de cette assiduité sa technique d'approche. Technique qui s'avéra efficace, puisqu'elle lui permit, au bout de quelques semaines, de monter un soir chez elle en ayant garé son véhicule pour la nuit en face de l'immeuble. Il leur a suffi de quelques semaines encore pour décider de se marier. Mais il leur a également suffi de quelques mois à peine pour entrer dans le conflit qui les conduirait à se séparer quelques années plus tard : elle estimait que son mariage ne donnait pas pour autant à son époux, qui l'entendait d'une autre oreille, le moindre droit de regard sur la gestion de son affaire propre. Fut-ce l'excuse ou le point focal d'une dissension qui avait d'autres causes ? Peu importe. C'est en tout cas au cœur même du conflit qu'elle se découvrit enceinte. Elle en fut plutôt déçue, mais elle en fit part à son mari qui ne marqua pas à la nouvelle plus d'enthousiasme qu'elle. Comme la survenue de cette grossesse n'éteignit pas le conflit croissant, la décision de l'interrompre fut dans l'air sans que rien de consistant n'en ait été dit. L'IVG était encore interdite à l'époque et n'était jamais une mince affaire. Elle prit ses renseignements. Elle apprit que la chose pouvait se faire proprement et dans des conditions de sécurité en Suisse ou en Angleterre. Elle opta pour cette dernière destination et, ayant pris ses dispositions pour sa fille et sa boutique, elle se rendit un après-midi, à l'heure qu'on lui avait indiquée, au lieu où un autobus embarquait toutes les postulantes à ce type d'intervention pour les conduire à la clinique de Londres où elle se pratiquait. L'officine qui organisait ce type de transit la prenant en charge, elle passa la nuit dans un petit hôtel où on vint la chercher pour la conduire à la clinique. Là, après lui avoir fait remplir un long questionnaire, on lui remit un numéro en lui expliquant qu'elle devait attendre son tour, dans un immense hall où patientaient des dizaines de femmes dans sa condition. Il lui suffit d'une demi-heure à peine pour se rendre compte qu'elle avait pratiquement toute la journée à attendre. Elle se plongea dans la lecture du livre qu'elle avait pris pour le voyage en essayant de ne penser à rien. Les heures s'étiraient. Elle avait faim, on ne lui avait permis qu'un thé et un biscuit à la mi-journée. À un moment, elle constata qu'elle n'avait plus qu'une personne avant elle et quatre après. Puis on l'appela enfin. Elle se leva pour se diriger vers la porte où elle avait vu s'engouffrer les femmes qui l'avaient précédée quand, passant devant la secrétaire, cette dernière lui tendit le téléphone. Elle crut comprendre, parce que son anglais était rudimentaire, que c'était un appel pour elle. Elle imagina que ce devait être une méprise. Personne ne pouvait en effet l'appeler puisque nul ne savait où elle s'était rendue. Elle prit tout de même le combiné. C'était son mari qui lui hurla sans ménagement : « Je t'interdis formellement de toucher à mon enfant ! Tu entends bien, je t'interdis ! J'ai d'ailleurs dit à la secrétaire que, si on te faisait quoi que ce soit, je ferais un procès à la clinique... » Elle apprit plus tard qu'il avait passé la nuit à parcourir tout Paris à sa recherche, interrogeant et menaçant ses parents, les autres membres de sa famille et ses amies, jusqu'à trouver celle d'entre elles qui avait fourni le tuyau de la clinique londonienne. Il n'aurait pas hésité à s'y rendre s'il n'avait craint d'arriver trop tard.

C'est comme ça qu'elle revint enceinte pour mettre au monde Ludo, comme tout le monde l'appellera alors qu'elle s'était juré de ne jamais laisser amputer le prénom de Ludovic qu'elle lui avait choisi — savait-elle, pouvait-elle savoir, que Ludovicus désigne le vainqueur aux jeux ? Le jeu de la vie, en l'occurrence, dont il avait remporté la palme !

Histoire chargée, difficile, lourde. Je l'ai écoutée sans en perdre un détail. À défaut de me permettre de faire un lien précis avec les atteintes organiques de Ludo, elle me permettait de comprendre aussi bien la raison du long silence du couple que la présence toujours suspicieuse de ce père attentif mais muet. Elle expliquait comment l'éducation précoce, ayant pris la voie d'une double surprotection, avait fabriqué ce tyran qu'on n'avait pas cadré et dont on avait laissé l'énergie se disperser dans tous les sens. Il en est toujours ainsi : un bébé est comme un soleil ; lui aussi est une formidable boule énergétique qui irradie dans tous les sens ; mais cette irradiation risque de sérieusement entamer sinon épuiser sa réserve énergétique si l'environnement parental ne le canalise pas le plus étroitement possible pour lui permettre d'en faire un usage prolongé et profitable.

Il ne me fut pas en tout cas difficile, au terme de cet entretien, d'amener cette mère à relever la succession des échecs de ses couples et à convenir qu'elle méritait d'être interrogée. Elle est repartie avec l'adresse d'un psychanalyste auprès duquel elle fit un long et fructueux travail.

Ludo n'allait cependant pas tellement mieux. La psychanalyse, les rééducations diverses et les changements d'école n'y faisaient apparemment rien. On l'avait laissé passer en sixième alors qu'il lisait encore en ânonnant et qu'il souffrait d'une importante dysorthographie.

C'est à ce moment-là que je le revis, pour la dernière fois avant nos retrouvailles, accompagné de son père et de sa mère qui m'ont très vite dit être venus recueillir mon avis à propos d'une décision qu'ils étaient sur le point de prendre. Ils avaient depuis longtemps eux-mêmes remarqué que Ludo, qui était très sportif, excellait au tennis à un point que son professeur prédisait qu'il pouvait y avoir un réel avenir. Ayant réfléchi à cela, ils y avaient vu une possible porte de sortie de l'impasse qu'ils vivaient : puisque ce n'était pas un « scolaire » et qu'il n'était pas destiné à devenir un intellectuel, pourquoi ne pas lui donner toutes les chances possibles dans la direction qui pouvait être un jour la sienne ? Ils s'étaient soigneusement documentés et ils étaient tombés d'accord sur une solution : une école de tennis prestigieuse aux États-Unis acceptait des pensionnaires qu'elle formait dès l'âge que venait d'atteindre Ludo. *La séparation leur coûterait certainement autant qu'elle coûterait à Ludo. Mais ce dernier, soulagé d'être définitivement débarrassé de la torture scolaire et ravi de se parfaire dans ce sport qu'il adorait, ne pensait pas à cela et, sans en mesurer l'ampleur, était prêt à voir mettre en œuvre la décision sur-le-champ. Je me disais pour ma part que ce n'était peut-être pas un hasard que cet enfant, avec ce qu'avait mis en place son histoire, investît à ce point les exploits de son corps et en vînt à choisir le tennis, ce sport où la balle va de l'un à l'autre des protagonistes comme devait le faire, entre autres, la culpabilité qui avait tenaillé depuis toujours ses parents. Et je ne pouvais pas non plus ne pas entendre dans le luxe de la décision qu'ils prenaient — tout cela devait coûter certainement cher ! — à la fois l'étendue de cette culpabilité et le prix qu'ils étaient prêts à payer pour en alléger la pression. Un prix autre que pécuniaire puisqu'ils acceptaient par avance d'affronter la frustration affective qu'ils allaient vivre pour soustraire leur enfant à leur problématique et de confier à d'autres la suite de son éducation. Hormis la distance, la solution en elle-même n'avait rien d'original. Il y a eu depuis toujours des parents qui, assumant l'échec de leur entreprise, ont mis de diverses manières et en divers lieux leurs enfants « en pension ». J'ai non seulement souscrit à l'intelligence de la solution qu'ils avaient trouvée, mais, ayant eu à constater l'échec de toutes les voies thérapeutiques, je leur en ai prédit de bons résultats, non sans leur laisser entendre que je la considérais, pour ma part, non pas comme un rejet, mais comme une véritable preuve d'amour.*

Et quelle question pouvais-je poser à mon Ludo tout neuf que je retrouvais, papa, des années plus tard ? Sinon celle de la suite de son histoire. Ce que je fis en lui demandant : « Alors, le tennis ? Tu en es où ? » « Nulle part », me répondit-il avant d'ajouter, à mon grand étonnement : « Je ne veux plus de ma vie en entendre parler et je ne veux même plus voir une raquette en peinture. C'est vous dire ! »

Il se mit alors à me faire, longuement et sans rien omettre, le récit de son aventure américaine de plusieurs années. Il m'expliqua les détails et les règles de vie de l'école, les méthodes d'enseignement qui s'y pratiquaient, la discipline de fer qui y régnait. L'échec de toutes les tentatives par lesquelles, avec des copains, il avait essayé de s'y soustraire. Et, en contrepoint, la souffrance qu'il a eu à endurer, surtout dans les premiers temps. Sans complaisance mais sans pathos non plus, il me donna des précisions sur le rythme, les horaires, la hiérarchie des sanctions en fonction des transgressions, les bilans épisodiques, etc. Un récit qui eût sans doute fait bondir la plupart d'entre nous et qui nous eût poussés à compatir avec lui en le plaignant sincèrement et en lui confiant l'horreur dans laquelle nous tenions ce type de coercition, gratuitement violente en apparence et forcément inhumaine et imbécile. À ceci près que, pour conclure, lui me déclara : « Le tennis, je ne veux plus en entendre parler. Mais je suis reconnaissant à mes parents de m'avoir mis dans cette école. Et je suis reconnaissant aussi à mes profs et à l'équipe d'enseignants que j'ai eue. Parce que j'ai pleuré et j'ai souffert, c'est vrai, mais c'est tout ça qui a fait de moi un homme. Et si mon fils devient un jour ce que moi j'ai été, je n'hésiterai pas une seconde à l'envoyer là-bas. »

Voilà un cas dont l'exploitation pourrait prendre longtemps encore. Si j'ai choisi de l'exposer dans ses grandes lignes, c'est parce que, par bien des points, il est représentatif de notre modernité. Une histoire qui se déroule, que j'ai vécue, sur deux générations. Qui s'empare d'une femme jeune, déjà mère, précocement seule, pécuniairement indépendante et insérée dans une existence dont elle assume toutes les caractéristiques. Elle a elle-même, bien sûr, une histoire dont elle constitue un chaînon, mais à laquelle je n'ai pas eu accès. Elle rencontre un homme, lui aussi actuel, avec déjà un ménage et un grand enfant derrière lui. Ils font un enfant. Au plus mauvais moment sans doute de leur relation, au point de ne pas l'investir en conscience. Un cas de figure fréquent et, en l'occurrence, la répétition d'un scénario déjà connu par l'une comme par l'autre : elle était restée seule avec sa première fille, il était séparé d'une femme à laquelle il avait fait un enfant. Soumis à la réalité de leur condition du moment, ils envisagent de supprimer cet enfant. Elle, elle va jusqu'au bout de ce qu'elle croit être la bonne conduite des événements. Elle se débat comme elle le peut avec les conditions qui régnaient en France dans ce type de circonstance avant la loi de 1975. Lui, il intervient *in extremis*. La grossesse est sauvée. Mais que vont-ils faire de cet enfant dont ils n'avaient pas hésité à envisager la suppression ? Est-ce si simple de passer par-dessus ce qu'ils ont vécu ? Peuvent-ils, peut-on, effacer des vœux de mort ? Qui peut le croire possible ? Nous sommes ainsi faits, héritiers de ce qu'a mis en nous l'évolution de notre espèce, que nous avons en nous toute la mécanique qui dicte la sanction à ceux qui auront osé braver, dans la réalité ou dans le simple fantasme, l'interdiction de tuer. Je témoigne à cet égard — et c'est seulement une information que j'apporte — n'avoir jamais rencontré de femme ayant pratiqué un avortement, quelles qu'en aient été les circonstances ou la justification, qui n'en ait gardé une trace profonde et impossible à effacer. Eux, ils vont axer toute leur conduite sur ce qu'ils auront enregistré comme leur ancienne inconduite : elle, bourrelée par sa culpabilité, va s'évertuer à satisfaire le moindre des besoins de cet enfant, voire à en prévenir la survenue, craignant les reproches de cet homme qui, pour alléger sans doute sa propre culpabilité, la projette sur elle, ne cessant pas de l'avoir à l'œil et l'accompagnant à toutes les consultations comme s'il était encore fondé à se défier de la complaisance que les médecins pourraient manifester à l'endroit des mères au détriment des pères et des enfants. Plus ça ira, et plus l'atmosphère s'alourdira. Plus ça ira, et plus se renforcera autour de cet enfant la pression de l'utérus virtuel que sa mère tisse autour de lui, avec l'approbation du père, prêt à voir dans cette sollicitude la preuve de dispositions nouvelles et rassurantes. Que l'enfant tente de se rendre plus visible par la rougeur de sa peau ou qu'il hurle par ses crises d'asthme son besoin d'air renouvelé ne change rien à l'affaire. Condamné au non-temps utérin, il est exclu de toute expérience personnelle du temps. Il devient le tyran que je décris et qui exige tout, tout de suite, comme si la moindre expérience de l'attente ou celle d'un bout de temps vide contenait en elle une menace de mort. Il ne lui suffit pas que sa mère, dans la perpétuelle crainte des reproches de son mari, soit constamment présente, il ne va pas cesser de l'halluciner au moyen de cette sucette qui ne peut lui être ôtée sans rencontrer sa véhémence. La salive, qui l'inonde dès que sa bouche est vide, témoigne de la fixation de sa déglutition à un stade très précoce, celui d'avant trois ou quatre mois ;

cet âge où la salive qui coule fait croire à tort que des dents vont pousser, alors que cela traduit simplement le fait que les glandes salivaires modifiant leur débit entraînent, par une production abondante, une modification de la dynamique et de la coordination des muscles assurant la déglutition et destinée à permettre à l'enfant d'apprendre à avaler autre chose que le lait, le préparant ainsi à se séparer du corps de sa mère. Ludo le pouvait-il, lui, enfermé qu'il était dans l'épais utérus virtuel ?

J'ai déjà longuement évoqué tout cela en signalant combien il était important que toute mère puisse renoncer à garder l'enfant en elle et pour elle. J'ai aussi insisté sur le fait qu'elle ne doit pas hésiter à l'inviter à s'éloigner d'elle, voire à le chasser loin d'elle s'il marque la moindre rétivité. Ce disant, je ne suis pas, comme on pourrait être amené à me le reprocher, en train de mettre les mères en accusation ou à les culpabiliser. J'essaie de leur faire prendre conscience de leur responsabilité, tout comme je le ferais si j'insistais, auprès des conductrices qu'elles sont, en leur rappelant qu'il vaut mieux qu'elles tiennent leur droite et qu'elles ne brûlent pas les feux rouges. Si l'initiative leur revient souvent, c'est en raison du fait qu'ayant porté leurs enfants des deux sexes elles sont pour eux le centre de leur univers et l'objet de leurs demandes au point d'être sollicitées sans arrêt et d'être, qu'elles le veuillent ou non, les éducatrices les plus potentiellement douées et les plus efficaces.

Que dit d'ailleurs le mot « éduquer », sinon quelque chose qui est de leur ressort parce que c'est à leur portée immédiate ? Le mot dérive du latin *ex* qui signifie « hors de » et de *ducere* qui signifie « conduire ». Éduquer revient donc à « conduire hors de... ». Mais hors de quoi ? Ou de quel endroit ? Sinon précisément de l'univers utérin ? Ce qui permet de comprendre donc que toute éducation nécessite l'adhésion de la mère au projet qu'elle a à assumer et qu'en dehors d'une telle adhésion cette éducation s'avérera singulièrement problématique, engendrant, pour le cas de Ludo par exemple, les troubles multiples auxquels les divers rééducateurs sollicités tenteront de remédier, sans le moindre succès.

Il va sans dire, et je l'ai déjà signalé, que les enfants, les garçons plus que les filles, n'acceptent évidemment pas d'être éconduits et ne demandent qu'à demeurer rivés à leur mère et, mieux encore, virtuellement en elle. Ça n'est pas amusant, et ça ne peut l'être pour quiconque, de décider de s'engager dans une vie condamnée à avoir un terme. On rechigne à s'y résoudre. Et, si c'est le père qui l'ordonne, on continue de rechigner et on lui en veut férocement en lui mettant sur le dos tous les malheurs qu'on rencontrera, assuré(e) qu'on est qu'une aussi regrettable décision n'aurait jamais pu être prise par la mère aimante qu'on se connaît. Si bien que, dans le plus banal quotidien, c'est toujours à la mère d'intervenir, de poser les interdits et de dire tous ces « non » dont nombre de discours parmi les plus autorisés ont fait, surtout ces dernières années, l'apanage du père ! Pour le comprendre encore mieux, il ne faut pas perdre de vue que toute demande de l'enfant est une demande adressée à la mère et ayant sur un mode plus ou moins flagrant une coloration sexuelle. Ce qu'on peut comprendre, parce que la formulation peut parfois choquer, si on se réfère au fait que toute demande est une demande de satisfaction immédiate d'un besoin, lui-même référencé aux besoins exprimés *in utero* — toute demande se rapportant, autrement dit, à la logique de l'utérus virtuel. Quand le père dit « non », l'enfant est fondé à croire que sa mère aurait certainement accepté, elle, de le satisfaire. Mais quand la mère dit « non », ce « non » est porteur d'un message implicite des plus puissants, laissant entendre que, si elle se sait anatomiquement toujours pénétrable et ne pouvant pas se soustraire de ce fait à une tentative de pénétration, fût-elle métaphorisée par une demande, elle dit « non » à cette tentative, quelque aspect qu'elle puisse prendre, au nom du « oui » qu'elle a dit au seul père. Autrement dit, tout « non » proféré par la mère l'est toujours au nom du père. Ce qui permet à ce dernier de jouer pleinement son rôle de tiers symbolique conférant à la mère le soin de mettre en œuvre ses décisions et d'économiser ses interventions directes en les réservant aux circonstances importantes. J'ai l'habitude de dire qu'un père, c'est comme une pile, ça s'use, et même singulièrement vite, si on l'utilise à tout bout de champ. Il va sans dire, et on l'aura compris, que le « non » maternel est d'autant plus efficient que ce qu'il exprime implicitement correspond à une certaine réalité. Qu'il existe, autrement dit, un réel investissement du père par la mère — ce qui permet de saisir que la place d'un père est d'autant mieux assurée qu'il veillera à demeurer l'amant de la mère et qu'il aura ainsi réussi à la tracter vers une féminité qu'il ne cessera pas d'entretenir. Mais est-ce à dire qu'une mère séparée n'aurait pas de moyen de se faire entendre ? Est-ce à dire que la mère de Ludo n'aurait pas réussi, si elle l'avait fait, à imposer ses « non » à son enfant ? Certainement pas. Parce que le message qu'elle émettrait ne serait tout de même pas faux, dans la mesure où il a bien fallu qu'elle dise un « oui » au père pour que l'enfant ait été conçu, et que ses « non » se rapporteraient toujours à ce premier « oui ». On peut d'ailleurs articuler sur ce point ce qu'il en est du nom patronymique du père, longtemps conféré automatiquement à l'enfant pour rappeler ce type de règle. Il a été récemment décidé de s'affranchir de cet automatisme, au nom du fait que les pays ibériques (Espagne et Portugal) confèrent à l'enfant les noms patronymiques des deux parents, le premier étant seulement transmis de génération en génération. Cet usage ibérique n'est pas dû au hasard. Il constitue une rémanence de sept siècles d'occupation arabe. Or les Arabes avaient des harems et se devaient de donner le prénom de Mohamed à au moins un de leurs enfants. Si Ali, qui avait pour épouses Fatma, Zohra et Khadidja, avait avec chacune d'elles un Mohamed, il ne pouvait distinguer ces derniers qu'en les nommant Mohamed de Ali et Fatma, Mohamed de Ali et Zohra, Mohamed de Ali et Khadidja. L'usage a donné, pour tous les enfants, une règle qui s'est maintenue après la reconquête chrétienne.

Ce n'est donc pas l'impossibilité ou l'inanité de l'entreprise qui entraînerait la réticence d'une mère à dire « non ». C'est qu'elle aimerait pouvoir prendre plaisir à dire « oui » à son enfant, croyant, en le satisfaisant ainsi au nom de la logique comportementale qui la commande, pouvoir se sentir être une bonne mère, perdant de vue que séduire un enfant équivaut à le détruire. Combien souvent le cas ne se rencontre-t-il pas en consultation quand des mères, venant se plaindre de troubles du sommeil et de comportement de leurs enfants, filles ou garçons de tout âge qu'elles élèvent seules pour quelque raison que ce soit, en viennent à signaler que l'enfant partage leur lit. Quand je leur dis que cela doit cesser parce que l'enfant ne doit pas occuper la place de son père, elles répondent toujours de la même manière : tout d'abord que le père n'est pas là, et ensuite que l'enfant ne veut rien entendre de leur interdit. Et elles ne réussissent à mettre fin à leur manège que lorsque la reprise de leur histoire parvient à leur faire percevoir que, sans ce père désormais absent, elles n'auraient pas été mères. Elles viennent alors dire leur étonnement de la facilité avec laquelle l'enfant a soudain obéi à leur ordre. Il leur a en effet obéi parce qu'il a soudain senti, dans l'ordre qu'elles lui ont donné, une détermination qui n'y était jamais apparue et qu'il a su admirablement repérer parce que, branché directement sur elle, il n'a pas besoin de mots pour la reconnaître. Sans une telle détermination, il n'y a pas de chance pour que l'ordre aboutisse. Mais que signifie cette détermination ? Rien d'autre que ceci : on est prêt à lutter et combattre pour imposer son avis, quelque énergie que cela doive user ! La détermination, à elle seule, sans qu'on ait à la mettre en œuvre, rétablit la hiérarchie générationnelle et confère, à sa manière, à l'enfant un brin de conscience supplémentaire de l'existence du temps, comme de l'écoulement de ce temps, maître de chacun.

Les réticences maternelles entrent dans le cadre général d'une attitude, suspecte, devenue courante, sinon la règle, chez nombre de nos contemporains soucieux de traiter convenablement, et en bons démocrates, des enfants auxquels ils fournissent quantité de justifications dont le résultat est qu'elles sont productrices d'angoisse. Se justifier auprès d'un enfant revient en effet à inverser l'ordre générationnel en lui permettant de juger, en le faisant, autrement dit, juge de soi. Or c'est exactement le contraire de ce dont a besoin l'enfant. Car, lui, pour combattre cette angoisse, se dit, compte tenu de ce qu'il a cru comprendre, que la génération du dessus meurt toujours avant celle du dessous. L'inversion générationnelle mise en place par la justification produit donc en lui l'effet inverse et génère une forte ascension de pression de son angoisse. Dans une contre-attitude équivalente, les parents octroient souvent aux enfants tous les droits en oubliant de leur conférer l'idée de devoirs. C'est d'ailleurs en de tels termes qu'après avoir épuisé de longues et inutiles explications on les entend dire, à bout d'arguments, le classique : « Tu n'as pas le droit », généralement ponctué du non moins classique : « D'accord ? », lequel trahit on ne peut mieux la faiblesse de leur détermination à s'imposer ou à imposer leurs avis. Et il n'y a rien d'étonnant alors à entendre le petit tyran évoquer le même mot en écho et plaider pour sa manière de faire avec un : « Mais j'ai le droit ! » C'est alors la porte ouverte à une nouvelle négociation, perdue d'avance pour les parents en raison de la disparité des énergies. De l'énergie, l'enfant en a toujours à revendre, alors que les parents, eux, ont souvent épuisé une bonne partie de la leur dans une enfance dispendieuse.

Combien souvent ne les ai-je pas choqués en invitant à méditer un aphorisme que j'avais volontairement forgé sur un mode excessif pour frapper leur imagination : « Si vous élevez vos enfants en démocrates, leur disais-je, vous avez de fortes chances d'en faire plus tard des fascistes ; alors que, si vous les élevez de manière plus ou moins fasciste, vous en ferez à coup sûr des démocrates. » C'est au demeurant tout à fait vrai. Se lancer dans de longues justifications de la moindre des décisions qu'on prend et en appeler à la raison ne crée pas, comme on l'escompte, une haine de l'autoritarisme, mais le contraire : l'enfant devenu grand sera demeuré tellement attaché à sa cellule familiale initiale qu'il refusera tout ce qui en diffère. Il sera proprement intolérant à l'endroit de la moindre différence. Alors qu'ayant eu à pâtir de l'autorité, devenu grand, il en combattra sans faillir les expressions. Quand la Révolution française a tenté de donner la plus juste définition de la liberté, elle a posé que « la liberté de chacun finit là où commence celle d'autrui ». Par un glissement insidieux vers la démagogie, cette formule est devenue un jour « la liberté de chacun commence là où finit celle d'autrui ». Si la première met en place un lien social fondé sur l'altérité, la seconde détruit ce lien social en encourageant l'individualisme dont on sait qu'il promeut la perversion au détriment de la névrose.

Il est vrai que nos sociétés disposent fort heureusement, aujourd'hui, d'une institution sans l'existence de laquelle nous aurions à être infiniment plus inquiets encore sur le devenir des générations montantes. Cette institution qui est probablement l'institution la plus efficace et la plus apte à limiter les dégâts et à recadrer les enfants, c'est l'école. Et j'avoue personnellement ne pas être fâché qu'à l'inverse de ce qui se passe dans les pays anglo-saxons elle commence si tôt chez nous. Elle ne confère pas seulement une instruction, elle apporte souvent le complément d'éducation qui a manqué et qui manque à tant d'enfants, mettant en échec leur propension à la tyrannie et leur illusion de toute-puissance en les détrompant sur la conviction qu'ils avaient jusque-là d'être des petits dieux à qui tout est naturellement dû. Elle les met enfin, non parfois sans difficulté, au monde, parvenant même à leur enseigner l'existence de leurs semblables et à leur ouvrir des horizons qu'ils ne soupçonnaient pas. Les enseignants, désormais astreints à remplir ce rôle difficile et méritoire, auraient déjà toutes raisons de regretter d'avoir à perdre un temps précieux à ce type de tâche. Or combien souvent ne voient-ils pas encore les parents intervenir dans l'action qu'ils mènent, eux, non sans clairvoyance et dont ils subodorent qu'elle ne pourra pas s'arrêter aux petites classes ! Et combien souvent ces mêmes parents, qui se croient fondés à revivre leur enfance dans celle de leurs enfants, ne viennent-ils pas déplorer le manque de compréhension des enseignants dont ils attendraient qu'ils développent la même attitude contre-éducative que la leur !

Ce n'est pas par hasard que la grande Françoise Dolto marquait tant de sympathie pour les élevages mercenaires et n'hésitait pas à faire l'apologie des crèches. C'était sa manière, elliptique et souvent mal comprise, de dire qu'on pouvait ainsi, sans torturer les mères, mettre leurs enfants à l'abri de leur propension naturelle à les surprotéger en les gardant trop longtemps en elles, ce qui leur permet de découvrir un environnement de semblables susceptibles de leur donner une conscience plus claire de ce qu'ils sont. C'est pour la même raison d'ailleurs que se sont développées les garderies destinées à permettre à des enfants élevés chez eux ou par des assistantes maternelles de bénéficier un tant soit peu d'expériences similaires. Et, quand, toujours elle, Françoise Dolto mit en place la première maison verte, ce n'était pas dans un autre souci : une manière douce et subtilement éducative, menée avec l'aide de psychanalystes, d'ouvrir aussi bien aux mères qu'aux enfants les horizons indispensables qui leur paraissaient interdits parce que réputés à tort effrayants. Ce qui est regrettable et qui démontre l'ampleur des enjeux, c'est que toutes ces mesures ont été récupérées par le discours bébolâtrique ou maternolâtrique, faisant principalement de l'ensemble de ces institutions quelque chose qui serait destiné à accroître les performances des bébés et à rendre les mères meilleures encore ! C'est vrai quant au résultat visé, mais cela prête à confusion si on ne dit pas clairement de quoi il s'agit et comment c'est censé agir. Si, roulant sur une route en lacets très pentue — encore une métaphore automobile —, je sais disposer du frein moteur de mon véhicule et que je passe la seconde, cela ne me servira à rien si je continue en même temps d'appuyer sur l'accélérateur, sauf à vouloir me planter dans le décor au premier virage ! Donner les explications sur la manière dont fonctionnent les dispositifs ne revient pas — le redirais-je assez ? — à culpabiliser les mères et les accuser d'être irresponsables, c'est leur donner au contraire un moyen supplémentaire de lutter contre ce qui les traverse, les soumet et les domine malgré elles, c'est armer leur intelligence pour leur permettre de résister à ces pulsions parasites qui leur viennent du fin fond de leurs histoires.

Il va sans dire que cet ensemble de dispositifs, comme ces mesures sur lesquelles j'insiste pour dire combien elles sont souvent souveraines, ne peuvent produire de résultat bénéfique que sur des enfants pour lesquels les choses demeurent encore ouvertes, c'est-à-dire pas trop compromises. Elles n'ont pas en effet réussi à redresser le cours de l'évolution affective de Ludo. On peut de fait se demander le sort qu'il aurait eu s'il avait fréquenté la crèche, encore que, comme sa sœur, il était en nourrice, ce qui a dû partiellement le préserver. Mais l'atmosphère dans laquelle il vivait le jour ne parvenait sans doute pas à l'extraire tout à fait de celle qu'il retrouvait dès qu'il était de nouveau en présence de ses parents. Comment, dans ces conditions, l'école aurait-elle pu être plus efficace ?

Si, au terme de cette recension de considérations, on cherche à trouver le facteur commun susceptible d'en expliquer le cours et l'organisation, on tombe encore une fois sur l'ingrédient temps qu'elles ont en partage.

Car c'est la perception de l'écoulement du temps, sur laquelle je me suis si longuement étendu, qui fait contrepoint au non-temps utérin que promeut la satisfaction immédiate du moindre besoin. C'est encore la conscience du temps, dans sa dimension vectorisée, son écoulement, qui s'infiltre dans la capacité à dire « non » au nom d'un père avec lequel se fit cet enfant. C'est encore et toujours le temps qui intervient dans une éducation qui tourne le dos au laxisme, souvent confondu avec la démocratie, parce que cette éducation prend ouvertement en compte la différence générationnelle et n'entretient pas l'enfant dans l'illusion d'une égalité de pouvoirs et de prérogatives.

Or que nous dit Ludo devenu adulte de ce qu'il a vécu ? Sa souffrance, certes. Mais aussi l'incontestable bénéfice qu'il a tiré de ces longues années de véritable rééducation qui ont dessillé son regard et lui ont permis de naître enfin au monde environnant en s'y inscrivant comme un être désirant capable bien sûr de dire ne plus jamais vouloir même voir une raquette, mais capable aussi de fonder un couple et de procréer avec une sérénité que son père n'a jamais dû avoir. Bien sûr que tout cela, je l'ai dit, n'a rien à voir de près ou de loin avec, par exemple, un travail psychanalytique. Mais ce dont je peux témoigner aussi, pour ma part, quitte à passer pour un iconoclaste, c'est que je n'ai jamais vu une seule fois dans ma longue carrière un travail psychanalytique, par quelque praticien eût-il été mené et à quelque école ce dernier eût-il appartenu, qui ait produit un effet aussi spectaculaire et aussi probant.

Et ce que j'ai trouvé de plus amusant et de plus émouvant dans tout cela, c'est quand, m'intéressant à la manière dont il a rencontré sa femme, il m'a raconté que c'était dans une colonie qu'elle fréquentait et où, lui, était moniteur, et qu'il a ajouté très vite, sans que je ne lui aie rien demandé : « Mais je ne l'ai draguée qu'une fois la colo finie ! » Comme pour se défendre aussitôt contre toute entorse aux règles de l'éthique et me dire que, sur ce point aussi, il savait parfaitement ce qu'il en était.

Il était définitivement revenu de son école américaine à l'âge de quinze ans pour entrer en troisième et se destiner à des études d'interprétariat. Son adolescence ne lui a pas plus posé de problèmes qu'elle n'en avait posé à ses parents. Ce qui est suffisamment rare pour mériter d'être relevé et salué comme un effet bénéfique de plus de cette thérapie indirecte et probablement de type comportementaliste qu'il a eue dans cette singulière école. Car on sait ce qu'est aujourd'hui le malaise adolescent — la « crise », selon l'expression par laquelle certains aiment à la désigner, comme si elle était inéluctable et qu'elle devait toujours être violente. C'est ce moment, tant craint par les parents, où tout ce qui était resté en suspens dans la traversée des premières années revenait en force et demandait à être apuré sinon résolu. Et, comme depuis quelques générations, les parents ont cru bon de s'écarter de repères décrétés obsolètes bien qu'ils eussent fait leurs preuves, et qu'ils se sont trouvés trimbalés d'une mode à l'autre, leur éducation, qui a failli en bien des points, a laissé en suspens une foule de questions qui exigent des réponses.

Je n'ai pas l'intention de m'étendre davantage sur cette étape de la vie, réputée désormais régulièrement délicate sinon problématique, sauf pour en dire qu'elle n'est pas accidentelle mais qu'elle est directement dépendante de la manière dont les choses se sont passées dans les toutes premières années. L'argument est suffisant pour insister sur l'importance de l'éducation précoce et sur la fermeté dont on ne doit pas hésiter à faire preuve dès l'âge le plus délicat. C'est, encore une fois, comme pour la conduite automobile : on ne doit pas conduire en regardant le devant du capot, mais en regardant le plus loin possible. Et il suffit de le faire pour que, sans le moindre discours, on le transmette à ses enfants.

Comme ce type d'attitude n'a pas toujours été observé, ce qu'on découvre régulièrement aujourd'hui, c'est l'intensité de la peur qu'éprouve sans le savoir l'adolescent. Il vit en effet dans la peur. Une grande peur. Une peur si intense qu'elle parvient à... faire peur ! Elle fait peur aux parents d'abord. Ce qui n'est pas sans effet négatif, car la peur des parents va en retour l'accroître. Il s'installe à partir de là une forme de cercle vicieux où les peurs ne cessent pas de s'alimenter l'une l'autre, parvenant même à contaminer parfois les enseignants et les médecins auxquels on décide d'avoir recours. Qu'il y ait toujours de la peur accompagnant l'accès à cet âge est banal. Devant leur adolescent, les parents se retrouvent comme devant leur nouveau-né : ils ont soudain peur de la fragilité qu'ils lui supposent, ils ont peur de le casser, de lui faire mal malencontreusement, de le traumatiser[1], tout en étant persuadés, à tort, à la fois de son génie et de sa capacité à trouver par lui-même les solutions à son malaise. Il essaie bien, parfois, lui, de réclamer des directives, un encadrement, un discours ferme qui lui dise quoi faire et où aller, quitte à le rejeter ou à se dresser contre. Il lui arrive même de hurler : « Je ne suis pas un bébé ! » En vain. Il a en effet touché si juste avec cette parole que, sans l'avoir cherché, il conforte ses parents dans leur position émerveillée et sidérée. Le malaise ne va que croître. Et c'est parce qu'il en est souvent ainsi qu'ont été mis au point les rituels de passage, aujourd'hui abandonnés chez nous, qui se sont pratiqués depuis toujours et sous toutes les latitudes. Mais ce

1. Certainement le mot savant le plus fréquemment rencontré de nos jours dans le langage parental.

n'est pas l'abandon de ces rituels qui a majoré la peur de nos adolescents. C'est ce qui revient si intensément du fond de l'enfance, et contre quoi les rituels seraient probablement assez peu efficaces. Et ce qui revient si fort aujourd'hui, bien plus fort que cela ne revenait jadis, concerne la relation au temps et à la mort. L'adolescence est, de toute éternité, cet âge dont tout individu hésite à franchir le pas : il retarde le plus possible le moment d'abandonner l'enfance, alors même qu'il était enfin parvenu à en faire le tour, et de rentrer dans cet âge dit adulte. Parce que se plier à cette nécessité, c'est accepter définitivement la logique vectorisée du temps, avec la mort au bout. C'est définitivement tourner le dos au discours maternel qui a toujours subtilement dénié cette dimension quand il ne continue pas de le faire.

On trouve une illustration vivante et émouvante de tout cela dans l'ouvrage de Pierre Clastres intitulé *Chronique des Indiens Guayaki*[1]. « *Un jour le père décide que le temps de l'enfance est révolu pour son fils.* » Suit alors la description du rituel qui est mis en place et dont j'extrais le passage suivant qui me semble hautement significatif : « *Et pour la première fois...* les kybuchu (enfant entre sept ou huit ans et l'âge d'être reconnu comme adolescent*) *chantent, avec timidité ; leur bouche encore inexperte module le* prerä (chant réservé aux hommes*) *des hommes. Là-bas, les chasseurs répondent de leur propre chant encourageant ainsi celui des futurs* beta pou (nouvel initié*). *Cela dure un long moment ; autour, la nuit silencieuse et des feux qui brillent. Alors, comme une protestation, comme une plainte de regret et de peine, se laissent entendre les voix des femmes : les mères des*

1. Pierre Clastres, *Chronique des Indiens Guayaki*, Paris, Plon, 1972.
* Désigne ma propre traduction, libre, des termes.

jeunes gens. Elles savent qu'elles vont perdre leurs enfants, que bientôt ils seront plus des hommes dignes de respect que leur memby (petit enfant*). *Leur* chenga ruvara (chant réservé aux femmes*) *dit l'ultime effort pour retenir le temps, il est aussi le premier chant de leur séparation, il célèbre une rupture. Le refus chanté-pleuré des femmes d'accepter l'inévitable est un défi pour les hommes : leur* prerä *redouble de force, de violence, il devient agressif couvrant presque l'humble complainte des mères qui écoutent chanter leurs fils comme des hommes. Eux se savent l'enjeu de cette lutte que se livrent les hommes et les femmes et cela les encourage à tenir vigoureusement leur rôle : ce soir, ils ne font plus partie du groupe, ils n'appartiennent plus au monde des femmes, ils ne sont plus à leur mère ; mais ils ne sont pas encore des hommes, ils ne sont de nulle part, et pour cela occupent* l'enda ayiä (hutte d'initiation que les jeunes gens ont construite eux-mêmes*) : *lieu différent, espace transitoire, frontière sacrée entre un avant et un après pour ceux qui vont à la fois mourir et renaître. Les feux s'apaisent, les voix se taisent, on s'endort.* »

On voit comment de tels rites initiatiques parviennent à une métabolisation intelligente de ce qui se joue. On comprend encore mieux leur fonction dans sa globalité : soumettre le postulant à la loi qui régit l'espèce, et rappeler cette même loi aux adultes présents qui n'en sont pas moins concernés.

Nos sociétés n'ont strictement rien de semblable à proposer à l'adolescent. Elles encouragent, certes, la sublimation de ses pulsions par la valorisation des parcours scolaires ou des activités sportives, mais jamais, au grand jamais, de tels succédanés n'affrontent le problème de fond. À tel point que ce problème demeure le même, et préoccupant, quels que soient l'époque, le lieu géographique, la latitude ou le contexte social.

Ce n'est pas que nous ayons perdu le sens des stratégies régulatrices face à ce genre de phénomène, mais nous assistons, sidérés, à une mutation qui élève la difficulté, déjà énorme au départ, à sa propre puissance. Sans compter qu'il y a toujours des gagnants à l'affaire ! Le marketing l'a bien repéré, qui développe une énorme panoplie d'articles pour ce marché qui, faute de mieux et pour se sortir d'affaire, a inventé les modes, les appartenances, les addictions et les groupes. On ne badine pas avec la montée de l'angoisse de mort. Tout ce qui prétend pouvoir la combattre est bon à prendre.

On peut, bien évidemment, être d'accord avec cette collection d'arguments et opter quand même pour une attitude passive qui refusera cependant de se dire fataliste, préférant se présenter comme réaliste et s'attirer estime et sympathie par l'ouverture d'esprit qu'elle manifesterait en l'occurrence. Dès lors que les vieux modèles familiaux, traditionnels ou patriarcaux, comme on voudra bien les désigner, n'ont pas en effet réussi à protéger 100 % de leurs membres des méfaits de la névrose — à quelle terrifiante illusion se nourrit l'idée qu'il pourrait ne pas y avoir de névrose ? —, pourquoi déplorer les éventuels méfaits des modèles qui se sont inventés et qui s'inventent, même si la proportion des dégâts qu'ils engendrent serait infiniment supérieure à celle des précédents ? C'est le discours qu'on ne cesse pas de lire sous la plume de nombre de journalistes, de sociologues, d'hommes politiques et même de thérapeutes de différents bords qui militent pour l'acceptation dédramatisée de tous les cas de figure sans discrimination, laissant entendre en quelque sorte que tout vaut tout, et rien ne vaut rien. Ce qui exclut toute tentative de hiérarchiser les attitudes ou de prôner la moindre ligne de conduite dans quelque sens que ce soit. La nostalgie de l'anarchie, qui prend ainsi le masque du respect de la liberté, n'est pas sans évoquer l'illusion de toute-puissance maniée par les nourrissons. Il est vrai que ça fait mieux d'être ainsi, l'air du temps s'accommodant fort mal d'autres options. Et ça laisse croire qu'on serait enfin parvenu au faîte de l'évolution d'une espèce qui en a encore sans doute pour des dizaines sinon des centaines de millénaires à se trouver un tant soit peu ! Je n'ignore pas, pour ma part, la quantité d'étiquettes qui ont été accolées au discours que je n'ai jamais cessé de tenir. Je trouve néanmoins que c'est plus facile de rester indifférent à ce qu'on constate dans l'après-coup qu'à ce à quoi on assiste en étant « dans le coup ». L'émotion suscitée par la vue du cadavre d'un individu qu'on découvre assassiné n'a strictement rien à voir avec celle qu'on peut éprouver quand on assiste à l'assassinat. Dans un cas, on sait qu'il n'y a plus grand-chose à faire, sauf à faire entreprendre une enquête dont on ne sait ce qu'elle donnera. Dans l'autre, on est bouleversé parce qu'on se sent mû par le désir d'intervenir pour préserver l'agressé et effrayé en même temps par la violence que manifeste l'agresseur. On a certes, aussi, toujours et naturellement peur de prendre soi-même des coups. On a alors le choix entre passer son chemin sans même se faire voir ou bien faire quelque chose, ne serait-ce que hurler, même si on sait que ça ne risque pas plus d'arrêter l'assassin que de rameuter la foule indifférente !

Moi, j'ai toujours choisi de hurler. Je le fais une fois de plus. Et peu m'importe ce que cela me vaudra.

Je pense avoir assez montré de quelle manière interviennent à quelque âge de la vie que ce soit, bien que différemment d'un sexe à l'autre, les ingrédients concaténés que sont la conscience de l'écoulement du temps et l'angoisse de mort pour me risquer à en proposer une gestion dont je pense qu'elle serait susceptible, au fil des générations à venir, d'alléger pour l'humain le vécu du sort nouveau qu'il connaît depuis deux ou trois décennies.

L'avantage d'une telle gestion réside par ailleurs, comme on va le voir, dans l'extrême simplicité de sa mise en œuvre. Et comme elle pourrait, de surcroît, entrer sans la moindre difficulté dans le cadre des manières de faire admises par la collectivité, elle ne devrait pas poser de problème. Il ne reste plus dès lors qu'à l'exposer succinctement et à en montrer la pertinence.

Elle tient tout simplement dans le retour à une alimentation du tout-petit à heures relativement fixes et en quantité fixe, et plus du tout, comme c'est actuellement le cas, à la demande et en quantité libre.

C'est un tout petit détail, dira-t-on, un détail ridicule dont on n'imagine pas du tout qu'il puisse intervenir et encore moins comment il pourrait intervenir.

C'est vrai. C'est cependant le genre de détail qui modifie de fond en comble les états d'esprit. Parce qu'il fait tout simplement passer de l'absence totale de règles à des règles, de l'anarchie à un ou deux points de repère.

Voyons tout d'abord ce qu'il en a été.

Quand j'accomplissais mes études de pédiatrie, nous avions à ingurgiter par le détail l'ensemble des règles strictes qui présidaient à l'alimentation du premier âge. Il fallait absolument calculer la ration quotidienne en ajoutant 200 grammes au dixième du poids du bébé, puis diviser cette ration en six repas les deux premiers mois de la vie, en cinq repas les quatre mois suivants, puis en quatre jusqu'à la fin de la première année. Les bébés allaités par leurs mères avaient droit eux aussi aux mêmes prescriptions pondérales et horaires, les premières devant être contrôlées par des pesées régulières avant et après la tétée, les secondes étant doublées d'une précision concernant la durée de la mise au sein — je ne crois cependant pas qu'il faille en revenir à une telle rigidité pour l'allaitement maternel. Après quoi, toute latitude était laissée aux parents pour trouver la bonne manière de faire avec leurs enfants. Ces mesures n'avaient pas été inventées de toutes pièces. Elles résultaient des nombreuses recherches effectuées en laboratoire en fonction des besoins précisément calculés des enfants. On en était encore dans la suite d'un processus datant déjà du siècle précédent, des débuts de la pédiatrie, dont l'objectif visait avant tout la réduction de la mortalité infantile. On pourrait méchamment ajouter à cela que c'était encore l'époque de la famille patriarcale et de l'« ordre » qu'elle n'avait pas cessé d'instaurer. Je rétorquerai : justement, et pourquoi pas ! Puisque c'est précisément de ce don du temps que le père a toujours fait sans le savoir qu'il s'agit et qu'il faudrait restaurer. Disons que les bébés ainsi élevés ne mouraient pas comme des mouches et étaient, hormis les atteintes infectieuses qu'ont éradiquées les vaccins et non pas la révolution diététique, aussi beaux et aussi bien portants que ceux d'aujourd'hui. Plus calmes aussi, devrais-je ajouter. Je me souviens d'avoir eu, pendant des mois en tant qu'interne, la charge de deux salles de tout-petits totalisant quatre-vingts berceaux et de n'avoir jamais eu les oreilles cassées par les cris de ces bambins pourtant alimentés à heure fixe.

Pourquoi cela a-t-il changé ?

Pour une série de raisons adjointes à une série de facteurs.

À distance de cette époque, je prendrai le risque aujourd'hui de faire intervenir le fait que nos générations de soignants et plus particulièrement de pédiatres, qui avaient connu la guerre et la privation, comme les effets positifs de la sollicitude et de la protection maternelles, avaient certainement développé une plus grande sympathie à l'endroit des mères. J'ajouterais, à cet égard, que cela n'a dû que renforcer notre propension naturelle dans la mesure où on ne choisit pas de devenir soignant, en quelque domaine ou en quelque position que ce soit, si, homme comme femme, on n'a pas en soi une forte fibre maternelle. Mais la sympathie ainsi développée a dû, elle-même, s'inscrire dans une modification profonde de l'état d'esprit environnant — n'oublions pas que le droit de vote a été donné aux femmes, en France, en 1945 — et en être encouragée. Sur cette réalité de fond sont probablement venus s'adjoindre d'autres facteurs d'importance inégale. Notre paresse naturelle, l'absence d'explication de fond des règles de la diététique — c'est seulement pour satisfaire ma curiosité que, beaucoup plus tard, je suis allé les chercher — nous ont incités à ne rien retenir de ces règles censées faire la spécificité de la pratique que nous allions avoir. Puis, là-dessus, sont venus se greffer deux petits événements en miroir quoique d'inégale importance.

Un best-seller américain venait d'être traduit et gagnait un large public : ce qu'on appellera longtemps le « Spock[1] ».

1. Docteur Benjamin Spock, *Comment soigner et éduquer son enfant ?*, Paris, Marabout, 1965. L'édition originale américaine date de 1945. Il y eut, en France, de nombreuses rééditions dont celle de Belfond en 1979 et du Livre de Poche en 1982. Cela a fini par donner naissance à une entreprise éponyme gigantesque qui diffuse dans le monde entier aussi bien l'ouvrage lui-même que des produits dérivés.

Son auteur, pédiatre américain, se vit un jour invité par un de ses amis éditeur à écrire un ouvrage pour le grand public. Il raconte lui-même avoir un peu potassé Freud pour écrire la partie éducation de son ouvrage, à laquelle il ne connaissait pas grand-chose. Ce qui s'est dégagé de son adaptation de Freud a donné lieu à la fascination pour l'enfant et a impulsé dès ce moment l'idéologie de l'enfant-roi. Il avait pourtant pris la peine de spécifier, dans ses premières éditions, que, passé trois mois, il fallait cesser d'être souple et revenir à de la fermeté. Le message n'a pas été entendu et il a très vite été abandonné.

Du côté des professionnels, ce fut une aventure un peu identique puisque fut traduit à peu près à la même époque un traité de pédiatrie que nul pédiatre ne se devait d'ignorer et qu'on citait en toutes sortes d'occasions, le fameux Nelson[1]. Il faut dire que l'aura des États-Unis était, alors, on ne peut plus haute et qu'on ne disposait pas en France de traité aussi complet à un prix aussi abordable. Or, entre autres choses, le Nelson comme le Spock préconisaient l'alimentation à la demande. Il y avait donc là une conjoncture qui non seulement autorisait, mais incitait, à se débarrasser de règles qui sont apparues surannées. Ce qui a sûrement convenu, en particulier, aux pédiatres, et ce pour plusieurs raisons. On ne choisit jamais son métier par hasard, ai-je dit, mais encore moins sa spécialité quand on est médecin. S'il est vrai que, sur le plan spéculatif, le métier de pédiatre est passionnant, il n'en implique pas moins un choix qui met l'enfant au centre de son exercice. Chacun sait que le pédiatre est considéré, surtout par les mères mais aussi par le grand public, bien plus qu'un sorcier, une sorte de

1. Waldo E. Nelson, *Traité de pédiatrie*, Paris, Maloine, 1961.

demi-dieu. N'a-t-il pas tout d'abord un savoir considérable sur cette chose si précieuse et si mystérieuse qu'est l'enfant ? Et cet enfant, il lui faut bien le connaître et beaucoup l'aimer pour consacrer sa vie à ses soins et surtout ne pas en avoir peur. On ne peut donc pas trouver de meilleur allié pour l'aventure dans laquelle on s'est lancé. Il est le parent idéal sur lequel on pourra se projeter, sinon compter, en étant prêt à suivre aveuglément ses conseils. Mais ce qu'on sait moins et qui se dit peu, c'est qu'un pédiatre a toujours un compte personnel à régler avec sa propre enfance ou avec l'enfance en général. Si bien qu'il sera, tout à la fois et sans ordre ni hiérarchie, le bébé ou l'enfant qu'il soigne, le père de ce bébé ou de cet enfant, mais surtout la mère de l'un ou de l'autre, quand ce ne sera pas la mère de chacun des protagonistes. Il sera tout cela à la fois, à sa manière propre, qui ne sera jamais celle d'un quelconque de ses collègues. Ce sera son style, à nul autre pareil, qui conviendra à telle ou telle autre frange de la clientèle. Pour peu qu'on ajoute à cela le fait qu'ayant principalement les mères pour interlocutrices il se coule naturellement, sans même s'en rendre compte, dans une attitude marketing qui consiste à être en sympathie avec elles et à abonder éventuellement dans leur sens. Si on ajoute à ces éléments le fait qu'il ne lui a été donné aucune formation à la relation et qu'il n'a jamais été sensibilisé à la dimension relationnelle de son exercice, on comprend combien il peut être sensible aux mots d'ordre environnants à l'endroit desquels il n'a pas la capacité qu'il a en d'autres domaines de développer un sens critique. Ainsi en a-t-il été par exemple de la fascination exercée sur lui dans les années 1960, et dont j'ai fait état, par les modèles africains, importés comme paradigmatiques et imitables parce que naturels et donc sains. J'ai déjà dit ce que j'en pensais en signalant que, désinsérés de leur contexte symbolique, ils n'ont aucun sens.

Il faut ajouter à cet historique Mai 1968 et ce qui s'est ensuivi dans les mouvements de notre société, avec le coup de grâce donné au père et, en particulier, le coup de fouet donné à la société de consommation. Alors même que les pédiatres savent que les bébés sont élevés dans le monde de diverses manières, l'industrie laitière a compris le parti qu'elle pouvait tirer du changement d'orientation qui se dessinait. Elle n'est pas demeurée impassible. Ses services de marketing ont en effet su exploiter le contexte. L'allaitement à la demande, malgré le fait que les doses précises des biberons en fonction de l'âge continuaient de figurer sur les conditionnements, n'a pas manqué d'être diffusé par ses soins. Des biberons plus importants et plus fréquents, dans la mesure où ce dont le bébé ne voulait plus était jeté, ne pouvaient qu'augmenter le volume total de lait consommé.

La boucle étant bouclée on a ainsi vu se dessiner la courbe montante de l'abandon des mères à leur propension, comme à la solitude et à la responsabilité écrasantes auxquelles elles se sont trouvées dès lors condamnées.

Mais, s'il faut s'écarter de cette manière de faire, n'est-on pas en droit de se demander si le retour à une manière de faire plus stricte et plus réglée, si tant est qu'elle soit justifiée, est physiologiquement supportable par le nourrisson ?

Supportable, cette manière de faire l'est à n'en point douter, puisque, comme je l'ai dit, elle a été très largement expérimentée sans que, bien entendu, on n'en ait relevé les effets que je souligne. Ce pourrait même être une prévention de l'obésité infantile comme un traitement d'appoint pour le reflux gatro-œsophagien dont on sait qu'il est nettement amélioré par la réduction et le fractionnement des repas.

Mais, objectera-t-on, les bébés vont pleurer s'ils ne sont pas repus. Certes. Sûrement pas longtemps, cependant. Ils chercheront certainement à avoir une goulée de plus une fois le biberon fini, et ils n'hésiteront pas à crier. À ceci près que, pour peu qu'on ne leur cède pas, ils comprendront que leur demande ne sera pas satisfaite, et ils s'arrêteront tôt ou tard de pleurer. Pour peu, autrement dit, qu'on leur donne l'habitude de ces doses, ils finiront par les accepter. C'est d'ailleurs sur ce point que peut venir se greffer l'argument de justification. Car la frustration à laquelle les bébés seraient ainsi soumis formera pour eux le socle de leur éducation future tant il est vrai que l'équation « éduquer = frustrer » se vérifie toujours et dès le plus petit âge. Et puis, que peut donc peser une frustration de cette importance quand on pense au fait que le léger désagrément qu'elle occasionne met en place, par petites touches successives qui s'ajoutent les unes aux autres, une perception bien plus sûre du monde extra-utérin et le remplacement du non-temps de l'utérus virtuel, que ne cesse pas de tisser la sursatisfaction, par la perception du temps scandé par la sensation physique.

Reste à savoir comment mettre réellement en pratique la chose. Faut-il procéder ainsi dès la naissance ou bien attendre un certain âge, revenir, autrement dit, à la prudence des premières éditions du Spock ? Faut-il vraiment nourrir à heure fixe, ou bien cela supporte-t-il une tolérance ?

Je dirais qu'on peut être plus souple sur les horaires avec une tolérance de trente minutes autour de l'heure théorique dans les deux premiers mois, mais demeurer ferme sur les quantités. Après quoi, on restera encore souple, mais avec une tolérance ramenée à dix minutes, en n'hésitant pas plus à faire attendre qu'à réveiller ; là encore, on restera ferme sur les quantités. Une fois ces habitudes mises en place, l'instauration de la diversification elle-même obéira à des règles précises : prônée aujourd'hui comme devant être tardive en raison du risque de développement des allergies alimentaires, elle permettra, compte tenu de la prolongation de l'alimentation lactée, une accoutumance accrue à la scansion du temps. Une sorte de pli sera ainsi pris et donné. Ce respect forcé du temps qui se sera glissé entre mère et enfant rendra l'enfant au temps dont il a un besoin vital et dont ses congénères ont sérieusement manqué ces dernières décennies. Cet enfant rendu au temps se développera en étant moins addicté au plaisir : il pourra alors vivre un temps vide sans se sentir envahi par l'angoisse de mort ; il ne sera plus le tyran qu'on voit tous les jours ; sans manquer de personnalité, il acceptera mieux la limite et la discipline ; et, en raison de tout cela, il sera, enfin, un adolescent plus serein.

Quant aux mères, ce sont sûrement elles qui, si elles l'adoptent, pourraient tirer le plus grand bénéfice de ce retour à cette manière plus stricte de faire. Il en ira, là, comme de ce qui se passe chez celles d'entre elles qui entreprennent, pour mettre leur bébé à la crèche, de vivre avec lui ce qu'on appelle la semaine d'adaptation. Tous les professionnels de la petite enfance, à commencer par le personnel des crèches, savent et professent, non sans en être au demeurant attendris, qu'en fait d'adaptation ce ne sont jamais les bébés qu'on doit adapter mais toujours les mères. Là aussi, soumises à une prescription, extérieure à elles et ayant gagné un large public, exonérées de leur écrasante responsabilité jusque dans ce secteur du quotidien, aidées d'un rituel simple et adjuvant qui leur fournit des repères tout à la fois discrets et efficaces, elles s'adapteront nécessairement tant elles se sentiront soulagées. Auront-elles à craindre de passer pour de mauvaises mères ? Car il faut bien faire avec ce fantasme dont elles disent combien il les torture quand, prises par leur travail, elles croient devoir compenser la quantité de temps par un excès de qualité si ce n'est une plus grande intensité d'investissement affectif. Elles peuvent se rassurer : le sourire de leur bébé les accueillant ne pourra que les soulager. Et ce bébé ne pourra d'ailleurs que leur sourire, lui, puisque, étant passé de l'univers utérin à l'univers aérien, il sait pouvoir compter sur elles, qu'il repérera infiniment mieux qu'il ne l'aurait fait si elles l'avaient condamné par trop de prévenances à rester soudé à elles.

On peut continuer encore de décrire comment pourrait se dérouler un processus qui, par quelque côté qu'on le prenne, ne pourra produire que des avantages. L'important n'est-il pas de relever qu'il se situe dans le droit fil de la Loi de l'espèce dont il semble que plus personne ne veuille prendre la responsabilité de la mettre en œuvre ? Qu'à cela ne tienne ! Il suffirait de faire en sorte que cette nouvelle manière de faire paraisse plus incitative qu'imposée, une incitation soutenue finissant par être volontairement adoptée — il suffit de voir le réflexe désormais acquis de boucler sa ceinture de sécurité. La collectivité, qui aura ainsi pris une nouvelle ampleur et revêtu de nouvelles fonctions, prendrait, en remplissant cet office, le relais de ce père qu'elle a délibérément écarté. La mère ne se sentirait alors plus écartelée entre sa propension profonde et la nécessité de tenir compte des éventuelles réactions d'un compagnon appartenant à une sous-espèce ignorante de ce qui motive celle à laquelle elle appartient. L'éternel conflit entre sous-espèces pourrait progressivement se désamorcer au bénéfice de chacun. Elle regarderait d'un autre œil ce compagnon, qui pourra au demeurant opter sans faire courir de risque pour l'attitude qu'il souhaiterait avoir, et reprendre avec lui les contacts nécessaires à lui faire à nouveau investir la femme qui est en elle. Une activité sexuelle plus détendue et plus investie à l'intérieur du couple contribuera à mieux le protéger de tout ce qui, pour chacun des protagonistes, risque de débouler du fond de son histoire.

Car c'est là sans doute qu'on attendrait l'échec de la solution. Cela m'étonnerait qu'elle puisse convaincre les psys qui estimeraient sans doute qu'elle ne changerait pas grand-chose et qui pensent qu'ils auront toujours autant d'enfants à devoir aider. Ça, je ne le crois pas. Car, même si une telle mesure ne peut pas s'avérer capable — heureusement ! — de faire obstacle à la transmission des méfaits d'une histoire, il en ira certainement différemment de cette transmission. Quand une histoire s'abat sur un être angoissé et fragilisé par des contingences extérieures, sur un être perdu sans repère dans le désert de son avenir propre comme de celui de son enfant, la violence de son débit est considérable et s'accroît toujours au fil du temps. L'enfant la prend de plein fouet parce qu'il y est inclus. Quand, en revanche, grâce à l'artifice introduit par la scansion précise du temps, il parviendra à se percevoir même confusément enfin hors de l'univers utérin, cette distance minimale opère comme une protection. La mère, elle-même soulagée, ne court plus le même risque de tension qui la faisait se heurter à son partenaire et se lancer avec lui dans une surenchère dont ils pâtissent nécessairement tous les deux.

On peut, évidemment, continuer d'en rire, on peut continuer de ne pas y croire. De refuser. Qu'est-ce que cela coûterait d'essayer ? On n'a rien à perdre, et tout à gagner.

Alors ?

Cet ouvrage a été transcodé et mis en pages
chez Nord Compo (Villeneuve-d'Ascq)
et achevé d'imprimer sur Roto-Page
par l'Imprimerie Floch (Mayenne)
en juin 2004.

N° d'impression : 60514
N° d'édition : 7381-1446-5
Dépôt légal : avril 2004

Imprimé en France